Seras-tu le gardien de mes nuits ?

SHIRLEE
BUSBEE

Seras-tu le gardien de mes nuits ?

ROMAN

Traduit de l'américain
par Viviane Ascain

Titre original
SCANDAL BECOMES HER

Éditeur original
Zebra Books published by Kensington Publishing Corp. New York

À mon frère, Bill Egan, qui a attendu
si longtemps pour publier son *livre.*
Il y a frère et frère, *et je suis heureuse*
et fière que tu sois le mien.

Et, bien entendu, à mon mari Howard,
qui partage toutes mes aventures,
et Dieu sait que nous en avons !

1

Le cauchemar surgit du plus profond d'un sommeil paisible. Nell repoussa les couvertures et se débattit pour échapper aux visions épouvantables qui l'assaillaient.

Mais ce combat était vain, elle ne le savait que trop.

Elle était condamnée à assister, impuissante, au terrible crime qu'on allait perpétrer sous ses yeux. Le décor était toujours le même : un obscur cachot au fond d'une antique demeure, aux dalles inégales, aux murailles épaisses maculées par la suie des torches dont la lueur tremblotante éclairait des instruments de torture d'un autre âge, vestiges d'une époque où la douce Albion était livrée aux barbares.

Ses instruments favoris, ses jouets, qu'il utilisait quand bon lui semblait…

Comme chaque fois, la victime était une jolie jeune femme aux yeux d'azur agrandis par la terreur – terreur qui paraissait beaucoup amuser son tortionnaire. Les chandelles éclairaient toujours les visages de ses proies, tandis que le sien restait dans l'ombre. Mais si Nell n'était jamais parvenue à le voir distinctement, rien de ce qu'il infligeait aux malheureuses frissonnantes ne lui échappait. À la fin, une fois qu'il avait jeté le corps sans vie de sa victime dans une fosse qui s'ouvrait au fond du cachot, l'horrible vision s'estompait, et Nell renaissait enfin à la vie.

Comme d'habitude, une fois libérée de l'abominable vision, elle se réveilla en sursaut, ses yeux d'émeraude noyés de larmes. Elle ravala le cri qui lui montait à la gorge, rassurée par le décor familier de sa chambre à coucher doucement éclairée par le feu qui rougeoyait encore dans la cheminée. Elle était à l'abri dans la demeure londonienne de son père. L'aube pointait déjà derrière les lourds rideaux de velours et la ville s'éveillait doucement. De la rue lui parvenaient le cliquetis des charrettes, le martèlement des sabots des chevaux sur le pavé et les appels des premiers marchands ambulants.

Ces affreux cauchemars cesseraient-ils un jour de la tourmenter ? Ils n'étaient pas très fréquents, Dieu merci, sinon sa raison n'y aurait pas résisté et elle serait déjà devenue folle.

Repoussant les mèches mordorées qui retombaient en désordre sur son visage, elle saisit sur sa table de chevet la timbale d'argent remplie d'eau et la vida d'un trait.

Rassérénée, elle se redressa en position assise et s'efforça de remettre un peu d'ordre dans ses idées. Elle était en sécurité, il ne pouvait rien lui arriver, contrairement à la pauvre créature qui était venue hanter ses rêves. Elle s'empressa de repousser ces pensées. Il ne s'agissait que d'un cauchemar et, si effroyable fût-il, il n'avait aucun rapport avec la réalité.

Eleanor Anslowe, Nell pour les intimes, n'avait jamais fait de mauvais rêves dans son enfance, jusqu'au dramatique accident qui avait failli lui coûter la vie lorsqu'elle avait dix-neuf ans.

Toute son existence s'était trouvée bouleversée par cette tragédie. Cette terrible année 1794 avait pourtant débuté sous les meilleurs auspices, puisque, au printemps, on avait annoncé ses fiançailles avec l'héritier d'un duché.

Le visage de Nell se rembrunit. Elle venait de fêter son vingt-neuvième anniversaire en septembre, et quand elle se retournait sur son passé, elle ne se reconnaissait plus dans la jeune fille insouciante et sûre d'elle qui était devenue la coqueluche de toute la bonne société londonienne. L'annonce qu'Aubrey Fowlkes, marquis de Giffard, fils aîné du duc de Béthune, comptait épouser une fille de petite noblesse avait provoqué une foule d'interrogations et de commérages dans le beau monde, quand bien même l'heureuse élue était également une riche héritière.

Bien entendu, ce n'était rien à côté de la vague de ragots qui avait déferlé lorsque les fiançailles avaient été rompues l'hiver suivant, après une chute de cheval dont elle avait réchappé par miracle et dont elle ne s'était jamais complètement remise. Elle boitait encore maintenant, surtout quand la fatigue se faisait sentir. Et elle faisait toujours ces rêves épouvantables…

Quittant son lit, elle alla ouvrir la grande porte-fenêtre qui donnait sur le jardin et sortit sur le balcon contempler les premiers rayons du soleil qui nimbaient de rose et d'or les massifs de fleurs et la terrasse. La journée s'annonçait ensoleillée, l'une de ces belles journées d'octobre semblables à ce jour funeste qui l'avait vue partir pour cette promenade qui avait changé le cours de sa vie.

Il y avait tout juste dix ans de cela. Ils étaient allés passer l'hiver à Meadowlea, le domaine ancestral des Anslowe sur la côte du Devon. Nell s'était levée tôt et, à peine habillée, avait pris le chemin des écuries. Elle avait fait seller Firefly, une petite jument nerveuse, sa préférée. Faisant fi des injonctions de son père, qui lui avait toujours interdit d'aller se promener seule sur la falaise, elle avait refusé la compagnie du garçon d'écurie et avait quitté au galop le parc aux sentiers bien entretenus. Sa monture était aussi impatiente qu'elle de profiter de la brise matinale et elle avait immédiatement piqué des deux.

On n'avait jamais très bien su ce qui avait provoqué l'accident. Quand elle était revenue à elle, Nell ne se souvenait de rien. Son cheval avait dû trébucher ou ruer, toujours est-il qu'elles étaient tombées de la falaise. Une petite corniche sur le rocher avait arrêté la chute de la jeune fille une dizaine de mètres plus bas et l'avait sauvée d'une mort affreuse. Firefly quant à elle s'était écrasée sur les rochers balayés par les embruns.

On ne s'était aperçu de l'absence de Nell qu'à l'heure du déjeuner et quand on l'avait enfin retrouvée, le soir tombait. À la lueur vacillante d'une lampe-tempête, un palefrenier à l'œil exercé avait remarqué un petit éboulement au bord de la falaise et avait eu la bonne idée de se pencher pour voir ce qu'il en était. Il avait fallu des heures pour la remonter et, fort heureusement, elle était restée inconsciente tout ce temps. Quand on l'avait enfin ramenée à la maison, elle n'avait toujours pas repris connaissance et n'avait pas eu la moindre réaction lorsque le médecin avait réduit les fractures de son bras et de ses jambes. Elle était restée ainsi pendant plusieurs jours, au grand désespoir de ses proches, qui craignaient qu'elle ne se rétablisse jamais.

On avait évidemment prévenu lord Giffard, qui était venu aussitôt, il fallait le reconnaître, et était resté à Meadowlea les deux longues semaines durant lesquelles elle avait oscillé entre la vie et la mort.

Quand elle avait enfin repris connaissance, elle avait tenu des propos incohérents pendant plusieurs jours et le bruit s'était vite répandu que sa raison était définitivement affectée. Personne ne s'était donc étonné que sir Edward, le père de Nell, fasse savoir à Aubrey et au duc que s'ils voulaient rompre les fiançailles, il les comprendrait parfaitement. Le jeune marquis n'avait pas hésité à saisir la perche qu'on lui tendait. La femme qu'il épouserait serait un jour duchesse de Béthune, après tout, et la pauvre poupée disloquée qui bredouillait des propos sans suite dans son lit n'était plus vraiment celle qu'il avait demandée en mariage. Mi-novembre, cinq mois tout juste après leur annonce, les fiançailles avaient été rompues dans la plus grande discrétion.

La convalescence de Nell avait été longue, mais au printemps suivant elle avait retrouvé l'usage de son bras et sa vivacité d'esprit habituelle. Elle était capable de marcher en s'aidant d'une canne et commençait à se promener dans le parc de Meadowlea. À la fin de l'été, sa claudication et ses cauchemars récurrents étaient les seules traces qui restaient de sa terrible chute.

Elle avait oublié pratiquement tout ce qui s'était passé après son accident, tout sauf l'abominable rêve qui avait hanté ses longues heures d'inconscience. Les premières visions qui étaient venues l'assaillir étaient différentes de celles qui perturbaient désormais ses nuits. La victime était un homme, un gentilhomme visiblement, et la scène se passait dans une futaie. Mais la fin était malheureusement identique. Une silhouette dissimulée dans l'ombre infligeait à sa victime une mort atroce. Les malheureuses jeunes femmes et le sinistre cachot étaient apparus plus tard, mais c'était toujours la même violence qui se déchaînait et la mort qui en était la conclusion.

Nell était persuadée que ces rêves étaient liés à son accident et elle espérait qu'ils disparaîtraient avec le temps. Elle avait été soulagée lorsqu'ils avaient effectivement cessé, au cours de ce premier été. Ayant joui d'un sommeil paisible tout au long de l'automne et de l'hiver, elle en avait déduit que l'épouvantable tragédie et ses conséquences étaient à présent derrière elle. Jusqu'à ce que le hideux cauchemar revienne la hanter sous une forme nouvelle.

Avec un soupir, elle rentra dans sa chambre pour tisonner les braises. Comme sa claudication, ces terribles visions semblaient devoir faire partie de sa vie jusqu'à la fin de ses jours. Bien sûr, elle boitait de façon permanente, tandis qu'il pouvait s'écouler une année entière entre deux cauchemars. Chaque fois, elle priait le ciel que ce soit le dernier, mais, chaque fois, ce fol espoir était déçu. Tout ce qui changeait, c'était le visage des jeunes femmes et le degré de barbarie. Celui de cette nuit était le troisième depuis le début de l'année.

Le troisième de l'année... Elle ne pouvait plus nier cette réalité qu'elle avait longtemps refusé d'affronter. Les cauchemars se faisaient plus fréquents, et les victimes changeaient maintenant avec une régularité d'horloge. Mais celui de ce soir avait atteint un nouveau degré dans l'horreur. Elle avait déjà vu le visage de la malheureuse, elle la connaissait, elle en était persuadée.

C'était impossible ! se raisonna-t-elle en enfilant sa robe de chambre. Il s'agissait d'une coïncidence, de toute évidence. Ce n'était qu'un rêve, effrayant, monstrueux certes, mais qui n'avait aucun rapport avec la réalité.

Elle entra dans son cabinet de toilette et s'efforça, tandis qu'elle se lavait le visage et les dents, de chasser ces pensées incongrues de son esprit. Une journée chargée l'attendait. Toute la maisonnée retournait passer l'hiver à Meadowlea à la fin de la semaine, et elle avait les préparatifs à surveiller.

Quand Nell pénétra dans la salle à manger, elle eut la surprise de trouver son père déjà attablé devant son petit déjeuner en dépit de l'heure matinale.

Elle déposa au passage un baiser sur son front dégarni avant d'aller se servir sur la desserte abondamment garnie. À soixante-neuf ans, et malgré sa calvitie, sir Edward était encore bel homme. Sa fille tenait de lui ses yeux émeraude et sa silhouette élancée, mais sa chevelure mordorée et ses traits délicats lui venaient de sa mère, Anne, de même que l'éclat malicieux de son regard.

Cependant, aucune lueur de gaieté ne dansait au fond de ses yeux cernés ce matin-là.

— Tu as encore eu un cauchemar, mon petit ? s'enquit avec sollicitude sir Edward.

— Ne vous inquiétez pas. J'ai tout de même bien dormi la plus grande partie de la nuit.

— Veux-tu que je fasse venir le médecin ? proposa son père.

— Pourquoi faire ? Pour marmonner trois mots de latin, me prescrire une potion qui restera sans effet et demander une somme exorbitante ? Ce n'était qu'un mauvais rêve, papa. Il n'y a pas de quoi en faire une montagne.

Les cris de sa fille avaient plusieurs fois réveillé sir Edward au beau milieu de la nuit, et il savait à quoi s'en tenir, mais il savait aussi qu'il était inutile d'insister, car Nell pouvait se montrer extrêmement obstinée. Un trait de caractère qu'elle tenait certainement de sa mère...

Son visage s'assombrit à cette pensée. Cela faisait quatorze ans que sa femme les avait quittés, et même s'il avait appris à vivre sans sa douce présence, elle lui manquait souvent, surtout quand il se faisait du souci pour Nell. Une fille a besoin de sa mère, et Anne aurait su quoi faire pour apaiser ces affreux cauchemars.

— Tu es bien matinal, mon fils, s'étonna-t-il, tiré de ses pensées par l'entrée d'un beau jeune homme brun. Tu as des rendez-vous importants aujourd'hui ?

— J'ai promis à Andrew de l'accompagner au diable vauvert voir un cheval qui, d'après lui, doit battre à plate couture le pur-sang de lord Epson, expliqua Robert en se servant d'œufs et de jambon. Nous devons absolument partir avant 8 heures si nous voulons être rentrés pour le dîner. Je ne sais pas ce qui m'a pris d'accepter. Je suis toujours trop bon avec mes cadets !

Robert, qui venait d'avoir trente-deux ans, était l'aîné des quatre enfants de sir Edward. Grand et robuste, le menton volontaire et les yeux verts, il était tout le portrait de son père excepté, et il en remerciait souvent la providence, pour son abondante chevelure fauve.

Il n'habitait pas d'ordinaire avec sa famille, mais comme il avait fermé en juillet sa demeure de Jermyn Street avant de partir à Meadowlea, il avait choisi de descendre chez son père lorsqu'il était revenu à Londres chercher le nouveau phaéton qu'il avait commandé. Il avait préféré faire le voyage plutôt que de laisser un de ses jeunes frères lui ramener le véhicule, et bien que ces derniers le lui aient obligeamment proposé.

« C'est gentil de leur part, mais plutôt confier ma voiture à un aveugle. Andrew finirait dans le fossé au bout de dix lieues, et Henry l'oublierait dans une taverne », avait-il déclaré à sir Edward, qui, en son for intérieur, partageait son avis.

— Il ne t'a pas parlé de ce cheval ? demanda-t-il à sa sœur en prenant place à table.

— Bien sûr que si ! Il ne parle que de ce pur-sang depuis quinze jours.

— Et tu penses qu'il est aussi prometteur qu'il le clame ?

— J'ai vu la petite merveille quand son propriétaire l'a amenée en ville. C'est un bel animal, mais il n'a rien dans les jambes. Il est élégant et agréable à regarder, et Andrew n'en demande pas davantage.

— Je m'en doutais, soupira Robert. Je vais encore perdre mon temps. J'espérais pourtant que la déconfiture de sa dernière acquisition lui avait servi de leçon.

— Tu ne peux tout de même pas reprocher à ce garçon d'avoir moins de flair que Nell et toi en matière de chevaux, intervint sir Edward.

— Ce garçon ? Je vous rappelle que les jumeaux ont trente ans passés, s'esclaffa la jeune femme.

Comme s'ils avaient obéi à un signal, les intéressés firent leur entrée dans la salle à manger. Leur ressemblance était parfaite. Seul un œil exercé aurait remarqué qu'Andrew, l'aîné d'une dizaine de minutes, avait un ou deux centimètres de plus que Henry, et il arrivait même à leurs proches de les confondre. Ils tenaient de leur mère leur nez aquilin, leurs yeux bruns et la même chevelure mordorée que celle de Nell et de

Robert, même s'ils n'étaient pas aussi grands que ce dernier.

Andrew, qui était officier de cavalerie, servait en Inde sous les ordres du colonel Wellesley. Victime d'une grave blessure aux tout derniers jours de la guerre contre les Mahrattes, il était venu passer de longs mois de convalescence en Angleterre et devait rejoindre son régiment après les fêtes de fin d'année. Henry aussi était dans l'armée mais, moins brillant que son jumeau, il avait choisi l'infanterie. Il avait eu sa part de batailles sur le continent et, à son grand désespoir, avait reçu quelques mois plus tôt une affectation au ministère de la Guerre. Avec la reprise des hostilités contre Napoléon, il avait bon espoir d'abandonner enfin le bureau londonien où il rongeait son frein pour se retrouver de nouveau au cœur de l'action.

— Ah, tu es debout ! s'exclama Andrew. J'avais parié avec Henry qu'il faudrait aller te tirer du lit.

— Eh bien, tu as perdu, constata Robert en se levant. Je suis prêt. Allons voir cette petite merveille.

— Tu vas perdre ton temps, lui chuchota Henry à l'oreille.

Fataliste, Robert haussa les épaules, et prit congé de son père et de sa sœur.

— Qu'as-tu de prévu aujourd'hui ? s'enquit sir Edward une fois le calme revenu après le départ des trois jeunes gens.

— Rien d'aussi excitant que l'achat d'un cheval, avoua Nell en souriant. Si nous voulons partir lundi comme prévu, j'ai encore beaucoup de choses à voir avec Mme Field et avec Chatham. Nous n'avons pas encore décidé si nous laissions des domestiques ici ou si nous emmenions tout le monde à Meadowlea. Qu'en pensez-vous ?

— Je ne vois aucune raison de laisser quelqu'un ici.

— Pour éloigner les cambrioleurs, peut-être.

— Nous emportons l'argenterie et les bijoux. À part les meubles, il n'y aura plus rien à voler.

— Et votre cave ?

— Mes vins sont en sécurité derrière une double porte pourvue de solides serrures. Chatham me l'a encore assuré hier, mes vins ne craignent pas les malandrins.

— Si notre bon majordome le dit, je n'ai plus qu'à m'incliner, déclara Nell en se levant.

Elle allait vaquer à ses occupations quand son père l'arrêta au passage en lui prenant la main.

— Qu'y a-t-il ? demanda-t-elle.

— Es-tu contente de ton séjour, Nell ? C'est la première fois depuis des années que tu viens passer la Saison avec moi à Londres. Ça ne t'a pas trop coûté, j'espère ? Tu n'as pas souffert de rencontrer Béthune et son épouse ?

— Béthune ? répéta-t-elle, stupéfaite. Mais ça fait longtemps que je l'ai oublié ! Il appartient au passé, papa. Il y a dix ans de ça, tout de même. Tout va bien, je vous assure, ajouta-t-elle en déposant un baiser sur le front du vieil homme. Je m'en suis remise, même si à l'époque j'ai cru avoir le cœur brisé. Quant à sa femme, il a exactement celle qu'il mérite !

— Si je ne lui avais pas rendu sa liberté aussi rapidement, tu ne te serais pas cloîtrée à la campagne, et à l'heure qu'il est tu serais duchesse, et certainement la femme la plus en vue d'Angleterre.

— Et sans doute la plus malheureuse. Celle qui s'ennuierait le plus en tout cas. Je suis contente que vous lui ayez rendu sa liberté. La rapidité avec laquelle il l'a reprise en dit long sur les sentiments qu'il éprouvait à mon égard. Je vous l'ai répété cent fois, je suis parfaitement heureuse et satisfaite de la vie que je mène. J'aime la campagne. Je sais très bien que je pourrais venir en ville avec vous plus souvent, et si je préfère rester à Meadowlea, ce n'est pas parce que je crains de croiser les Béthune, croyez-moi. Je me demande d'ailleurs qui se souvient que nous avons été fiancés autrefois. Je n'ai aucun regret, je vous assure, inutile de vous tracasser. À moins que vous ne teniez vraiment à devenir le père d'une duchesse, ajouta-t-elle malicieusement.

— Ne dis pas de sottises ! Tout ce que je désire, c'est que tu sois heureuse, tu le sais bien. Et je me moque des titres, même si j'étais fier de te voir faire un beau mariage. Enfin, titres ou pas, je voudrais voir mes enfants fonder une famille. Robert est mon héritier, il devrait déjà avoir une ribambelle de bambins. J'aimerais bien faire sauter mes petits-enfants sur mes genoux pendant que je le peux encore. Je ne rajeunis pas, tu sais.

Nell ne trouva rien à répondre. Elle s'était vite rendu compte que personne ne voudrait d'une infirme, même riche, pour épouse, et s'était résignée à rester vieille fille. Peu importait que sa claudication se soit bien atténuée au fil des années...

Et puis, le bruit s'était répandu dans la bonne société que depuis son accident, elle était un peu « étrange ». Aucun homme sensé ne se serait aventuré à épouser une femme qui risquait de finir à l'asile. C'étaient Béthune et sa famille qui avaient répandu cette rumeur, pour être certains que personne ne les blâmerait d'avoir rompu les fiançailles.

— Papa, vous savez que je n'ai aucune envie de me marier, je vous l'ai dit et répété, reprit-elle en s'asseyant à côté de sir Edward. Et ce n'est pas parce que j'aime toujours Aubrey, mais tout simplement parce que je n'ai jamais rencontré d'homme qui me plaise suffisamment. Je suis assez riche pour rester célibataire. J'ai largement de quoi vivre confortablement quand vous ne serez plus là, ce qui n'arrivera pas avant longtemps, j'espère. Ne vous faites donc pas de souci pour moi.

— Mais tu ne mérites pas de rester seule ! Tu es jeune et belle et, tu l'as dit toi-même, tu es riche. Nos ancêtres ne sont peut-être pas de haute noblesse, mais notre famille est ancienne et parfaitement respectable.

— Il y a bien lord Tynedale... suggéra Nell d'un air faussement innocent.

— Cette fripouille ! s'étrangla sir Edward, stupéfait. Il a dilapidé toute sa fortune au jeu et avec des femmes. Tout le monde murmure qu'il cherche à épouser une riche héritière pour éviter la prison pour dettes. Lord Vinton m'a même raconté qu'il a essayé d'enlever la jeune Arnett, mais que son père les a rattrapés juste à temps. Fais attention avec lui ou il risque de t'arriver le même genre de mésaventure. Je ne suis pas aveugle, tu sais, j'ai bien vu qu'il te tournait autour ces derniers temps. C'est à ton argent qu'il en veut ! s'emporta-t-il. Tu n'envisages tout de même pas de l'épouser ?

— Bien sûr que non ! pouffa Nell. Je connais sa réputation. J'avais même entendu parler de cette histoire avec les Arnett, et je vous assure que je me méfie de lui comme de la peste. Si jamais je décidais de me marier, ce ne serait certainement pas avec un triste sire comme Tynedale.

— Alors ne taquine plus ton pauvre vieux père de cette façon, s'il te plaît. Tu risques de m'envoyer dans la tombe avant l'heure.

— Vous vous faites trop de souci pour nous, décréta Nell en déposant un baiser sur la joue de son père avant de se diriger vers la porte. Robert finira bien par se marier, et je suis sûre que les jumeaux ne tarderont pas à suivre son exemple. Vous aurez beaucoup de petits-enfants à faire sauter sur vos genoux, vous verrez !

Un peu plus tard, à l'autre bout de la ville, dans l'impressionnante demeure londonienne des comtes de Wyndham, le maître des lieux devait supporter une conversation similaire. Le dixième propriétaire du titre, qui avait enduré une union malheureuse pour le bien de sa famille, n'était pas prêt à recommencer, même si sa jeune belle-mère lui faisait continuellement des scènes et versait des torrents de larmes.

— Si j'ai bien compris, déclara lord Wyndham, vous voudriez que j'épouse votre filleule pour qu'elle me donne très vite un héritier, car si je venais à décéder, elle veillerait à ce que vous ne manquiez de rien.

La comtesse douairière, une jolie femme au doux visage encadré de splendides boucles cendrées, leva vers lui ses yeux de velours embués de larmes. À trente-cinq ans, elle n'avait que trois années de moins que son beau-fils.

— Je ne vois pas pourquoi vous vous croyez obligé de me parler sur ce ton, gémit-elle. Mon point de vue n'est pourtant pas si difficile à comprendre ! Si par malheur vous mouriez sans héritier, c'est votre cousin Charles qui vous succéderait, et il s'empresserait de nous jeter à la rue, ma pauvre enfant et moi !

— Je croyais que vous l'aimiez bien, remarqua innocemment lord Wyndham, les yeux pétillants de malice.

— Mais oui, je l'aime bien, admit lady Diana. C'est un garçon amusant, mais c'est un vaurien qui ne pense qu'au jeu et aux femmes. Vous savez parfaitement que s'il hérite de vous, il ne voudra pas nous avoir dans ses jambes, Elizabeth et moi. Il nous mettra dehors toutes les deux sans aucun scrupule.

— C'est tout à fait possible, auquel cas, vous n'auriez plus qu'à demander votre voiture et à vous faire conduire à Wyndham, dans la maison que mon père vous a laissée.

— C'est vrai, nous aurions toujours la possibilité d'aller nous enterrer à la campagne, dans une maison inhabitée depuis des décennies, et qui tombe en ruine. Il est vrai également que votre père, paix à son âme, m'a consenti une coquette donation quand nous nous sommes mariés, mais voyez-vous, Julian, ce n'est pas une question d'argent. Ce ne sera peut-être pas Charles qui vous succédera. C'est un casse-cou, il a failli se noyer cet été quand son bateau a fait naufrage et il a encore eu un grave accident de cheval pas plus tard que le mois dernier. S'il venait à mourir avant vous, ce serait Raoul qui hériterait.

— Vous croyez que je ne sais pas tout cela ? Où voulez-vous en venir, je vous prie ?

— Je n'ai rien contre la mère de Raoul, mais vous m'accorderez que Sophie Weston n'est pas une femme commode. Si son fils héritait du titre, elle le marierait en moins de temps qu'il ne faut pour le dire à une petite souris grise qu'elle mènerait à la baguette. La véritable comtesse de Wyndham, ce serait Sophie, et non ma charmante filleule. Et que ce soit Charles ou Raoul, je serais probablement persona non grata dans cette maison.

Elle enfouit son joli minois dans un ravissant mouchoir de dentelle et coula un regard prudent vers son beau-fils, qui demeurait imperturbable.

— Dans cette maison où j'ai vécu si heureuse avec votre cher père ! reprit-elle d'une voix chevrotante. Si vous épousiez Georgette, je me sentirais toujours chez moi ici, et Elizabeth aussi. Si elle ne s'est pas enfuie d'ici là avec cet affreux capitaine Carver. Vous savez, ce capitaine de cavalerie, qui est si beau garçon et qui joue au martyr avec son bras en écharpe ! Je suis d'ailleurs persuadée qu'il n'en a aucun besoin et qu'il ne le porte que pour impressionner les jeunes filles.

Julian soupira. Il avait toujours eu du mal à supporter les divagations de Diana, mais ce matin, ce discours incohérent l'agaçait prodigieusement. Il pouvait comprendre pourquoi son père avait succombé au charme de cette silhouette gracile et de ce visage délicat, mais il aurait préféré que l'auteur de ses jours se contente d'une liaison discrète avec cette jolie veuve, au lieu d'en faire son épouse. On ne pouvait pourtant pas lui en vouloir, son père était veuf depuis plus de dix ans quand il avait rencontré Diana Forest.

Les noces du neuvième comte de Wyndham avec la veuve d'un obscur lieutenant avaient stupéfié tout Londres. Elle était plus jeune que son beau-fils, totalement impécunieuse, et par-dessus le marché, elle avait dans ses bagages une fillette de douze ans, Elizabeth.

Ce mariage improbable s'était pourtant révélé une réussite, et Diana avait rendu son père très heureux. Le comte adorait son épouse et il éprouvait beaucoup d'affection pour sa belle-fille, qu'il avait généreusement dotée. Malheureusement, il était mort trois ans plus tôt, après seulement deux ans de mariage, laissant à la charge de Julian une jeune belle-mère et une petite sœur adoptive. Elizabeth n'était pas une charge bien pesante, loin de là. Elle était facile à vivre et toujours gaie, elle l'adorait et il éprouvait de son côté une profonde affection pour cette petite sœur tombée du ciel. Il aimait bien lady Diana aussi, mais par moments elle lui portait sur les nerfs.

— Voulez-vous que j'aille voir le supérieur de ce capitaine Carver ? On peut peut-être le faire muter. À Calcutta, par exemple, proposa-t-il quand il eut compris que sa belle-mère en était venue à un sujet qui lui tenait à cœur.

Diana ouvrit de grands yeux.

— Ce serait possible ?

— J'en fais mon affaire, si cela peut vous faire plaisir, sourit-il.

— Mais le climat de Calcutta ne convient sans doute pas à un blessé, objecta-t-elle. S'il lui arrivait quelque chose, je ne me le pardonnerais pas. Vous pourriez demander à vos amis de veiller à ce qu'il soit très occupé, trop occupé pour courir après ma fille. Non, attendez, ce n'est peut-être pas une bonne idée. S'ils apprenaient que vous essayez de les séparer, cela pourrait les inciter à faire une bêtise. Et si Elizabeth se laissait enlever ? Qui sait ce que ce soudard pourrait lui mettre dans la tête ? Elle est tellement innocente ! gémit-elle.

— Ne vous inquiétez pas, Diana, trancha Julian, à bout de patience, en s'inclinant pour prendre congé. Je vais arranger cela. Comme d'habitude, ajouta-t-il avec flegme.

2

Comme on était dimanche, il y avait peu de chances que le colonel Stanton soit à la caserne, et Julian décida que le sort du capitaine Carver pouvait attendre le début de la semaine suivante. Il écrivit donc un mot à son ami pour lui demander une entrevue pour le lundi après-midi. Il n'avait quant à lui aucune inquiétude, persuadé qu'il était qu'Elizabeth n'était pas prête à jeter son bonnet par-dessus les moulins pour un simple capitaine. La jeune fille avait la tête sur les épaules, contrairement à sa mère.

Diana ne s'arrangeait décidément pas. Comment pouvait-elle imaginer une seconde qu'il était prêt à refaire l'erreur de convoler dans le seul but de plaire à sa famille ? Comme si cette union avec Catherine ne lui avait pas suffi !

Catherine était une riche héritière, fille aînée du duc de Bellamy. Elle était également très belle. Le comte de Wyndham avait été ravi de voir son fils unique, qui avait à l'époque vingt-neuf ans et n'avait jamais montré le moindre intérêt pour le mariage, fonder enfin un foyer.

— Pense à notre famille, à notre titre ! l'avait souvent adjuré son père. Daniel est un garçon charmant, et je l'aime beaucoup, mais je ne veux pas quitter ce monde sans être sûr que ce sera ton fils et non le sien qui te succédera le moment venu. Il faut que tu te maries, mon garçon, et que tu me donnes des petits-enfants. C'est un devoir ! Qui n'a rien de déplaisant du reste...

Quand l'éblouissante lady Catherine avait croisé son chemin quelques mois plus tard, Julian, pour satisfaire l'auteur de ses jours, n'avait pas tardé à demander sa main. Leur mariage avait constitué le grand événement de l'année1795. Tandis qu'il regardait le jeune couple s'éclipser après la réception, le comte de Wyndham avait eu de la peine à contenir son allégresse en songeant aux bambins qui n'allaient pas tarder à s'annoncer.

Il avait dû déchanter rapidement. Lady Catherine n'avait aucun goût pour la vie de famille en général et pour les enfants en particulier, et Julian allait rapidement découvrir que derrière ce visage angélique se cachait une véritable peste. La mésentente s'installa rapidement entre eux et, après moins d'un an, ils n'apparurent plus ensemble que lorsqu'ils ne pouvaient faire autrement. Catherine n'avait pas été plus heureuse que lui, il en convenait. Elle le trouvait certainement extrêmement ennuyeux et chacun agaçait l'autre prodigieusement. Pendant quelques années, ils s'étaient supportés plutôt mal que bien, comme beaucoup de couples, jusqu'à ce que la jeune femme, enfin enceinte, quoique à son grand désespoir, trouve la mort dans un accident.

Leur union avait beau être un échec, Julian n'avait jamais voulu de mal à sa femme et sa mort l'avait profondément affecté. Il se reprochait cette existence gâchée et se sentait coupable d'être resté en vie. Six ans avaient passé, et sa détermination à ne plus jamais tomber dans le piège du mariage n'avait fait que se renforcer. Que Charles ou Raoul devienne comte de Wyndham à sa mort, que lui importait après tout ?

— Nom d'un petit bonhomme, s'écria son ami Talcott quand il arriva à son club, tu sembles prêt à tuer ! Je parie que c'est ta belle-mère qui t'a encore poussé à bout. C'est une très jolie femme, on ne peut pas lui enlever ça, mais je ne sais pas comment tu peux la supporter. Personnellement, elle me rendrait fou.

— Tu as deviné, acquiesça Julian. Allons prendre un verre, et dis-moi que tu acceptes mon invitation à Wyndham Manor. Depuis quand accueille-t-on n'importe qui dans ce club ? ajouta-t-il entre ses dents en apercevant un grand jeune homme blond à l'autre bout de la pièce.

— Tu parles de Tynedale ? Il a dû persuader Braithwaite de le parrainer, allégua son ami en jetant un coup d'œil à l'homme corpulent qui accompagnait le bellâtre blond.

Julian, dont le visage s'était de nouveau assombri, fit un pas vers l'intrus, mais Talcott le retint.

— Ne te conduis pas comme un gamin, murmura-t-il. Tu t'es déjà battu en duel avec lui, et tu l'as blessé. Le provoquer de nouveau ne ramènera pas Daniel.

— Il l'a tué, gronda Julian, aussi sûrement que s'il lui avait braqué un pistolet sur la tempe !

— Tynedale a provoqué la ruine de Daniel, c'est indéniable, mais ton neveu n'a pas été le premier blanc-bec à tomber sous la coupe d'une canaille et à perdre toute sa fortune au jeu. De même qu'il n'a pas été le premier à se suicider pour échapper au déshonneur. Ni le dernier, malheureusement.

— Je revois encore son père me faire jurer de veiller sur lui si jamais il lui arrivait malheur. Nous avions beaucoup bu ce soir-là. Nous fêtions sa naissance, et aucun de nous deux ne pensait que j'aurais à tenir ma promesse un jour. John avait à peine vingt-deux ans et moi, pas encore dix-huit. Comment imaginer que mon cousin serait assassiné avant que son fils n'ait onze ans, et que je deviendrais effectivement le tuteur du garçon ?

— Mais tu as tenu parole et tu t'es scrupuleusement occupé de lui ! objecta Talcott.

— John me l'avait confié pour le soustraire à l'influence de ses frères, qui sont tous deux des têtes brûlées, mais aussi pour le protéger de tous les dangers qui guettent un jeune homme inexpérimenté. J'étais tellement obnubilé par ses oncles que je n'ai pas vu le danger que représentait un vaurien comme Tynedale.

— Daniel n'était plus sous ta garde quand cette crapule l'a dépouillé et qu'il s'est suicidé, lui rappela Talcott. Je sais que tu aimais ton cousin comme un frère, mais s'il a été assassiné et si son fils s'est suicidé, tu n'es en rien responsable. Quand il a rencontré Tynedale, tu n'étais même pas en Angleterre ! Tu jouais les espions sur le continent. Tu n'as rien à te reprocher, mets-toi ça dans le crâne une bonne fois pour toutes. En outre, en provoquant ce misérable en duel, tu as récolté une belle cicatrice sur son joli minois. Et on m'a raconté que tu avais les moyens de provoquer sa ruine. Cela ne te suffit pas ?

— Merci de me le rappeler. Il a dû apprendre que j'ai racheté toutes ses dettes, murmura Julian, un sourire féroce aux lèvres, et il doit se demander quand je vais le mettre en demeure de payer.

Il sait que je ne lui accorderai aucune facilité, aucun délai. Finalement, cela ne m'amuse pas de le regarder se débattre pour essayer de se remettre à flots. J'irai le voir demain matin. Tu as raison, oublions Tynedale pour ce soir et allons boire un verre !

D'habitude, Nell et son père dînaient tôt, puis la jeune femme se retirait dans la bibliothèque pour lire toute la soirée. Au cours de ses rares séjours à Londres, elle écumait les librairies et les musées, mais évitait le plus possible les bals et les fêtes. Elle avait pourtant accepté ce soir-là de se rendre chez lord et lady Ellington pour l'une des dernières réceptions de la saison.

Les Ellington étaient de vieux amis de son père, et il aurait été difficile de refuser leur invitation. Et puisqu'il l'accompagnait...

Une fois que sa fille eut retrouvé de vieilles amies et que lord Ellington se fût acquitté de ses devoirs d'hôte, les deux hommes gagnèrent la salle de jeu, d'où ils n'émergèrent que plusieurs heures plus tard.

Il fallut à sir Edward un moment pour dénicher Nell. Un peu à l'écart, elle était engagée dans une conversation animée avec un jeune homme blond. Que diable ce vaurien fabriquait-il ici ? s'interrogea-t-il. Il se rappela alors que lord Tynedale était parent avec son hôtesse, et qu'Ellington s'était bien souvent plaint d'être contraint de recevoir ce parasite pour faire plaisir à sa femme qui, comme beaucoup de dames, avait un faible pour ce lointain cousin à la réputation exécrable.

Dans son habit de velours bleu marine parfaitement coupé, avec sa cravate nouée à la dernière mode, son épaisse chevelure blonde et ses grands yeux bleus, cette canaille avait effectivement fière allure, il fallait l'admettre. Il possédait un sourire à faire fondre les glaciers, et la débauche n'avait pas encore laissé de traces profondes sur ses traits aristocratiques. Quant à la cicatrice qui lui barrait la joue, elle ne faisait qu'ajouter à son charme aux yeux de la gent féminine.

Sir Edward s'apprêtait à rejoindre sa fille et à écarter l'importun quand il se remémora leur conversation du matin. Nell lui en voudrait certainement de s'interposer et de jouer les pères outragés. Elle était de toute façon parfaitement capable de remettre à sa place Tynedale ou n'importe lequel de ses semblables.

Du coin de l'œil, Nell avait vu son père sortir de la salle de jeu avec un certain soulagement. Depuis qu'il était arrivé, ce fat la poursuivait de ses assiduités. Elle était aussi sensible que n'importe quelle femme aux hommages d'un homme séduisant, mais elle savait parfaitement qu'il n'en voulait qu'à sa fortune, et toute la soirée elle s'était appliquée à le garder à distance, sans beaucoup de succès. Il devait être complètement désespéré, totalement imperméable aux vexations, ou particulièrement obtus pour se cramponner ainsi.

— Voici mon père ! s'écria-t-elle. J'imagine qu'il me cherche parce qu'il souhaite partir. Je suis fatiguée et je ne serai pas fâchée de rentrer, moi aussi.

— Vous n'allez pas nous quitter ? se récria Tynedale avec un regard plein de sous-entendus. Cette soirée perdra tout son éclat si vous nous privez de votre charmante présence.

— Vraiment ? Il y reste pourtant encore au moins deux autres riches héritières, rétorqua Nell avec son sourire le plus suave.

— Qu'est-ce qui vous fait croire que c'est à votre fortune que je m'intéresse ? Il ne vous est pas venu à l'idée que parmi toutes ces ravissantes jeunes filles qui pépient autour de nous, vous, et vous seule, aviez su retenir mes regards ?

— Mais où avais-je l'esprit ? Après tout, je ne souffre que d'une légère infirmité et j'ai la réputation de n'être qu'à moitié folle... Enfin, le montant de ma fortune compense sans doute ces légers désagréments et me met peut-être en haut de votre liste de fiancées potentielles.

— Ce n'est ni le moment ni le lieu que j'aurais choisi pour aborder le sujet, grinça-t-il, tandis que la cicatrice rougissait sur sa joue, mais je trouve que nous irions très bien ensemble, vous et moi. Nous formerions un beau couple, et votre fortune me serait bien utile, je ne le nie pas. Quant à vous, un mari ne vous ferait pas de mal. Je n'ai peut-être pas le sou pour le moment, mais votre argent m'aiderait à me refaire. Vous devriez y réfléchir. Je ne serais pas une si mauvaise affaire pour une célibataire de votre âge. Je possède un titre et ma famille est de bonne noblesse.

— Je vous remercie, mais c'est non, lâcha sèchement Nell, aussi ennuyée que blessée. Et puisque cette conversation est déjà déplacée, j'ajouterai que je préfère rester vieille fille jusqu'à la fin de mes jours plutôt que vous épouser.

— Vous le regretterez, gronda-t-il en la prenant par le bras. Comprenez-moi, j'ai reçu une mauvaise nouvelle et je suis aux abois. Et un homme aux abois n'hésite pas à employer les grands moyens. Vous avez tort de me prendre de haut, je vous préviens !

— Lâchez-moi, siffla Nell. Moi aussi, je vais vous donner un conseil, milord. Je dois quitter Londres lundi et je ne sais quand j'y reviendrai, mais ce jour-là, évitez de croiser mon chemin !

— C'est ce que nous verrons. À bientôt, conclut-il en s'inclinant.

Nell s'éloigna sans répondre et rejoignit son père.

— Dois-je aller demander raison à ce blanc-bec ? s'enquit ce dernier.

— Grand Dieu, non ! s'exclama-t-elle. Il n'en vaut pas la peine ! Il a eu le toupet de me suggérer de l'épouser, c'est vrai – ses créanciers doivent être à ses trousses, je suppose –, mais ne vous inquiétez pas, je l'ai remis à sa place, et il ne nous ennuiera plus.

— Il a eu l'audace de te parler mariage sans m'en demander l'autorisation ? Comment a-t-il osé ? Je vais aller lui dire deux mots !

— Papa, je vous en prie ! l'arrêta-t-elle. Je ne suis plus une gamine étourdie par ses débuts dans le monde. Je suis parfaitement capable de repousser toute seule les individus dans son genre. Oubliez-le, je vous en supplie.

Sir Edward céda à la demande de sa fille, non sans proférer quelques imprécations bien senties contre les insolents qu'on croisait même dans les meilleures maisons.

Il pleuvait à torrent quand on avança leur voiture. Nell se pelotonna contre l'épaule rassurante de son père. Si la tempête se prolongeait, les routes seraient complètement détrempées pour leur départ et le voyage un véritable calvaire, songea-t-elle.

Un éclair la conforta dans l'idée qu'ils devraient se préparer à un périple inconfortable et éprouvant.

Une fois à la maison, elle ne s'attarda pas et souhaita une bonne nuit à son père avant de monter directement dans sa chambre. Elle avait hâte de se mettre au lit et d'oublier cette soirée.

Nell s'endormit paisiblement, puis son sommeil se fit plus agité. Elle avait du mal à respirer et à remuer, elle se sentait prise au piège. En gémissant, elle se retourna dans son lit pour essayer de se défaire des liens invisibles qui la retenaient captive.

Voilà que ses cauchemars recommençaient...

Celui-ci était particulièrement pénible. Elle étouffait, elle se noyait dans un tourbillon d'une noirceur insondable. Au prix d'un effort surhumain, elle s'efforça d'émerger de ces ténèbres impénétrables et de retrouver la lumière, mais ses mains se heurtèrent à une barrière mouvante, comme celle de son rêve.

Elle ouvrit les yeux pour se retrouver prise au piège, enserrée dans des liens invisibles. La panique s'empara d'elle. Elle se débattit comme un beau diable pour se dégager du lourd tissu qui la retenait dans ses plis.

— Du calme ! intima une voix qu'elle reconnut immédiatement.

— Lord Tynedale ! Vous êtes devenu fou ? Mon père vous écorchera vif, si je ne le fais pas avant lui !

— Je prends le risque, ricana-t-il. Quand vous serez ma femme, votre père changera d'avis.

— Vous pouvez toujours rêver, jamais je ne vous épouserai !

Il la souleva comme une plume et la jeta sur son épaule avec si peu de ménagements qu'elle en eut le souffle coupé.

Nell était maintenant parfaitement réveillée. Il avait dû pénétrer dans la maison en escaladant le balcon. Elle n'avait pas complètement fermé sa porte-fenêtre. Comment avait-il su où se trouvait sa chambre ? Il l'espionnait certainement depuis quelque temps et l'avait sans doute suivie après le bal chez les Ellington.

Il avait dû se douter que sir Edward ne se retirerait pas immédiatement, mais qu'elle irait se coucher sans attendre. Elle avait d'ailleurs été assez stupide pour le lui laisser entendre. Il lui avait ensuite suffi d'observer les lumières du premier étage et de voir dans quelle pièce on soufflait les chandelles. Et il avait eu la chance que sa chambre soit l'une des rares à posséder un balcon.

Le cœur lui manqua soudain. D'après le bruit et les mouvements qu'elle sentait, il s'apprêtait à reprendre le même chemin.

Chaque seconde comptait désormais, elle le savait. Dès qu'elle aurait quitté la maison, elle n'aurait plus la protection de sa famille, et serait perdue. Elle prit une profonde inspiration et se mit à hurler à pleins poumons.

Tynedale, qui avait entrepris d'enjamber le balcon, manqua de tomber.

— Ne t'avise pas de recommencer sinon je t'étrangle, gronda-t-il, les nerfs à vif, comme il entamait sa descente.

Terrifiée, Nell ferma les yeux tandis qu'ils se balançaient au vent. Il avait dû trouver le moyen d'attacher une corde au balcon pour pénétrer dans sa chambre. S'il lâchait prise, ils iraient tous deux s'écraser sur la terrasse ! Elle retint son souffle et dès qu'elle l'entendit poser le pied sur les dalles, elle poussa des hurlements stridents en s'agitant follement.

— Je t'avais prévenue, siffla-t-il en la redressant.

Avant qu'elle ait eu le temps de reprendre son souffle, elle eut l'impression que sa tête explosait et elle perdit connaissance.

Les cris de Nell n'étaient pas passés inaperçus. Malgré le tumulte de la tempête, Robert avait entendu un bruit au moment où il allait entrer dans la maison. Il s'arrêta un instant sur le perron et tendit l'oreille. Il s'apprêtait à conclure qu'il avait rêvé lorsque ce qui ressemblait à un faible cri lui parvint. Le vent, la pluie et la masse de la maison déformaient les bruits, mais il était maintenant persuadé qu'il n'avait pas rêvé. Un chat perdu ou un chien errant, sans doute.

Préoccupé, il pénétra dans la maison au moment où sir Edward traversait le hall.

— Andrew a acheté le cheval ? lui demanda ce dernier.

— Il en mourait d'envie, mais Henry et moi avons réussi à le convaincre que ce n'était pas raisonnable. Vous n'avez rien entendu d'inhabituel ? s'enquit Robert.

— Juste les bruits de la tempête. Pourquoi ?

— J'ai cru distinguer une sorte de cri. Ce n'était probablement rien, mais je vais quand même faire le tour de la maison avant d'aller me coucher.

Robert n'avait rien trouvé d'anormal, et il hésita avant de frapper à la porte de sa sœur. Il ne s'étonna pas non plus de ne pas recevoir de réponse. Son père lui avait dit qu'elle était montée se coucher dès qu'ils étaient rentrés. Elle devait dormir profondément, à présent. Il sourit.

Nell avait un sommeil de plomb et rien, à part peut-être un coup de tonnerre au pied de son lit, ne pouvait la réveiller.

Rien excepté ses cauchemars...

Il frappa plus fort et, comme il ne recevait toujours aucune réponse, ouvrit la porte. Il pénétrait dans la chambre, son bougeoir à la main, quand un éclair illumina la pièce.

La porte-fenêtre était grande ouverte ! constata-t-il. Et le lit vide. Le cœur serré d'angoisse, il se précipita sur le balcon. Il était désert, et seuls le fracas du tonnerre et le mugissement du vent répondirent à ses appels frénétiques.

La peur l'étreignit au souvenir des hurlements qui réveillaient toute la maison quand Nell faisait un cauchemar. Se pouvait-il qu'elle ait trébuché et soit tombée du balcon dans un accès de terreur ? Glacé d'effroi, il se pencha pour scruter la terrasse balayée par la pluie. Un nouvel éclair le rassura. Dieu merci, le corps de sa sœur ne gisait pas, disloqué, sur les dalles !

Son soulagement fut de courte durée. Si Nell n'était pas dans son lit, où était-elle donc ? Tout en criant son nom, il fouilla rapidement ses appartements. De plus en plus inquiet, il se rua au rez-de-chaussée et alla trouver son père dans la bibliothèque.

— Vous êtes certain que Nell est allée se coucher ?

— C'est ce qu'elle m'a dit. Tu es allé voir dans sa chambre ?

— Oui, et elle n'y est pas. Je ne l'ai trouvée nulle part, et sa fenêtre est grande ouverte.

Inquiet lui aussi, sir Edward voulut aller vérifier par lui-même. Il gagna les appartements de sa fille, son fils aîné sur les talons.

Le vent et la pluie s'engouffraient par la fenêtre que Robert avait laissée ouverte. Sans y prêter attention, le père et le fils allumèrent en hâte toutes les chandelles disponibles.

Une fois la chambre illuminée comme une salle de bal, les deux hommes découvrirent avec stupeur les traces boueuses laissées sur le tapis par une paire de chaussures masculines. Des traces qui venaient du balcon, et qui y retournaient...

— Je le savais ! Je savais que ce gredin de Tynedale méditait un mauvais coup ! tempêta sir Edward. Il l'a enlevée et, à l'heure qu'il est, il doit faire route vers Gretna Green. Il faut les arrêter !

— Attendez ! s'écria son fils. Comment savez-vous que c'est bien Tynedale qui l'a enlevée ? Selon toute apparence, Nell a bien été enlevée, mais il faut d'abord fouiller la maison. Il y a peut-être une explication toute simple à sa disparition.

— Réveille les domestiques, qu'ils passent la maison et le jardin au peigne fin pendant que je fais atteler une voiture et que j'envoie chercher les jumeaux, ils ne seront pas de trop, décréta sir Edward. Il n'y a pas une seconde à perdre !

Andrew et Henry les pressèrent de questions quand ils les rejoignirent. Ils crièrent vengeance quand leur père leur fit part de ses craintes, et n'eurent qu'une hâte, se lancer à la poursuite de la canaille qui avait osé porter la main sur leur sœur. On avait fouillé toute la maison sans trouver la moindre trace de Nell, à part un morceau de soie accroché à un buisson près de la grille du jardin.

Quelques instants plus tard, la voiture de sir Edward s'élançait à grand fracas dans les rues de Londres tandis que les jumeaux, qui avaient préféré prendre leurs chevaux, galopaient en avant.

Perdus dans de sombres pensées, Robert et son père, assis l'un en face de l'autre, gardaient le silence. Dès qu'ils eurent quitté la ville, sir Edward tambourina furieusement de sa canne au plafond en criant :

— Plus vite, plus vite !

Le cocher fit claquer son fouet, les deux jeunes gens éperonnèrent leurs montures et les chevaux s'élancèrent dans la nuit.

Tynedale ne pouvait plus s'offrir le luxe d'une voiture fermée. La sienne avait été vendue pour payer ses dettes les plus urgentes et il ne lui restait plus que cette calèche. Même avec la capote relevée, Nell et lui étaient trempés. Il ne se doutait pas qu'on avait entendu les cris de la jeune femme, mais il ne voulait prendre aucun risque et pressait tant qu'il pouvait les deux chevaux de louage. Il ne tenait pas non plus à ce qu'on voie sa captive et devait donc se mettre à l'abri avant l'aube.

Il avait tout de suite compris que se rendre à Gretna Green, de l'autre côté de la frontière écossaise, était irréaliste. C'était de toute façon le premier endroit où sa famille irait la chercher. Il y avait d'autres moyens d'obliger au mariage une femme récalcitrante... Une fois qu'il l'aurait compromise, les Anslowe seraient les premiers à hâter leurs noces. Il lui suffisait de garder sa future épouse prisonnière durant les vingt-quatre heures à venir pour que tous ses ennuis prennent fin.

Il coula un regard de biais à Nell. Raide comme la justice, elle était agrippée à une courroie de la capote. Emmitouflée de la tête aux pieds dans son propre manteau, il y avait peu de chances pour que quiconque la reconnaisse, à supposer qu'ils croisent quelqu'un par une pareille tempête.

Il aurait préféré préparer plus soigneusement cet enlèvement, et n'aurait certainement pas choisi cette calèche, mais l'annonce du départ de Nell l'avait pris de court. Si l'on ajoutait à cela la nouvelle que ce maudit donneur de leçons de Wyndham avait racheté toutes ses dettes, il n'avait vraiment pas eu le choix. Cela n'avait donc pas suffi à ce rabat-joie de le battre en duel et de lui infliger cette horrible cicatrice qu'il garderait à vie ? Ce n'était tout de même pas sa faute si Wyndham avait pour pupille une mauviette incapable d'affronter la perte de sa fortune ! « Mise ou paie », telle avait toujours été sa devise, et si ce blanc-bec ne faisait pas le poids, il n'avait qu'à s'abstenir de jouer. Surtout avec des dés pipés…

Toute cette affaire était regrettable, et s'il avait deviné que ce garçon en viendrait à de telles extrémités, il ne l'aurait sans doute pas complètement ruiné, mais charité bien ordonnée commençait par soi-même, et il avait grand besoin de la fortune des Weston pour se refaire. Certes, il aurait dû suivre son idée première, et utiliser cet argent pour payer ses dettes et mettre ses affaires en ordre.

Mais un joueur est un joueur et, convaincu que la chance avait tourné, il n'avait pu résister au plaisir de la taquiner encore une fois. Avec cet argent mal acquis, il était certain de regagner le sien. Deux fortunes valaient mieux qu'une, après tout, et il avait continué à hanter les cercles de jeu.

Quand il avait mesuré l'ampleur de ses pertes, quelques mois plus tard, il était de nouveau au bord du gouffre. C'est à ce moment-là qu'il avait commencé à chercher une solution. Épouser une femme riche lui avait paru la meilleure.

Il jeta de nouveau un coup d'œil au visage glacial de Nell. Oui, un riche mariage constituait la seule solution. Et Eleanor Anslowe lui convenait parfaitement. Ce n'était plus une gamine, elle avait de l'expérience et, surtout, elle était majeure et pouvait disposer de sa fortune… qui deviendrait la sienne une fois qu'ils seraient mariés. Sir Edward pourrait fulminer tant qu'il voudrait, il devrait se faire une raison. Une fois qu'il aurait épousé Nell, tous ses soucis s'envoleraient.

Le courage de la jeune femme faiblissait à chaque tour de roues. Elle était épuisée, sa jambe la faisait souffrir, mais elle ne s'avouait pas vaincue, et elle était bien décidée à ne pas rendre la tâche facile à son ravisseur. Elle avait parfaitement compris ce qu'il avait en tête, mais elle s'était juré, même s'il parvenait à la violer, de ne jamais devenir sa femme, dût-elle finir ses jours exilée au fin fond d'une lande déserte !

Elle allait s'échapper. Elle trouverait un moyen.

Puisqu'il y avait peu de chances qu'on ait entendu ses cris et qu'on s'aperçoive de son absence avant le matin, elle ne pouvait compter que sur elle-même. Elle n'avait aucune idée de la distance parcourue. À chaque éclair, elle observait attentivement le paysage détrempé, mais la nuit, tout paraissait différent. Elle supposait que lord Tynedale s'arrêterait le plus tard possible, et décida que ce serait le meilleur moment pour lui fausser compagnie. Et tant mieux s'il y avait du monde ! Elle ne voyait aucun inconvénient à révéler son forfait.

La chance se présenta plus tôt qu'elle ne l'espérait. Un éclair fulgurant les aveugla et la foudre s'abattit à moins de cinquante pas des chevaux lancés au galop. Tout le sol en fut ébranlé et la calèche se mit à tanguer dangereusement. Quand retentit un coup de tonnerre apocalyptique, les bêtes affolées se cabrèrent. L'une glissa et s'empêtra dans les harnais pendant que l'autre ruait pour tenter de se dégager. L'attelage fou échappa au contrôle de Tynedale et versa dans le fossé tandis que le cheval, enfin libre, s'évanouissait dans les ténèbres.

Nell s'agrippa de toutes ses forces et parvint à grand-peine à demeurer dans la calèche. Son compagnon n'eut pas cette chance ; il fit un gracieux vol plané dans le fossé. Il se releva en jurant pour évaluer les dégâts. Son épaule le faisait cruellement souffrir. Non seulement cette tempête était l'une des pires qu'il ait jamais vues, mais en plus, son équipage gisait au fond d'un fossé boueux, l'un de ses chevaux s'était enfui, l'autre était blessé, et lui avait selon toute vraisemblance l'épaule démise.

Le pire était encore à venir, cependant. Nell n'hésita pas une seconde. Dès que la voiture s'immobilisa, ignorant la douleur qui lui taraudait la jambe, elle sauta à bas de la calèche et s'élança en courant, cherchant la protection des arbres qui bordaient la route. Loin de l'affoler, les cris de Tynedale qui retentissaient derrière elle lui donnaient des ailes tandis qu'elle remerciait le ciel pour cette obscurité et cette tempête.

Indifférente aux branches qui lui giflaient le visage, elle s'enfonça le plus loin possible sous la futaie. Le manteau de son ravisseur gênait sa progression, mais elle n'osait pas s'en débarrasser.

S'il la poursuivait, la couleur claire de sa chemise de nuit la rendrait plus facilement visible. Elle ne s'arrêta qu'une fois pour tendre l'oreille, mais, à part les battements affolés de son cœur et sa respiration haletante, elle n'entendit que les hurlements furieux du vent.

Un sourire tremblant naquit sur ses lèvres.

Elle n'avait pas la moindre idée de l'endroit où elle se trouvait, elle était trempée, elle avait froid, elle avait peur, mais elle avait échappé à cette fripouille.

3

Nell s'abrita un moment sous la ramure d'un chêne pour réfléchir et reprendre son souffle, mais la tempête ne faiblissait pas, et elle savait qu'il était dangereux de s'attarder sous le plus haut des arbres.

Remontant le manteau sur sa tête, elle quitta son abri et entreprit de se frayer un chemin au milieu des taillis, ce qui n'était pas chose facile. Elle s'enfonçait dans la mousse détrempée, trébuchait sur des branches mortes, écorchait ses pieds nus, et tomba à plusieurs reprises. La pluie, le vent glacial et l'obscurité n'arrangeaient rien.

Elle n'avait plus aucune notion du temps écoulé et avait perdu tout sens de l'orientation. Elle se demandait si elle ne tournait pas en rond et craignait de tomber droit dans les bras de Tynedale. Le sentiment de triomphe qu'elle avait éprouvé en lui faussant compagnie n'était plus qu'un souvenir, et tandis que le froid et la douleur dans sa jambe devenaient plus intenses, elle en venait presque à regretter le confort tout relatif de sa calèche.

Après un coup de tonnerre assourdissant, la foudre s'abattit si près que Nell fut jetée à terre.

Elle se releva quelques minutes plus tard, étourdie, meurtrie, mais saine et sauve. Les dieux devaient être avec elle, car la lueur aveuglante lui avait permis de repérer une chaumière à quelques dizaines de mètres de là.

Reprenant espoir, elle claudiqua jusqu'à cet abri inespéré. Elle allait trouver de l'aide, elle était sauvée ! Mais derrière la petite fenêtre, pas la moindre lueur accueillante, pas le moindre bruit derrière la porte. Le cœur lui manqua quand elle comprit que la maisonnette était inhabitée.

Du moins elle serait au sec, se dit-elle pour se donner du courage, et, rassemblant ses dernières forces, elle poussa la porte, qui céda sans difficulté. Un nouvel éclair lui révéla qu'il n'y avait effectivement rien à voler, hormis une méchante table, trois ou quatre chaises bancales et une paillasse de joncs tressés dans un coin.

En dépit de la poussière, des feuilles, des brindilles et des débris de toutes sortes qui jonchaient le sol, cette pauvre bicoque lui parut un véritable palais. Titubant de fatigue, elle entreprit d'explorer son nouveau domaine.

Il se composait d'une seule pièce et d'un petit appentis où elle trouva quelques fagots oubliés, mais ils ne lui étaient d'aucune utilité puisqu'elle n'avait aucun moyen de faire du feu dans la cheminée rudimentaire.

Une fois son inspection terminée, elle s'approcha d'une des fenêtres obscurcies par la crasse pour examiner les environs. La bicoque était située à l'orée de la forêt et, malgré la pluie, Nell aperçut une route étroite à quelque distance. Elle devait se trouver dans un ancien poste de péage. À une époque, les voyageurs avaient dû acquitter une redevance pour utiliser cette route, mais, à en juger par l'état de la masure, cette époque était révolue depuis belle lurette.

La jeune femme n'en avait cure pour le moment. Elle était trop heureuse d'être à l'abri de l'orage et de Tynedale, et trop épuisée pour voir au-delà de l'instant. Elle s'enveloppa dans le manteau humide, puis s'installa le plus confortablement possible sur la couche de roseaux.

Assise dos au mur, elle contemplait les éclairs qui illuminaient les ténèbres. Elle grelottait, sa jambe l'élançait douloureusement, ses pieds écorchés lui paraissaient en feu, et elle était recrue de fatigue.

L'orage s'éloignait, et elle avait du mal à garder les yeux ouverts. Le seul danger qui la menaçait à présent, c'était Tynedale, mais elle n'avait plus la force de bouger. Selon toute vraisemblance, il avait perdu sa trace, se rassura-t-elle. Bien sûr, la route qu'elle avait aperçue était peut-être celle qu'ils avaient empruntée quand ils avaient quitté Londres, et peut-être que son ravisseur allait apparaître sur le seuil d'un instant à l'autre. Elle s'en moquait. Elle était à bout de forces et n'aurait pu faire un pas de plus.

Sa tête dodelina, ses yeux se fermèrent malgré elle, elle glissa doucement sur le côté et s'abandonna au sommeil sur la pauvre paillasse, son corps fourbu dissimulé dans les plis sombres du manteau.

Julian éperonna son cheval en maudissant l'orage, sa belle-mère et surtout sa sœur adoptive. Il se demandait encore ce qu'il fabriquait en pleine nuit à des kilomètres de Londres et de tout lieu habité, au milieu d'une des pires tempêtes qu'il ait jamais vues. Elizabeth n'avait qu'à aller au diable. Si elle voulait s'enfuir avec Carver, elle aurait pu tout aussi bien le faire par beau temps !

Le vent s'engouffrait dans son manteau, il était trempé, et son cheval, effrayé par le tonnerre et les éclairs, renâclait et ne cessait de faire des écarts. Il ne pouvait en vouloir à la pauvre bête, qui était aussi mouillée et aussi fatiguée que lui.

À une heure pareille, il aurait dû se trouver bien au chaud dans son lit et dormir sur ses deux oreilles. Mais à peine avait-il posé son manteau et son chapeau que Diana s'était ruée sur lui en sanglotant. Quand enfin il était parvenu à l'écarter, pour interroger son majordome, le brave homme lui avait répondu d'un air fataliste qu'il ignorait tout de cette malheureuse affaire. La femme de chambre d'Elizabeth avait cessé un instant de renifler pour expliquer qu'elle n'avait fait qu'obéir aux ordres de mademoiselle en ne remettant pas tout de suite la lettre à madame. Sur quoi Diana avait brandi un billet détrempé de larmes en l'implorant de sauver sa pauvre enfant.

Sur l'heure !

Sans un regard pour le message, le comte avait entraîné sa belle-mère dans un petit salon et était parvenu, non sans mal, à lui arracher toute l'histoire. Apparemment Elizabeth, chaperonnée par Mlle Milliard, la grand-tante de Julian, n'était pas encore revenue du bal des Ellington quand lady Wyndham était rentrée d'une autre soirée. Il n'était pas tard et elle ne s'était pas inquiétée de l'absence de sa fille jusqu'à ce que la femme de chambre vienne lui remettre un message d'Elizabeth expliquant qu'elle était partie avec le capitaine Carver.

Julian avait deviné en rentrant de son club qu'un violent orage se préparait et il n'avait aucune envie de se lancer à la poursuite des fugitifs. Si la jeune fille tenait à gâcher son avenir avec ce Carver, grand bien lui fasse ! Mais les pleurs et les suppliques de Diana avaient eu raison de sa résistance, et sa belle-mère avait fini par le convaincre qu'il était de son devoir de chef de famille d'empêcher une si malheureuse union.

En maugréant, il avait fait seller son cheval et, quelques instants plus tard, chaudement emmitouflé, il galopait à bride abattue sur la route du Nord. Plus la tempête s'intensifiait, plus il maudissait les tourtereaux. Il se promit d'infliger une sévère punition à sa pupille et d'étrangler ce blanc-bec de Carver quand il les rattraperait. La route n'était plus qu'un vaste bourbier, et sa seule consolation était que le jeune couple n'était pas mieux loti.

Cette équipée constituait le point d'orgue d'une soirée qui avait de toute façon mal commencé. Il n'en avait rien laissé paraître, et avait tranquillement conversé avec ses amis, mais du moment où il avait vu Tynedale, il n'avait pu détacher ses pensées de ce gredin et de la fin tragique de son neveu. La date anniversaire du suicide de Daniel était dans un mois, et il l'affronterait plus sereinement si cette fripouille avait rendu compte à la société de la mort d'un jeune homme charmant promis à un brillant avenir.

Mais avant de s'occuper de cette canaille, il devait d'abord rattraper sa sœur adoptive et la tirer des griffes du beau capitaine Carver, qu'elle le veuille ou non.

Il fut sur le point de crier victoire en apercevant une calèche renversée dans le fossé. La chance était peut-être de son côté si la tempête avait eu raison des tourtereaux. Seul un soupirant aveuglé par l'amour ou un fieffé imbécile pouvait être assez bête pour sortir dans une voiture aussi légère par une nuit pareille.

Il inspecta les environs à la lueur aveuglante des éclairs et ne trouva aucune trace des deux chevaux ou des occupants. Les amoureux ne lui échapperaient pas ! Telle qu'il connaissait Elizabeth, il était peu probable qu'elle consente à une chevauchée sous cette pluie battante. Ils avaient dû courir se cacher au fond de la maison ou de l'auberge la plus proche – ce qui était certainement la première décision raisonnable qu'ils aient prise ce soir.

L'endroit était désert et, au bout de quelques lieues supplémentaires sans rencontrer âme qui vive et sans trouver la moindre trace d'habitation, la confiance de Julian commença à vaciller.

Son cheval se cabra avec un hennissement affolé lorsque la foudre s'abattit à quelques pas de là. Déstabilisé sur le chemin détrempé, le pur-sang peina à retrouver son équilibre et, si bon cavalier que fût le comte, sa monture glissa sur le bas-côté.

Il eut la présence d'esprit de déchausser les étriers et de plonger dans le fossé afin que son cheval ne l'écrase pas en tombant. La chute fut rude et il serra les dents quand son épaule heurta violemment le sol. Homme et bête se relevèrent immédiatement, mais quand Julian voulut attraper les rênes, l'animal se détourna et s'enfuit au galop.

Le jeune homme ne put retenir un juron comme sa monture disparaissait dans les ténèbres. Il ne manquait plus que ça !

Il avait maintenant complètement oublié Elizabeth.

Désormais, il se souciait seulement de trouver un abri et de vérifier l'état de son épaule. Il était inutile de retourner sur ses pas puisque cela faisait des lieues et des lieues qu'il galopait sans avoir vu nulle trace d'une quelconque présence humaine ; il décida donc de poursuivre sa route.

Il s'était imaginé connaître le pire avec cette épouvantable chevauchée sous l'orage, mais il ne tarda pas à changer d'avis. Il s'enfonçait dans la boue jusqu'aux chevilles, les bourrasques le transperçaient jusqu'aux os, et la pluie ne faisait pas mine de vouloir cesser. Il en venait presque à souhaiter être touché par la foudre ou écrasé par la chute d'un arbre.

Il commençait à désespérer lorsqu'il crut reconnaître l'endroit. S'il ne se trompait pas, un poste d'octroi désaffecté se trouvait non loin de là. Il avait vu juste. Au détour de la route, il aperçut enfin la chaumière tant désirée. Il parcourut au pas de course les derniers mètres et s'abattit contre la porte qui céda sous son poids. Peu importait que cet asile soit à peine plus qu'une masure, il y était à l'abri de la pluie et du vent.

Tâtonnant à la lueur des éclairs, il s'affala sur une chaise près de la cheminée et se laissa aller contre le dossier, les yeux fermés, trop heureux de ce calme enfin retrouvé.

Le froid eut raison de sa sérénité. Il était transi jusqu'à la moelle et s'il ne voulait pas attraper la mort, il fallait à tout prix faire du feu. Les fagots abandonnés étaient bien secs, il avait sa pierre à briquet dans sa poche et n'eut pas de mal à démarrer une maigre flambée, à laquelle il ajouta l'une des chaises pour plus de sûreté.

Julian remarqua dans un coin la paillasse de roseaux et le tas de chiffons posé dessus. En cas de besoin, cela pourrait alimenter le foyer, de même que la table et les autres chaises. Il mit son manteau à sécher devant l'âtre et entreprit d'enlever ses bottes. Elles étaient irrécupérables, mais qu'importait ? Il sortit le poignard qui y était caché – une habitude prise quand il partait en missions secrètes sur le continent pour le duc de Roxbury –, et le glissa dans sa ceinture.

Cela fait, il se laissa tomber sur une chaise, allongea ses longues jambes pour offrir aux flammes ses pieds glacés, et constata avec satisfaction que son épaule n'allait pas si mal. Pour que son bien-être soit complet, il dénoua sa cravate, qu'il jeta sur la table, et défit à moitié sa chemise.

« Il ne me manque plus qu'un pâté en croûte, une bonne bouteille, et une fille pas trop farouche », songea-t-il tandis que sa tête commençait à dodeliner.

Le père et les frères de Nell n'eurent pas la même chance. Ils avaient quitté Londres longtemps avant Julian, et avaient trouvé la calèche bien avant lui. Comme lui, ils l'avaient soigneusement inspectée avant de poursuivre leur route. Ils n'avaient aucun moyen de savoir si cet attelage appartenait à Tynedale ou à un malheureux quidam égaré dans la tempête mais, rongés d'angoisse et de colère, ils guettèrent encore plus attentivement toute trace de pas sur le chemin détrempé et de possible refuge sur les bas-côtés. Dans ces ténèbres balayées par les rafales de pluie, le poste d'octroi – où l'œil le mieux exercé n'aurait pu déceler le moindre signe de présence humaine – échappa à leur vigilance.

La principale préoccupation de sir Edward était de retrouver sa fille saine et sauve, et de la ramener à la maison. Ses fils, eux, étaient d'humeur beaucoup plus belliqueuse. Quand ils auraient mis la main sur Tynedale, et ils ne doutaient pas de finir par le rattraper, ils ne donnaient pas cher de sa peau.

Ils inspectèrent les rares auberges et maisons qu'ils trouvèrent. En vain. Les heures passaient, ils étaient épuisés et le découragement les gagnait. Surtout les jumeaux, qui avaient le plus souffert du froid et de la pluie. Aussi, lorsque aux premières lueurs de l'aube ils aperçurent une misérable taverne, ils ne furent que trop heureux de s'y arrêter.

C'était une bicoque située très en retrait de la route, presque entièrement dissimulée par un bouquet d'arbres, et si les hennissements de quelques haridelles attachées à l'entrée n'avaient attiré leur attention, ils seraient passés sans la remarquer.

Ce n'était pas le genre d'établissement fréquenté par la bonne société, mais ils étaient trop inquiets et trop fatigués pour s'en préoccuper. Tout ce qu'ils voulaient, c'était se réchauffer avec un bon grog et, pourquoi pas, se sustenter un peu.

L'arrivée de ces quatre messieurs élégants fit sensation, et quelques clients préférèrent s'éclipser discrètement par la porte de derrière, tandis que les autres les dévisageaient sans aménité.

Sir Edward déboutonnait tranquillement son manteau lorsque son regard fut attiré par la chevelure blonde d'un homme bien mis assis devant la cheminée, dos à la salle.

— Tynedale ! rugit-il.

L'intéressé tourna la tête, puis bondit sur ses pieds. En trois enjambées, les Anslowe furent sur lui. Livide, il chercha frénétiquement une issue du regard, mais les quatre hommes l'avaient déjà acculé dans un coin. Les clients considéraient la scène sans dissimuler leur intérêt, mais personne ne fit mine d'intervenir.

— Où est-elle ? gronda Robert en agrippant Tynedale à la gorge et en le secouant comme un prunier. Si tu veux vivre encore quelques heures, dis-nous ce que tu lui as fait !

Le gargouillis qui sortit de la bouche du misérable ne pouvait passer pour une réponse.

— Tu devrais peut-être desserrer un peu ton étreinte ? suggéra sir Edward d'un ton glacial.

L'aîné s'exécuta à contrecœur.

— Vous avez perdu l'esprit ? s'indigna le scélérat quand il eut repris son souffle. Pourquoi vous attaquez-vous à moi ?

— Vous le savez parfaitement, répliqua Robert. Où est-elle ?

— Vous me paraissez très soucieux, je ne vous tiendrai donc pas rigueur de votre brutalité. Mais je n'ai pas la moindre idée de ce dont vous parlez. Je voyage seul, je n'aurais jamais emmené une dame avec moi par un temps pareil. Vous avez peut-être vu ma voiture dans le fossé à quelques lieues d'ici, d'ailleurs. Si vous ne me croyez pas, vous n'avez qu'à lui demander, ajouta-t-il en désignant le tavernier qui, impavide, ne perdait pas un mot de leur échange. Il vous dira que je suis arrivé il y a un peu plus d'une heure, et que j'étais seul.

— Qu'avez-vous fait d'elle ? siffla Robert. Parlez, si vous ne voulez pas que je vous étrangle.

— Euh, je vous demande pardon, risqua prudemment l'aubergiste. Il y a pas beaucoup de messieurs qui viennent par ici, et j'ai pas l'habitude de me mêler des affaires de la haute, mais ce monsieur dit vrai. Il est arrivé seul.

Sir Edward n'avait qu'une confiance limitée dans la parole du tenancier, c'est pourquoi ses fils fouillèrent la bicoque de fond en comble. Sans trouver la moindre trace de leur sœur.

Toutes les menaces de Robert et des jumeaux ne firent pas varier Tynedale d'un iota, et sir Edward commença à avoir des doutes. Nell avait disparu alors qu'elle dormait dans sa chambre, de cela ils étaient certains, et ce coureur de dot aux abois paraissait le suspect idéal. Mais ils n'avaient aucune preuve.

Le cœur du vieil homme se glaça d'effroi. Se pouvait-il que sa fille bien-aimée ait été enlevée pour d'autres raisons qu'un mariage forcé ? Peut-être n'avait-elle pas quitté Londres, peut-être se trouvait-elle dans l'un de ces lieux d'infamie où des jeunes femmes sans défense étaient contraintes de vendre leur corps... Les enlèvements de ce genre n'étaient pas rares dans les quartiers miséreux, mais ils ne touchaient pas les dames bien nées.

Mais si Tynedale était hors de cause, qui avait enlevé Nell ? Et pourquoi ?

Voyant qu'ils ne tireraient rien de ce vaurien, ils s'installèrent à l'écart pour se concerter, et décidèrent que sir Edward et son fils aîné rebrousseraient chemin et inspecteraient soigneusement la route afin de s'assurer que rien ne leur avait échappé. Entretenant encore quelques soupçons à l'égard de Tynedale, ils décidèrent qu'Andrew et Henry feindraient de partir avec eux, puis qu'ils guetteraient la sortie du gredin pour le suivre discrètement et vérifier qu'il n'avait pas caché Nell dans les environs.

Et si c'était le cas…

Un jour gris et blafard pointait derrière les vitres crasseuses quand la douleur dans sa jambe réveilla la jeune femme. Il faisait sombre, il pleuvait dru, mais le gros de la tempête était passé. Et son ravisseur ne l'avait pas retrouvée !

Elle s'étira et se frotta les yeux. Le froid lui parut moins vif comme elle se redressait pour examiner sa chemise de nuit. Malgré le manteau de Tynedale, celle-ci était déchirée et maculée de boue.

Un son – soupir ? raclement de gorge ? – lui apprit qu'elle n'était pas seule. Le cœur battant à tout rompre, elle se leva maladroitement. Et découvrit le grand manteau et les bottes qui séchaient devant le feu mourant une fraction de seconde avant de remarquer la tête sombre de l'homme qui dormait sur une chaise.

Elle recula en laissant échapper un cri étouffé. Échapper à Tynedale pour tomber entre les mains d'un bandit de grand chemin, d'un assassin peut-être, c'était par trop cruel !

Son cri avait eu beau être à peine audible, ce fut suffisant pour réveiller l'inconnu, qui bondit de sa chaise, et fit volte-face, un couteau à la main.

Jamais Nell n'avait vu visage aussi inquiétant. La chevelure de jais de l'homme retombait en désordre sur son front, et sous les sourcils froncés, ses yeux verts luisaient comme ceux d'un fauve en colère. Il n'était pas à proprement parler bel homme, mais avec ses traits taillés dans le granit, son nez aquilin et sa grande bouche aux lèvres pleines, elle aurait pu, en d'autres circonstances, le trouver séduisant.

L'étranger se détendit en se voyant confronté à une aussi fragile adversaire, et un lent sourire fleurit sur ses lèvres. Un sourire non dénué de charme.

— Pardonnez-moi, je n'avais pas l'intention de vous effrayer, s'excusa-t-il d'une voix distinguée qui contrastait avec son apparence. Je ne m'étais pas rendu compte que cette maison était habitée.

— Mais je n'hab… commença-t-elle avant de s'interrompre, maudissant son impétuosité.

Une fois sa surprise passée, Julian examina plus attentivement la frêle silhouette. De toute évidence, cette masure était abandonnée depuis longtemps, et cette jeune fille, ou plutôt cette jeune femme y paraissait aussi déplacée qu'un pur-sang dans une cour de ferme. La soie et les dentelles qui ornaient sa chemise de nuit, son allure aristocratique, tout en elle détonnait dans cette pauvre chaumière.

L'apparition de ce visage d'ange encadré d'une masse de cheveux mordorés lui avait coupé le souffle, comme s'il avait reçu un direct à l'estomac. Jamais il n'avait éprouvé une telle émotion et, aussi surpris qu'ébloui, il ne savait plus où il en était. L'objet de son admiration évitait de croiser son regard et se mordillait nerveusement la lèvre, une lèvre qui devait être douce et chaude, et à laquelle il aurait volontiers goûté…

Il considéra la silhouette mince et élégante, et sentit au creux de ses reins un élan aussi violent qu'inapproprié en pareille circonstance. Il repoussa avec détermination les pensées grivoises qui l'assaillaient et tenta de rassembler ses idées.

Elle n'habitait pas ici, de cela au moins il était convaincu. Il ne pouvait s'agir d'une servante d'auberge, d'une fille de ferme ou d'une gardienne de vaches. Elle avait le teint trop délicat pour avoir souffert du manque de nourriture et des conditions d'hygiène déplorables qui constituaient le lot habituel des gens du commun.

Elle n'avait rien de commun d'ailleurs. Ses vêtements indiquaient une aisance certaine, dans le passé du moins, et ses traits, son maintien, indépendamment de l'effet qu'ils avaient sur lui, trahissaient des origines aristocratiques. Son allure, sa distinction, sa grâce, tout en elle le laissait perplexe.

Enfin, ce n'était pas en la contemplant béatement, même s'il y prenait un plaisir indéniable, qu'il trouverait la réponse à toutes ces questions.

— Vous ne quoi... ? s'enquit-il doucement, reprenant là où elle s'était interrompue.

— Je ne vis pas ici, répondit Nell sans se compromettre. Vous avez peut-être vu ma calèche dans le fossé. Les chevaux se sont emballés pendant l'orage, les harnais ont cassé et je n'ai eu d'autre solution que de m'abriter ici pendant que mon... mon cocher allait chercher de l'aide.

Cela ne disait pas à Julian ce qu'elle faisait dehors par ce temps, pieds nus, vêtue de sa seule chemise de nuit.

— Je comprends.

— Je l'espère. Et vous, comment êtes-vous arrivé ici ? ajouta-t-elle, non sans hardiesse.

— J'ai été moi aussi victime de la tempête. Mon cheval s'est enfui et j'ai cherché refuge ici, sans m'apercevoir que vous aviez déjà pris possession des lieux.

— Ce sont des choses qui arrivent, concéda-t-elle avec une assurance impériale. À présent, si vous voulez bien m'accorder quelques instants pour que je mette un peu d'ordre dans ma tenue, je vais rassembler mes affaires et me mettre en route.

— Ne me direz-vous même pas votre nom ? s'étonna-t-il en haussant les sourcils.

— Ce... ce n'est pas nécessaire. Nous ne nous connaissons pas. Autant que cela demeure ainsi.

— Je ne suis pas de votre avis. Permettez-moi de me présenter : Julian Weston, pour vous servir si besoin est, fit-il en s'inclinant, et en omettant soigneusement de mentionner son titre.

— Je vous remercie, mais ce ne sera pas nécessaire, déclina-t-elle poliment, se demandant si elle n'avait pas affaire à l'un de ces hommes du monde déclassés devenus bandits de grand chemin, dont les gazettes faisaient leurs choux gras. Mon cocher ne devrait pas être long. Ne vous attardez pas pour moi.

Le bruit d'une voiture qui approchait vint ajouter foi aux propos de Nell, mais Julian était trop absorbé pour y prêter attention. Il ne pouvait la laisser partir sans avoir percé le secret de son identité. La curiosité lui avait pourtant déjà attiré des ennuis par le passé, mais il n'en avait cure.

Son instinct avait beau l'exhorter à la prudence, il était incapable de détacher le regard de la gracieuse silhouette, depuis les petits pieds qui dépassaient de sous la longue chemise jusqu'à la poitrine qui se dressait orgueilleusement sous la soie maculée de boue. Les idées qui lui traversaient l'esprit auraient valu une attaque au plus laxiste des censeurs. Grand Dieu, cela faisait-il si longtemps qu'il n'avait pas eu de femme ?

— Je ne peux vous laisser seule dans cette maison isolée, ce serait indigne d'un gentleman, protesta-t-il en évitant de regarder son corps.

— Je vous remercie, mais je vous assure que je suis parfaitement en sécurité ici.

— Vous croyez ? Vous croyez vraiment ? Voulez-vous que je vous montre quelle sorte de dangers vous courez ?

Elle recula à son approche, mais cette maudite jambe la trahit une fois de plus et se déroba sous elle au moment où il la saisissait aux épaules. Elle tomba à la renverse, l'entraînant dans sa chute.

— Lâchez-moi ! tempêta-t-elle. Vous n'avez rien d'un gentleman pour me traiter ainsi ! Mon père vous fera écorcher vif si vous osez me toucher !

Pour toute réponse, Julian lui adressa son sourire le plus enjôleur, grisé par la chaleur de ce corps mince sous le sien. Jamais il n'avait éprouvé sensation plus enivrante, mais même s'il était bien près de perdre la tête, il n'était pas homme à forcer une femme. Sa bouche était cependant si tentante, qu'il ne put résister.

— Juste un baiser, mon cœur.

— Jamais ! Lâchez-moi, espèce de brute !

Nell s'efforçait de paraître indignée, mais ce n'était pas chose facile. L'inconnu, criminel ou bandit de grand chemin, était l'un des hommes les plus séduisants qu'elle ait jamais rencontrés, et seuls sa fierté et un reste de bon sens la poussaient à se soustraire à cette étreinte délicieuse.

— Je vous demande de me lâcher, répéta-t-elle d'un ton coupant. Immédiatement !

— Je vous conseille de lui obéir, tonna la voix de sir Edward. Faites ce que cette dame vous dit, ou je me verrai dans l'obligation de vous tirer dans le dos, méprisable fripouille !

— Et si jamais il vous manquait, soyez sûr que moi, je ne vous raterais pas, renchérit Robert. Si vous tenez à la vie, lâchez-la sur-le-champ.

4

Julian s'était déjà trouvé en position difficile, mais jamais il ne s'était senti aussi ridicule. Il bascula en hâte sur le dos. En voyant la mine farouche des deux hommes qui lui faisaient face, et le pistolet du plus jeune braqué sur son cœur, il comprit immédiatement que toute tentative pour s'en sortir dignement était vaine et qu'il s'agissait de sauver sa vie.

Il ne connaissait pas ces messieurs, mais il était évident qu'ils appartenaient à la bonne société, et il décida séance tenante d'étrangler Elizabeth dès qu'il aurait mis la main sur elle. Si cette petite écervelée n'avait pas eu l'idée de prendre la fuite avec son bellâtre galonné, il n'en serait pas là. Pour être tout à fait honnête, ce n'était pas la faute de sa sœur adoptive si on l'avait surpris en position compromettante sur le sol d'une masure avec une jeune femme qui n'était visiblement pas du genre à accorder un baiser au premier venu. Quoi qu'il en soit, c'était bien par sa faute qu'il avait échoué dans cette cabane, et il ne se priverait pas de lui dire sa façon de penser, si l'un de ces deux messieurs ne l'abattait pas avant, bien entendu.

Il envisagea de se servir de son poignard, mais hésita. Les nouveaux venus avaient sans doute de bonnes raisons de paraître aussi furieux et outrés, mais il soupçonnait leur colère de n'être pas seulement due au fait qu'il avait... euh, amicalement roulé sur le sol avec la fille allongée près de lui. Qui étaient-ils donc, et quels étaient leurs liens avec la belle inconnue ?

Ce fut la mystérieuse beauté elle-même qui lui donna la réponse. Elle se releva en vacillant et, d'un pas mal assuré, traînant visiblement la jambe, tomba quasiment dans les bras du plus âgé.

— Oh, papa ! Vous m'avez retrouvée ! sanglota-t-elle. J'espérais tellement que vous viendriez !

Julian étouffa un juron. Ce vieux monsieur distingué était donc le père de la troublante créature ! Il se trouvait décidément dans de sales draps. Même les plus débonnaires des parents ne verraient pas d'un bon œil la fille de la maison rouler sur le sol dans les bras d'un étranger. Ni d'une personne de connaissance, d'ailleurs.

Mais que diable faisait-elle dans cette masure isolée, en plein milieu de la nuit, en chemise de nuit qui plus est ? Là se trouvait certainement la clef du mystère, là résidait certainement l'explication de l'agressivité des nouveaux venus.

Tout à leurs retrouvailles avec la jeune femme, ils avaient complètement oublié Julian, qui en profita pour se redresser en position assise.

— Pas un geste, canaille ! s'emporta le plus jeune des deux. Vous allez voir ce qu'il en coûte de porter la main sur ma sœur !

Julian éprouva un léger soulagement. Il avait craint de se retrouver avec un mari jaloux sur les bras ; un frère lui paraissait un moindre mal.

— Votre visage m'est familier, enchaîna le jeune homme, visiblement perplexe. Est-ce que nous nous sommes déjà rencontrés ?

— Il m'a dit qu'il s'appelait Weston, intervint la jeune femme.

— Weston ! Êtes-vous parent du comte de Wyndham ?

— On ne le dirait probablement pas à en juger par ma tenue pour le moins négligée, mais je *suis* le comte de Wyndham.

— Je ne m'en serais jamais douté, avoua sir Edward qui, après avoir scruté attentivement le visage aux joues bleuies de barbe de Julian, ajouta : Mais je vous reconnais, à présent. Nous nous sommes déjà croisés à Londres.

Il semblait stupéfait, mais la politesse prit le dessus.

— Je suis sir Edward Anslowe, voici mon fils Robert et ma fille Eleanor, reprit-il en lui faisant signe de se lever avant de ranger son pistolet.

— Très heureux, dit Julian en s'inclinant. Même si j'aurais préféré faire votre connaissance en de plus agréables circonstances.

— Auriez-vous la bonté de m'expliquer, monsieur, ce qui vous a pris d'enlever ma fille la nuit dernière ? S'agit-il d'un pari d'ivrogne ? Je n'arrive pas à croire qu'un homme de votre rang puisse se conduire aussi bassement et n'éprouve aucun scrupule à déshonorer une demoiselle. Si ma fille vous plaisait, pourquoi n'êtes-vous pas venu m'en parler ? Notre famille n'est sans doute pas aussi riche et puissante que la vôtre, mais nous sommes de bonne lignée et Eleanor est une héritière. Vous auriez dû savoir que j'approuverais que vous la courtisiez.

— Mais papa, je n'avais jamais rencontré ce monsieur avant ce matin ! intervint Nell, horrifiée. Ce n'est pas lui qui m'a enlevée cette nuit, c'est ce… ce gredin de Tynedale !

Julian se raidit.

— Qu'est-ce que Tynedale vient faire dans cette histoire ?

— La bonne question serait : qu'est-ce que *vous* venez faire dans cette histoire ? lâcha Robert. Et quel rôle avez-vous joué dans l'enlèvement de Nell ?

— Je n'ai joué aucun rôle dans l'enlèvement de... euh, Nell, déclara le comte. C'est un malheureux concours de circonstances qui nous a amenés ici l'un et l'autre. Mon cheval s'est emballé durant la tempête, je me suis souvenu de cette maison abandonnée et je suis venu m'y abriter. Je ne m'étais pas aperçu que quelqu'un d'autre s'y trouvait déjà.

— Si c'est Tynedale qui t'a enlevée, comment se fait-il que nous t'ayons retrouvée ce matin seule avec lord Wyndham, et dans une position des plus équivoques ? demanda sir Edward à sa fille.

— Ce n'est pas *ma* faute si vous nous avez trouvés dans une situation aussi compromettante ! s'insurgea la jeune femme en jetant un regard furibond à Julian.

Il lui adressa un sourire lumineux en réponse. Elle était décidément ravissante, avec ses traits délicats et sa chevelure cuivrée qui retombait en désordre sur ses épaules. Cela valait mieux pour lui, d'ailleurs, car il commençait à subodorer comment toute cette histoire allait finir. Il soupira. Il avait juré de ne jamais se remarier, mais le destin semblait s'acharner sur lui et en avoir décidé autrement. Pour le moment, il ne voyait d'autre solution honorable à la situation que le mariage.

Julian n'avait rien d'un imbécile. Il avait compris que Tynedale avait enlevé Nell, qu'elle était parvenue à lui échapper et avait trouvé refuge dans l'ancien poste d'octroi. La jeune femme était riche, et ceci expliquait cela. Cette canaille avait voulu l'obliger à l'épouser pour faire face à ses dettes. Mais la demoiselle était aussi extrêmement séduisante, et tel qu'il le connaissait, Tynedale avait voulu joindre l'agréable à l'utile. Eh bien, s'il pouvait contrecarrer ses plans et lui souffler sa proie, il n'en serait pas mécontent !

Nell répondit à son sourire en lui tournant le dos. Après avoir assuré à son père et à son frère qu'elle avait échappé à son ravisseur avec sa vertu intacte, elle entreprit de leur raconter comment elle était arrivée dans cette maison.

— Je dormais tellement profondément que je n'ai pas entendu le comte entrer. C'est seulement à mon réveil que j'ai découvert sa présence, conclut-elle avec un regard noir à Julian.

Sir Edward, l'air profondément ennuyé, contempla tour à tour sa fille et Wyndham, qui avait deviné ce qu'il avait en tête.

— Sir Edward, je comprends très bien votre dilemme, commença ce dernier, et même si le seul responsable de tout ceci, c'est Tynedale, je suis un homme d'honneur et je suis tout disposé à épouser votre fille.

— M'épouser ! s'esclaffa Nell, le regard moqueur. Je ne pense pas, milord ! Enfin, je ne vous connais même pas. Et si j'en juge par le peu que j'ai vu de vous, vous êtes le dernier homme en Angleterre que j'épouserais !

— J'ai bien peur que tu n'aies pas le choix, mon petit, murmura sir Edward.

— Que voulez-vous dire ?

— Nell, tu as passé toute la nuit seule avec lui, intervint Robert. Peu importe qu'il ne se soit... euh, rien passé entre vous. Si quelqu'un l'apprend, ta réputation sera définitivement ruinée.

— Je m'en moque ! répliqua-t-elle, le menton haut. Je ne l'épouserai pas ! Ma réputation m'appartient et je me fiche de ce que quelques personnes à l'esprit mal tourné peuvent penser.

— Mais je ne m'en moque pas, intervint Julian d'une voix suave. Je ne veux pas passer pour un vil suborneur, et je ne veux pas qu'un scandale éclabousse ma famille – même si cela vous importe peu.

— Je tiens autant que vous à préserver l'honneur de ma famille, cingla Nell, même si je devais vous épouser pour cela. Mais je vous rappelle que personne ne nous a vus. Et tant que nous ne dirons rien, personne n'en saura rien.

— Et Tynedale ? objecta Wyndham.

— Il sait que je me suis échappée, mais il ignore ce qui s'est passé ensuite.

— Nous nous occuperons de lui, assura sir Edward. Il a des comptes à rendre à propos de cette tentative d'enlèvement.

— Et comment comptez-vous vous y prendre ? s'enquit Julian. Vous ne pouvez pas le traîner devant les tribunaux si vous voulez garder le secret sur les événements de cette nuit. Si vous le provoquez en duel, cela donnera lieu à toutes sortes de spéculations et, tôt ou tard, le motif de votre querelle viendra à transpirer. J'ajouterais que Tynedale ne doit pas voir d'objections particulières à pratiquer le chantage.

— Comment pourrait-il nous faire chanter ? voulut savoir Nell. Il faudrait qu'il avoue m'avoir enlevée, et dans ce cas, c'est lui qui se retrouverait au ban de la société. Il n'osera pas.

— En êtes-vous si sûre ? contra Julian. Il est aux abois, et c'est un homme sans scrupules. Il pourrait bien se moquer des conséquences.

— Vous avez raison, nous ne pouvons parier sur le fait qu'il n'osera pas nous faire chanter, déclara sir Edward. Et nous serions certainement prêts à payer tout ce qu'il voudrait pour le faire taire.

— Oh, tout cela est absurde ! déclara Nell. Nous pourrions passer la journée entière en spéculations que cela ne nous mènerait nulle part. Papa, je suis fatiguée et transie, je meurs de faim et j'ai besoin de prendre un bain. Ne pourrions-nous rentrer à la maison et oublier cette nuit épouvantable ?

Tous quatre se figèrent en entendant un équipage approcher. Quelques instants plus tard, la voiture ralentit et Nell, qui s'était à moitié cachée derrière son père, retint son souffle. « Mon Dieu, faites qu'ils passent leur chemin ! » implora-t-elle silencieusement.

— Sir Edward ! Êtes-vous là ? cria à la cantonade une voix masculine.

— C'est Humphries, chuchota Edward Anslowe. Il a dû reconnaître la voiture.

— Pas celui qui est marié à lady Humphries ? s'enquit Julian d'une voix tendue.

— Mais bien sûr qu'il est là ! glapit une voix féminine. C'est sa voiture, ce sont ses armes sur la portière, et c'est son cocher, ce brave Travers, voyons. Je me demande bien ce que sir Edward fait ici. Aide-moi à descendre, nous allons voir ce qu'il en est.

— Celui-là même, répondit sir Edward d'un ton lugubre. Et je vois à votre expression que la réputation de commère de sa femme est parvenue jusqu'à vous. J'ai bien peur que leur arrivée ne nous oblige à changer notre fusil d'épaule, milord.

— Je vous ai déjà proposé d'épouser Mlle Anslowe, et l'arrivée de lady Humphries n'y change rien.

— Je ne vous épouserai pas, siffla Nell.

— Vous n'avez pas le choix, répliqua Julian en proie à un sentiment de satisfaction qui le prit de court.

À peine avait-il terminé sa phrase qu'un homme élégant accompagné d'une femme de petite taille tout aussi élégante faisait son entrée.

— Ah, vous voici, mon ami ! s'écria lord Humphries, avec un large sourire à l'adresse de sir Edward. Quelque chose ne va pas ?

Lady Humphries aperçut Nell et détailla sa tenue incongrue de l'air concupiscent d'un chat lâché dans une poissonnerie. Elle tenait là un beau scandale, à n'en pas douter. Ses yeux s'écarquillèrent lorsqu'elle remarqua le comte. Voilà qui devenait vraiment passionnant !

— Nell, ma chère, que vous est-il arrivé ? s'exclama-t-elle. Vous êtes à faire peur ! Julian ! Que se passe-t-il donc ?

Tandis que la jeune fille, figée d'horreur, demeurait sans voix, Julian, aussi à l'aise que dans un salon, s'approcha pour baiser tranquillement la main de la commère.

— Je suis indigné par vos paroles, lady Humphries. Vous parlez à ma fiancée, et je ne peux vous laisser mettre en question son indéniable beauté, déclara-t-il en la gratifiant de ce sourire charmeur pour lequel il était célèbre.

Même sur lady Humphries, l'effet de ce sourire était infaillible, et la dame, qui avait célébré son soixante-dixième anniversaire le mois précédent, rougit comme une adolescente.

— Votre fiancée ! s'exclama-t-elle. Oh, le nombre de cœurs que vous allez briser ! Mais dites-moi, que faites-vous tous ici ? ajouta-t-elle en jetant un regard circulaire.

— Un accident, expliqua-t-il sans se démonter. Sir Edward m'avait donné l'autorisation de courtiser sa fille et j'avais décidé d'emmener Mlle Anslowe dans un charmant vallon où je comptais déposer mon cœur à ses pieds. Mes vœux furent exaucés et, ayant reçu la réponse que j'espérais, nous nous en retournions quand l'orage a éclaté. Ma calèche a perdu une roue en versant, et nous avons été contraints de nous abriter ici. Heureusement, sachant que nous étions dans une voiture découverte et que nous n'étions pas équipés pour le gros temps, sir Edward et Robert sont venus nous secourir avant que les convenances aient eu à souffrir de la situation. La tempête faisant rage, nous avons jugé dangereux de reprendre la route. Nous avons donc tous passé la nuit ici, et nous nous préparions à partir quand vous êtes arrivés.

— Je vois, murmura lady Humphries.

Elle savait parfaitement qu'on lui servait une histoire à dormir debout, mais à moins de traiter ouvertement le comte de menteur, elle n'avait aucun moyen d'apprendre le fin mot de l'affaire. Le peu qu'elle en savait était de toute façon passionnant. Quand on apprendrait – et on pouvait compter sur elle pour le faire savoir – dans quelle situation extraordinaire elle avait trouvé le jeune couple, elle serait la personne la plus recherchée de la capitale. Tout le monde voudrait entendre le récit de sa bouche, et elle ne se ferait pas prier pour le raconter.

— Eh bien, si nous ne pouvons pas vous être utiles, nous allons nous remettre en route, fit-elle. Je guetterai l'annonce de vos fiançailles dans le *Times* !

Nell regarda partir lord et lady Humphries avec l'enthousiasme d'un condamné au pied de l'échafaud. La mine énigmatique de Julian eut le don de la mettre en rage. Voilà qu'elle était fiancée. Avec *lui* !

— Je crois que la venue de lord et de lady Humphries clôt le sujet, monsieur, déclara Wyndham à sir Edward. À partir de maintenant, nous sommes officiellement fiancés, votre fille et moi – soyez certain que lady Humphries va répandre la nouvelle dans la bonne société. Je vous suggère de regagner Londres immédiatement... avant d'avoir de nouveaux visiteurs. Je peux me charger de l'annonce de nos fiançailles dans le *Times*, si vous le souhaitez.

Sir Edward ne put qu'acquiescer à ce discours, et ils se mirent en route aussitôt. Une fois décidé, malgré les objections de Nell, que les noces auraient lieu rapidement, la conversation se fit quelque peu languissante – surtout entre les nouveaux fiancés. La jeune femme répondait par monosyllabes aux questions qu'on lui posait tandis que Julian ne cessait de se demander s'il n'avait pas perdu l'esprit.

Après la mort de Catherine, il avait résolu de ne jamais se remarier, et rien, au cours des années écoulées, ne lui avait donné de raison de changer d'avis. Bien sûr, il s'agissait d'un concours de circonstances et il n'avait pas eu le choix, mais il s'apercevait que la perspective d'épouser Eleanor Anslowe ne l'emplissait ni de dégoût ni de ressentiment, comme cela aurait dû être le cas. Oui, il devait être fou. Comment expliquer autrement qu'il accepte aussi gaiement le tour pris par les événements de la nuit ?

Sa bonne humeur s'évanouit sur le seuil de sa porte. Lady Diana allait se ruer sur lui en réclamant à cor et à cri des nouvelles de sa fille. Malheureusement, il n'avait aucune idée de ce qu'était devenue Elizabeth, et l'annonce de son prochain mariage n'allait certainement pas être accueillie avec des cris de joie. Au contraire.

Lady Wyndham souhaitait certes qu'il se marie, mais avec la personne de son choix : une jeune fille malléable, qui ferait ses quatre volontés. Il y avait peu de chances que Mlle Anslowe soit le genre de femme susceptible de plaire à sa belle-mère. Il sourit. À en juger par son regard pénétrant et sa langue acerbe, ce n'était pas une créature faible et facile à manipuler, et il doutait fort qu'elle consente à se plier aux caprices de sa belle-mère – ou de qui que ce soit d'autre. Sa vie promettait d'être *très* agitée dans les semaines à venir, et il ne savait s'il devait en rire ou le déplorer.

Pour l'heure, il était temps d'aller affronter Diana.

Le comte s'attendait à trouver sa belle-mère en larmes mais, à sa grande surprise, ce fut sa sœur adoptive qui vint se jeter dans ses bras, visiblement soulagée.

— Oh, Julian ! Je suis désolée ! s'écria-t-elle. Hier, je suis allée à Ranelagh Gardens avec le capitaine Carver, et pas au bal des Ellington. Je savais que nous rentrerions plus tard, et j'ai laissé un mot à maman pour qu'elle ne s'inquiète pas. Mais comme je me doutais que cela ne lui plairait pas – quand bien même Millie nous accompagnait –, j'ai demandé qu'on ne le lui remette pas avant son retour. Jamais je n'aurais imaginé qu'elle me croirait assez stupide pour m'enfuir avec le capitaine, ni qu'elle t'obligerait à partir à ma recherche en pleine tempête ! Je suis d'ailleurs très flattée que tu l'aies fait, mais tu aurais dû te rendre compte que je vaux mieux qu'un simple capitaine. C'est ce que tu m'as toujours dit !

Julian ne put s'empêcher de rire.

— Bon sang ! À cause de toi, j'ai passé une nuit épouvantable. Cela dit, je suis heureux de constater que je ne m'étais pas trompé sur ton compte.

Souriant, elle glissa son bras sous le sien et l'entraîna vers le salon.

— Tu dois soupirer après un bain et ton lit, je suppose, mais viens quand même rassurer maman. Elle avait tellement peur que tu sois dans une rage folle en rentrant. Tu n'es pas trop en colère, au moins ?

Il ne l'était pas du tout, et cela le stupéfiait. Découvrir qu'il avait fait toute cette équipée pour rien, sinon pour se retrouver fiancé à une jeune femme qui, visiblement, le trouvait antipathique, aurait dû le mettre hors de lui. Or, non seulement il n'en voulait pas à sa belle-mère, mais il éprouvait même un vague sentiment de gratitude. Il ne se reconnaissait plus et se demanda une fois de plus s'il n'était pas devenu fou.

— Non, je ne suis pas en colère, ne t'inquiète pas, répondit-il.

— À ta place, je serais furieuse ! Je suis tellement contente que tu aies eu le mot de maman ! Tu n'imaginais tout de même pas que nous allions te laisser galoper jusqu'en Écosse ? ajouta-t-elle comme Julian la regardait d'un air surpris. Dès que je suis rentrée, nous avons envoyé Flint à ta poursuite, mais je ne pensais pas qu'il te rattraperait avant la fin de...

Elle s'interrompit soudain, puis :

— Il ne t'a pas rattrapé ?

— Euh... non. Il ne reste plus qu'à espérer qu'il appréciera les paysages d'Écosse. À moins que vous ne lui ayez donné une limite à ne pas dépasser.

— Bien entendu ! Nous ne sommes pas complètement idiotes ! Nous lui avons dit de tourner bride et de rentrer s'il ne t'avait pas rattrapé en début d'après-midi.

— Et je me serais retrouvé tout seul en Écosse ?

— Je savais bien que si tu ne m'avais pas retrouvée ce matin, tu reviendrais à la maison. Tout est bien qui finit bien, finalement ?

— De ton point de vue, certainement.

— Que veux-tu dire ?

— Que cette nuit aura marqué un tournant dans ma vie. Viens, allons retrouver ta mère. J'ai une nouvelle importante à vous annoncer.

À son entrée, sa belle-mère se leva de son fauteuil et, pressant la main sur son cœur, s'écria :

— Vous avez toutes les raisons d'être en colère, Julian, mais je vous en supplie, mettez-vous à ma place ! L'amour maternel rend aveugle, voyez-vous !

— Ne vous inquiétez pas, maman, Julian ne vous en veut pas.

— Si vous me chassez et que vous refusez de me revoir, je ne pourrai vous en blâmer, poursuivit lady Wyndham, ignorant l'interruption. Je ne sais pas où nous irons, mais nous quitterons cette maison aujourd'hui même, je vous le promets.

— Ne dites pas de sottises, Diana, répliqua Julian. Je ne suis pas d'humeur à faire d'un simple malentendu un véritable mélodrame. Je suis en partie fautif, moi aussi. J'aurais dû lire le mot d'Elizabeth ; je l'aurais sûrement interprété différemment. Je comprends parfaitement votre inquiétude de la nuit dernière et je ne vous en veux pas. N'en parlons plus, je vous en prie.

— C'est... c'est très aimable à vous, bredouilla lady Wyndham, stupéfaite, en se laissant tomber dans son fauteuil.

— Que voulais-tu nous dire de si important ? questionna Elizabeth en prenant place à côté de sa mère.

Julian s'éclaircit la voix.

— Je vais me marier, lança-t-il tout à trac. La semaine prochaine. Mercredi. Avec Eleanor Anslowe.

— Comment ? Mais c'est impossible ! glapit lady Diana en bondissant sur ses pieds.

— Je ne savais pas que tu envisageais de te remarier, s'étonna Elizabeth. Et avec Mlle Anslowe ? J'ignorais même que tu la connaissais.

— Il est vrai que jusqu'à... euh... très récemment, je ne pensais pas du tout au mariage, admit Julian.

Il n'aimait pas mentir, mais ne voyait pas de raisons de dire toute la vérité, ne serait-ce que dans l'intérêt de son mariage, et pour ne pas placer Mlle Anslowe dans une situation inconfortable. Il lui fallait cependant dire quelque chose.

— En fait, c'était une idée de ta mère ! lâcha-t-il, pris d'une soudaine inspiration.

— Une idée de *moi* ? protesta sa belle-mère. Je vous ai parlé mariage, c'est vrai, mais je vous suggérais ma filleule, Georgette, qui ferait une excellente épouse, pas cette infirme racornie !

— Je ne pense pas que ces termes soient appropriés pour qualifier ma future épouse, avertit froidement Julian. Elle me plaît et c'est tout ce qui importe.

— Bien entendu, intervint précipitamment Elizabeth. Maman est encore sous le coup de la surprise, pardonne-lui.

— C'est effectivement une véritable surprise, renchérit lady Wyndham. Mais quand avez-vous pris cette décision ? Vous n'avez jamais laissé entendre que vous songiez à vous remarier…

Le comte s'était attendu à passer un mauvais moment, mais le feu roulant de questions auquel le soumirent ses parentes lui parut plus difficile que la plus dangereuse des missions accomplies pour le duc de Roxbury. Il expliqua que sa belle-mère l'avait convaincu de la nécessité de fonder une famille, mais qu'à son âge, il ne voulait pas d'une trop jeune fille. Il avait rencontré Mlle Anslowe à plusieurs reprises ces dernières années, et il avait apprécié son calme, son bon sens et sa distinction. Les Anslowe étaient une vieille famille fort respectable, et Eleanor possédait une fortune personnelle conséquente.

Quand il parvint enfin à s'échapper, lady Diana s'était résignée. Quant à Elizabeth, qui avait plusieurs fois rencontré Mlle Anslowe et qui l'appréciait, elle était intriguée et, à en juger par son air songeur, ne croyait qu'à moitié la belle histoire qu'il leur avait servie. Mais sa sœur adoptive avait bon fond, et si elle avait des doutes, elle les garderait pour elle.

Le récit qu'il avait fait de sa rencontre avec les Anslowe, au beau milieu de la tempête qui les avait obligés à chercher refuge dans une ancienne barrière d'octroi, différait quelque peu de la version donnée aux Humphries, mais les grandes lignes restaient les mêmes. Nell et lui étaient fiancés, et il avait passé la nuit dans cette chaumière avec toute la famille Anslowe. De toute façon, d'ici quelques jours, tout le monde aurait ajouté un détail de son cru, et plusieurs versions circuleraient dans la bonne société londonienne.

Elizabeth et Diana réclamant des précisions, il ajouta que le calme stoïque et le sang-froid de Mlle Anslowe tout au long de la nuit l'avaient vivement impressionné. Sa conversation avec sa belle-mère, qui l'avait beaucoup marqué, lui était soudain revenue en mémoire et il lui était apparu que Mlle Anslowe ferait une épouse parfaite. Avant de se rendre compte de ce qu'il faisait, il s'était déclaré et sa demande avait été acceptée.

Plongé jusqu'au cou dans un bain brûlant, un verre de vin chaud à la main, il sentit toute sa bonne humeur revenir. Après un bon repas et quelques heures de repos, il trouverait certainement quelques détails authentiques à ajouter pour nourrir la curiosité de ces dames. Et même si Elizabeth avait des doutes, elle avait trouvé son histoire tellement romantique qu'elle ne songerait peut-être pas à l'interroger plus avant.

Il était finalement assez content de lui. Il s'était écarté le moins possible de la vérité et son récit coïncidait avec ce que les Humphries avaient vu. Les commérages iraient bon train, certes, mais personne ne pourrait prouver que les Anslowe ou lui-même mentaient. Et une fois que Nell et lui seraient mariés, personne n'oserait plus le questionner sur les circonstances de leur union, à moins de vouloir lui en rendre raison sur le pré.

Et il était aussi fine lame que bon tireur…

Ces considérations le ramenèrent à Tynedale. Ce dernier se consumerait de rage en apprenant que l'héritière qu'il convoitait venait de lui échapper, et il tomberait en syncope quand il connaîtrait le nom de l'heureux élu. Contrecarrer les plans de Tynedale était une raison suffisante pour épouser Mlle Anslowe, mais il se rendit compte, choqué, que même sans cela, il aurait de toute façon demandé sa main.

Il se renfrogna. Il avait intérêt à être prudent. Se marier, passe encore, mais il ne serait pas assez stupide pour commettre la folie de tomber amoureux ! Surtout de sa propre femme !

5

— Papa, vous êtes vraiment sûr que je dois l'épouser ? demanda Nell.

La matinée du mardi était déjà bien avancée et ils s'étaient retirés dans la bibliothèque pour dépouiller leur courrier et lire les journaux. Sir Edward avait constaté avec plaisir que le comte n'avait pas perdu de temps pour faire paraître l'annonce de son prochain mariage avec Mlle Eleanor Anslowe.

— Que dis-tu, ma chérie ?

Nell soupira. Elle n'avait aucune envie de décevoir l'auteur de ses jours, mais elle ne partageait pas du tout sa satisfaction, contrairement à ses frères. Dès qu'ils étaient rentrés, l'avant-veille, sir Edward avait envoyé un domestique à la recherche des jumeaux. Ils étaient arrivés tard dans la soirée, crottés et fatigués, mais une fois lavés et changés, ils s'étaient joints au reste de la famille pour célébrer la bonne fortune de leur sœur. Les hommes n'avaient pas remarqué, ou pas voulu remarquer, le silence et le visage fermé de la nouvelle fiancée.

Nell avait mal dormi la nuit précédente, et il était près de midi quand elle s'était levée le lundi matin. Savoir que le plus solide des domestiques montait la garde sous sa fenêtre n'avait pas calmé son agitation. C'était son avenir qui lui inspirait tellement de craintes, et non un éventuel ravisseur. Le comte de Wyndham ne lui faisait pas peur, mais elle ne voulait pas l'épouser, tout simplement.

Elle ne pouvait nier qu'il était extrêmement séduisant, même pas rasé et affublé de vêtements tachés et en désordre, et qu'il offrait toutes les caractéristiques de l'époux idéal selon les critères en vigueur dans la bonne société. Il était issu d'une excellente famille, il portait un titre ancien et prestigieux, il était respecté dans la bonne société, et il était riche, très riche même.

Toutes ces qualités avaient emporté l'adhésion de son père et de ses frères. Sir Edward était enchanté que sa fille fasse un si beau mariage, même dans des circonstances si peu orthodoxes. Si elle était honnête avec elle-même, elle devrait être reconnaissante à lord Wyndham de se conduire en véritable gentleman. Et ce n'était pas comme si elle le trouvait répugnant. Bien au contraire, s'avoua-t-elle en se remémorant son trouble quand elle avait senti ce grand corps viril pressé contre le sien, et ses lèvres si proches des siennes.

Il n'empêche que ce n'était pas une raison suffisante pour l'épouser. Elle connaissait son père et avait préféré ne pas aborder le sujet bille en tête, alors qu'il était tellement soulagé du dénouement de cette terrible équipée. Surtout, elle ne voulait pas en discuter devant ses frères, qui étaient positivement enthousiastes de voir leur sœur devenir comtesse.

Quoi qu'il en soit, Nell n'appréciait pas du tout de se voir remise au comte de cette façon hâtive.

On se mariait pour la vie, et c'était de la sienne qu'il s'agissait, après tout. Elle était reconnaissante à lord Wyndham, mais il devait bien y avoir un autre moyen de se sortir de ce mauvais pas, et comme elle comptait bien le trouver, elle avait attendu le départ des garçons pour s'en ouvrir à sir Edward.

— Vous êtes vraiment sûr que je dois l'épouser ? répéta-t-elle devant le silence de son père.

— Mais bien entendu ! En plus du fait que ce qui s'est passé était inconvenant et que les Humphries sont arrivés au moment le plus inopportun, c'est dans le *Times* ! Mais enfin, qu'est-ce qui t'arrive, mon petit ? Le comte de Wyndham ! Toutes les mères rêvent de lui voir épouser leur fille depuis la mort de sa première femme, et c'est toi qui rafles la mise, sous leur nez !

— C'est dans le *Times* ? glapit-elle, atterrée.

Lui arrachant le journal des mains, elle lut l'annonce, puis se laissa tomber sur une chaise, le visage soudain très pâle.

— C'est un très beau mariage, ma chérie, qui devrait te rendre heureuse, assura son père avec douceur. C'est ce que j'ai toujours espéré pour toi. Tu sais, ajouta-t-il devant la mine consternée de sa fille, que ton bonheur passe avant tout à mes yeux. Si je pensais un seul instant que Wyndham ne fera pas un bon mari, je l'enverrais promener, et au diable le scandale ! Mais c'est un homme bien. Nous n'évoluons peut-être pas exactement dans les mêmes cercles, mais tes frères et moi-même connaissons sa réputation. Elle est sans tache. Nous avons en outre des amis communs avec Wyndham, et tous ont toujours parlé de lui en des termes élogieux. Je me réjouirais de ce mariage même s'il n'y avait pas de scandale à étouffer.

— Mais je ne le connais pas, protesta Nell. Et je ne l'aime pas ! Vous vous aimiez, maman et vous, et vous vous connaissiez bien quand vous vous êtes mariés, ajouta-t-elle d'un ton accusateur. Pourquoi devrais-je épouser un inconnu que je n'aime pas ? C'est injuste !

— Ma chérie, nos fiançailles avaient été arrangées par nos parents quand nous n'étions encore que des enfants, et personne ne nous avait demandé notre avis, ni à ce moment-là ni plus tard. Nos familles étaient amies, nos terres mitoyennes, et nous étions tous deux enfants uniques. Oui, nous avions été élevés ensemble, enchaîna-t-il comme sa fille ouvrait la bouche pour l'interrompre, mais nous n'étions pas amoureux l'un de l'autre lorsque nous nous sommes mariés. L'amour est venu plus tard, et je n'ai pas regretté un seul instant la décision de nos parents, conclut-il rêveusement.

À bout d'arguments, Nell comprit qu'elle ne pourrait compter sur l'appui de son père pour échapper à ce mariage.

— Rassure-toi, Wyndham m'a fait très bonne impression, et même si tu ne l'aimes pas, souviens-toi que dans notre milieu l'amour n'est pas une condition indispensable au mariage. Et puis, ajouta-t-il en lui caressant la joue, tu pourrais bien te surprendre toi-même en tombant amoureuse de lui.

— Et qui vous dit que lui va tomber amoureux de moi ?

— Je ne suis pas devin, mon petit, soupira-t-il. Heureux ou malheureux, votre mariage sera ce que vous en ferez. Cela dépendra de vous deux.

Pour Julian, l'amour et le mariage étaient deux choses totalement indépendantes l'une de l'autre. Il était réaliste et, d'un point de vue pratique, son union avec Mlle Anslowe présentait des avantages non négligeables.

La visite de lord Talcott, qui voulait savoir comment un journal aussi sérieux que le *Times* avait pu commettre pareille bévue, lui avait permis de les détailler.

Il avait toute confiance en Talcott et, en temps ordinaire, il n'aurait rien caché à son ami. Mais cette fois, la réputation d'une dame, et d'une dame qui allait devenir sa femme de surcroît, était en jeu. Adrian Talcott, qui connaissait le comte de longue date, se douterait sans doute qu'il ne lui disait pas tout, mais même si la curiosité le dévorait, il pouvait compter sur lui pour soutenir en public la version officielle. Il s'efforça donc de s'en tenir à l'histoire qu'il avait déjà servie à sa famille, mais il fallut plusieurs minutes pour que son ami comprenne qu'il ne s'agissait pas d'une erreur. Il épouserait bien Eleanor Anslowe le mercredi de la semaine suivante.

— Mais tu ne connais même pas cette demoiselle, et tu avais juré de ne jamais te remarier ! se récria Talcott.

— Je sais, rétorqua Julian en contemplant les flammes dans la cheminée. J'étais bien décidé à ne plus jamais tomber dans le piège, même si cela signifiait que mon cousin Charles hériterait du titre et de la fortune qui va avec, et qu'il s'empresserait de la dilapider au jeu.

— Je suis heureux de constater qu'au moins tu n'as pas changé d'opinion à son sujet ! Vu ton brusque revirement, je m'attendais presque que tu me chantes ses louanges.

— Il n'y a pas de danger ! C'est justement un autre avantage de ce mariage. Il me faut un héritier et une maîtresse de maison. Pour le moment, Diana joue ce rôle et s'occupe de faire marcher la maisonnée, mais elle est encore jeune et séduisante, et elle pourrait – je le lui souhaite d'ailleurs – se remarier, elle aussi.

Comme Talcott allait soulever de nouvelles objections, le comte le fit taire d'un geste.

— Je sais ce que tu vas dire. Si je tiens à me marier, pourquoi ne pas choisir une fiancée plus jeune ? Pour être franc, je préférerais me faire moine plutôt que de m'enchaîner à vie à l'un de ces gracieux volatiles qui virevoltent dans tous les salons. Crois-moi, j'ai bien réfléchi, et j'en suis arrivé à la conclusion que Mlle Anslowe était la personne qui me conviendrait le mieux, la seule peut-être. Elle est suffisamment jeune pour me donner toute une ribambelle d'enfants, mais assez mûre pour connaître la vie. Son nom et sa famille sont irréprochables, et c'est une héritière.

— Je n'en crois pas mes oreilles ! J'en viens à me demander s'il s'agit bien de l'homme qui a clamé haut et fort pendant des années que le mariage était ce qui pouvait arriver de pire à un homme.

— Il y a des compensations, tu sais, sourit Julian. Mon héritage échappera à Charles dès que j'aurai un enfant, et c'est mon épouse qui affrontera désormais Diana et ses caprices. Je serai enfin libéré de ce souci.

— Ce n'est pas une raison suffisante pour épouser une vieille fille, riposta Talcott. N'oublie pas non plus les bruits qui courent à son sujet.

— Quels bruits ? s'enquit sèchement le comte.

— Euh… eh bien, tu sais, bredouilla Talcott, qui avait conscience de s'engager en terrain glissant, qu'elle a été fiancée à Béthune ? Elle a eu un accident qui l'a laissée infirme, c'est de notoriété publique, mais ce qu'on sait moins, c'est la raison pour laquelle le duc a rompu ses fiançailles. On raconte que… que cet accident a également affecté sa santé mentale.

Julian se rappela Nell telle qu'elle lui était apparue pour la première fois, échevelée et couverte de boue. Son apparence n'avait rien de rassurant, il en convenait, mais ce qui l'avait immédiatement frappé, c'était ce regard d'émeraude pétillant d'intelligence. C'était une image enchanteresse… En tout cas, une chose était certaine, cette jeune femme n'était ni folle ni déséquilibrée.

— Tu te rends compte, questionna-t-il d'une voix douce, que tu parles de celle qui va devenir ma femme ?

Talcott connaissait ce ton trompeusement calme, et l'expérience lui avait appris qu'il n'annonçait rien de bon.

— Je ne fais que répéter ce que j'ai entendu…

— Eh bien, ne recommence pas, si tu veux que nous restions en bons termes. Et je te suggère de détromper tous ceux qui pourraient être tentés de colporter ces rumeurs absurdes. Tu leur rendras service.

— Bien entendu ! Tu peux compter sur moi.

— Je le sais bien, sourit Julian, de ce sourire qui avait le don de désarmer les plus endurcis. Nous sommes amis depuis suffisamment longtemps.

— Cela m'a fait un choc, tu comprends. Et je ne serai pas le seul. Les gens vont jaser.

— Cela fait des années qu'on jase sur mon compte, remarqua le comte en tisonnant le feu. Un peu plus ou un peu moins…

— Mais cette fois-ci, c'est différent. Que tu te maries, c'est déjà surprenant, mais ce qui est plus surprenant encore, c'est la demoiselle que tu as choisie. Et la soudaineté de cette union va alimenter les commérages.

— Que veux-tu que ça me fasse ?

— Tu t'en moques peut-être, mais qu'en est-il de la jeune femme ?

Adrian avait fait mouche. Julian réfléchit. Il pouvait affronter tous les ragots possibles et imaginables, mais il s'aperçut, un peu mal à l'aise de se découvrir si protecteur, qu'il ne voulait à aucun prix que les vautours distingués qui composaient la bonne société s'en prennent à Nell.

— Que me suggères-tu ? Je suis bien décidé à l'épouser. Mercredi prochain.

— Le mieux serait peut-être de... euh... fournir nous-mêmes une espèce d'explication, avança prudemment Adrian. Lady Humphries va s'empresser de raconter partout comment elle vous a trouvés, les Anslowe et toi, dans ce poste d'octroi abandonné. La connaissant, elle en donnera la pire interprétation possible. Il faut donc en quelque sorte clarifier son récit pour en diluer les effets, histoire de désarmer les gens mal intentionnés.

— Tu as une idée ?

Convaincu à présent de la détermination de son ami, même s'il n'en comprenait pas les raisons, Talcott s'efforça d'appréhender la question sous tous les angles. Quelle raison aurait pu avoir le comte de garder secrète la cour qu'il faisait à Eleanor Anslowe, à supposer qu'il l'ait courtisée, ce dont Adrian doutait ?

— Je suppose que si tu as préféré garder secrète ta passion grandissante pour Mlle Anslowe, sourit-il, c'est que tu ne voulais pas faire de peine à lady Wyndham.

— Oui, c'est tout à fait plausible, admit Julian d'un air amusé. Diana est très heureuse d'être comtesse de Wyndham, et passer au rang de douairière ne lui plaira pas beaucoup, surtout à son âge.

— C'est pour cette raison que tu as fait une cour si discrète à Mlle Anslowe. Tu voulais laisser à ta belle-mère le temps de s'habituer à cette idée.

— Et pourquoi, à ton avis, ai-je décidé subitement de rendre publique ma passion grandissante, comme tu l'as appelée ?

— Mais parce que, mon vieux, après votre malheureux accident et l'intimité qui s'est ensuivie, tu as été incapable de la contenir plus longtemps. Tu t'es donc déclaré, sans plus te soucier des conséquences !

— Mais bien entendu ! s'esclaffa Julian. Comme ça, toutes les marieuses de la ville verront en Mlle Anslowe la déesse vengeresse qui m'aura fait passer sous les fourches caudines de l'hymen.

— Parce que ce n'est pas le cas ?

— Honnêtement, c'est une question à laquelle je suis incapable de répondre.

Adrian trouva l'information encore plus intéressante que tout le reste. Se pouvait-il que la troublante Eleanor ait bel et bien ensorcelé son ami ?

— Explique-moi tout de même pourquoi tu es si pressé, s'il te plaît. En dehors du fait que tu ne parviens plus à contrôler ta passion croissante pour la demoiselle. Pourquoi ne pas attendre le printemps ?

Le comte avait beaucoup réfléchi pendant le voyage de retour avec sa future belle-famille. Puisque lord et lady Humphries les avaient trouvés seuls dans le poste d'octroi, mieux valait ne pas faire traîner les choses. Il savait pertinemment que ses fiançailles allaient de toute façon faire grand bruit, et que les rumeurs, pas toujours bien intentionnées, iraient bon train. Le nom de sa future épouse rappellerait tous les ragots qui avaient couru après la rupture de son engagement avec Béthune. Autrement dit, plus ils attendraient pour se marier, plus ils resteraient longtemps au centre des commérages.

Et puis, il fallait aussi mettre définitivement Tynedale hors d'état de nuire. Les Anslowe ne connaissaient pas ses motifs d'en vouloir à cet aventurier de bas étage, et il n'avait pas jugé nécessaire de les leur révéler, mais l'enlèvement avorté de Nell constituait une raison supplémentaire de hâter leurs noces. Une fois comtesse de Wyndham, la jeune femme serait à l'abri et Tynedale lui-même ne se risquerait pas à évoquer l'enlèvement.

Plus vite ils convoleraient, plus vite ils feraient taire les médisances. Sans compter que dans une semaine ou deux, à part quelques viveurs endurcis, toute l'aristocratie anglaise aurait déserté la capitale pour n'y revenir qu'au printemps. Si la cérémonie avait lieu le mercredi de la semaine suivante, ils pouvaient réunir un nombre respectable d'invités qui iraient colporter la nouvelle de leur union aux quatre coins du pays.

Quand la bonne société reviendrait en ville, la saison prochaine, son mariage avec Mlle Anslowe serait déjà une vieille histoire que tout le monde aurait oubliée.

— Je veux préserver ma fiancée des calomnies. Mieux vaut les affronter d'un coup, plutôt que d'y être en butte pendant des mois.

Talcott ne put rien en tirer d'autre et fut bien obligé de se contenter de cette explication. Les deux amis se séparèrent, et Adrian se rendit à leur club pour répandre l'histoire qu'ils avaient mise au point, tandis que Julian allait rendre visite à la dame de ses pensées.

Chatham, le majordome de la famille, l'introduisit dans le bureau de sir Edward, qui l'accueillit avec un large sourire.

— Lord Wyndham, quel plaisir ! Je vous en prie, asseyez-vous. Puis-je vous offrir quelque chose à boire ?

Si les dispositions les plus urgentes avaient été prises, les conditions matérielles du mariage n'avaient pas été discutées. Ces questions furent rapidement réglées. Le comte consentait à sa future femme une généreuse rente tandis que sir Edward lui remettait l'intégralité de la fortune de sa fille – fortune qui serait sous le contrôle de Julian une fois qu'ils seraient mariés.

Nell apprit la présence de son futur époux dans la maison lorsqu'un valet vint l'informer que son père la demandait dans son bureau. Un instant, elle fut tentée de faire dire qu'elle souffrait d'une légère indisposition, mais puisqu'elle n'avait de toute façon aucune échappatoire, mieux valait affronter l'ennemi.

Elle vérifia devant sa psyché l'arrangement de sa chevelure rassemblée en chignon sur la nuque, lissa les plis de sa robe et se pinça les joues pour en aviver la couleur. Certaine maintenant qu'elle n'avait plus rien de commun avec la miséreuse que le comte avait rencontrée deux jours plus tôt, elle gagna le rez-de-chaussée.

Rassemblant son courage, elle poussa la porte du bureau de son père et fit son entrée avec autant de noblesse et d'assurance qu'une frégate arrivant au port toutes voiles déployées.

Julian, qui portait un verre de xérès à ses lèvres, se figea, captivé par la ravissante créature qui se dirigeait droit vers lui.

— Milord, le salua Nell avec raideur.

S'efforçant de se ressaisir, Julian lui répondit poliment. Comment croire que cette créature enchanteresse et la sauvageonne qu'il avait rencontrée quarante-huit heures plus tôt ne faisaient qu'une ? Elle était plus grande que dans son souvenir, mais il reconnaissait parfaitement les courbes qu'on devinait sous la robe de soie émeraude assortie à ses yeux. Son regard avait gardé cette lueur méfiante qui l'avait frappé et ses lèvres pleines étaient toujours aussi tentantes. Elle n'avait plus rien de la pauvresse échevelée qu'il avait surprise à son réveil, et s'il avait croisé dans le monde la jeune femme élégante qui lui faisait face, il aurait immédiatement demandé à lui être présenté.

Mais où diable s'était-elle cachée pendant toutes ces années ?

— Merci d'être venue nous rejoindre, ma chérie, sourit paternellement sir Edward.

De son côté, Nell espérait que son visage n'avait pas trahi sa surprise. Elle avait gardé de leur première rencontre le souvenir d'un grand escogriffe qu'elle avait pris pour un bandit de grand chemin, avec son regard dur et ses joues bleuies par une barbe naissante, et voilà qu'elle se trouvait confrontée à un homme du monde aussi élégant que distingué. Avec ses cheveux de jais qui ondulaient aux tempes, sa redingote de nankin bleu impeccablement coupée et sa cravate de soie nouée d'une main experte, il était... saisissant. Elle avait certainement rencontré beaucoup d'hommes aussi séduisants que le comte de Wyndham, mais, pour l'heure, elle n'aurait su dire où et quand.

Sir Edward, qui avait remarqué la réaction des deux jeunes gens, réprima un sourire.

— Je vous laisse quelques instants tous les deux, expliqua-t-il à sa fille en lui tapotant affectueusement l'épaule. Je crois que le comte souhaite te parler en privé.

Voir son père les quitter ne plaisait pas du tout à la jeune femme. Épouser à la hâte un homme qu'elle connaissait à peine ne lui plaisait pas non plus, du reste, et trouver absolument fascinant l'homme en question lui déplaisait encore plus.

— Qu'y a-t-il ? Pourquoi me dévisagez-vous ainsi ? lança-t-elle, le cœur battant à tout rompre.

Il la gratifia d'un sourire, et elle cilla. Seigneur ! Elle devait avoir complètement perdu la tête si un simple sourire pouvait l'éblouir à ce point.

— Pardonnez-moi, répondit-il d'un ton où perçait une pointe d'amusement, je n'ai pas pu m'en empêcher. Je ne m'attendais pas à vous trouver si... changée. Vous êtes ravissante, encore plus belle que dans mon souvenir.

— Vous n'avez pas besoin de me faire la cour, rétorqua sèchement Nell, irritée que ce compliment lui procure un tel plaisir. Mon père m'a fait comprendre que seule la mort pourrait empêcher de célébrer nos noces mercredi prochain.

Sir Edward avait laissé entendre que sa fille ne montrait pas grand enthousiasme pour ce mariage, mais Julian, sans être vaniteux, avait conscience d'être un homme recherché, et il avait pensé que son futur beau-père exagérait. Il se rendait compte à présent que ni sa personne, ni sa fortune, ni son titre n'impressionnaient Eleanor Anslowe. Et dire qu'au lieu de cette tigresse au regard de feu, il aurait pu épouser une débutante rougissante qui ne lui aurait jamais causé le moindre souci ! Il considéra le menton volontaire et la mine décidée de sa fiancée. La partie s'annonçait rude, et elle était loin d'être gagnée.

— Et vous préféreriez mourir plutôt que m'épouser ? hasarda-t-il.

Quel manque de galanterie ! songea-t-elle en lui adressant un regard hostile.

— Bien sûr que non ! Je ne suis pas complètement stupide.

— Alors ne vous conduisez pas comme si vous l'étiez.

Le ton sec arracha un tressaillement à Nell.

— Que voulez-vous dire ?

— Je veux dire que nous sommes embarqués sur le même navire, vous et moi. En quelques heures, nos vies ont changé comme nous ne l'aurions jamais imaginé. Vous n'êtes pas la seule à vous trouver dans l'obligation d'épouser une personne que vous ne connaissez ni d'Ève ni d'Adam, ne l'oubliez pas. Nous pouvons choisir d'en tirer le meilleur parti ou, au contraire, passer notre temps à nous rendre mutuellement malheureux. Nous avons le choix. Pour ma part, je ne tiens pas à passer le restant de mes jours à remâcher mon amertume.

— Mais une telle injustice ne vous met pas en colère ? insista Nell, les lèvres tremblantes. Vous allez lier votre sort à une femme dont on murmure qu'elle est à moitié folle et qui est, vous l'avez peut-être remarqué, infirme.

— Savez-vous, demanda Julian en lui soulevant le menton, les yeux empreints d'une émotion qu'elle n'aurait su nommer, que j'ai failli me battre avec un de mes meilleurs amis parce qu'il avait parlé de vous en ces termes ?

Le cœur de la jeune femme bondit dans sa poitrine.

— C'est vrai ? balbutia-t-elle d'une voix sans timbre.

— Et si j'étais prêt à le provoquer en duel, que devrais-je faire si vous osez parler dans les mêmes termes de celle qui va devenir mon épouse ?

Nell était incapable de réfléchir. Il était trop près d'elle, elle avait trop conscience de ses doigts sur sa peau, de son corps rayonnant de virilité.

Julian ressentit comme une crispation douloureuse tandis qu'elle le fixait de ses grands yeux verts et, s'abandonnant à cette envie qui le taraudait depuis qu'il l'avait rencontrée à la maison de l'octroi, il captura sa bouche. Les lèvres de sa fiancée étaient douces et chaudes, comme il s'y était attendu, mais jamais il n'aurait imaginé qu'un désir aussi farouche lui enflammerait les entrailles dès qu'il les aurait effleurées.

Prise de court, Nell s'accrocha à ses épaules comme sa bouche s'emparait de la sienne. Son sang se mit à circuler plus vite dans ses veines, sa chair s'enflamma, son corps entier s'ouvrit à sa caresse tel un bouton de rose aux premiers rayons du soleil. Instinctivement, elle se plaqua contre lui pour prolonger cette ivresse.

L'effet de leur étreinte ne fut pas moins ravageur sur Julian, mais, même s'il n'avait jamais éprouvé un désir aussi violent, il en connaissait les signes… et les dangers. S'il ne mettait pas fin à ce délicieux tourment, dans quelques secondes, il remonterait la robe de la jeune femme et irait se nicher entre ses cuisses. Au prix d'un effort de volonté, il s'arracha à ce baiser et écarta Nell.

— Ce n'est pas pour faire cela que votre père nous a laissés seuls, murmura-t-il d'une voix rauque.

Luttant contre le vertige que ce baiser avait fait naître en elle, elle répliqua :

— Et pourquoi nous a-t-il laissés seuls ?

— Pour me permettre de vous demander votre main dans les formes, expliqua-t-il. Nous avons pensé que cela vous ferait plaisir.

Sentant le ressentiment poindre de nouveau, Nell se détourna.

— Vous perdez votre temps, milord. Je serai honnête : je n'ai aucune envie de me marier, ni avec vous ni avec personne, et que vous me demandiez ma main dans les formes n'y changera rien.

— Vous êtes tellement certaine de ne pas vouloir m'épouser ? insista-t-il en la forçant à lui faire face. Vous me trouvez donc si repoussant ?

— Je pourrais vous nommer une dizaine d'hommes que je ne trouve pas repoussants, cela ne signifie pas pour autant que je suis prête à les épouser.

Ayant l'habitude d'être chouchouté par le sexe faible, Julian ne savait trop s'il devait être amusé ou se sentir insulté par sa rebuffade. Ce qu'il savait, en revanche, c'était qu'il la désirait. Ce refus avait réveillé le chasseur en lui. Qu'une femme lui résiste constituait une nouveauté. Un sourire naquit sur ses lèvres. Il allait devoir se donner du mal pour séduire sa fiancée, mais ce n'était pas pour lui déplaire. Bien au contraire...

6

Les jours qui suivirent passèrent comme dans un songe pour Nell. Comme prévu, tout Londres bruissait de l'annonce de leurs fiançailles. À chacune de ses rares apparitions en public, les regards convergeaient sur elle. Les conversations s'arrêtaient à son approche, mais reprenaient de plus belle dès qu'elle était passée. Tout le monde s'interrogeait sur les raisons de ce mariage précipité, elle le savait. Elle se doutait aussi que les ragots à propos de ses fiançailles avec Béthune remontaient à la surface. Julian avait raison – qu'il aille au diable ! –, plus vite ils se marieraient, plus vite l'orage passerait.

Bien sûr, il n'y avait pas que des gens mal intentionnés. Les amis de la famille, et ils étaient nombreux, affluaient chez les Anslowe pour la féliciter de ce beau mariage, même s'ils taisaient leur étonnement. Chez le comte, les amis et connaissances se pressaient également. Eux aussi paraissaient heureux qu'il se soit enfin décidé à trouver une compagne, et si son choix les surprenait, comment leur en vouloir ? Wyndham pouvait viser aussi haut qu'il lui plaisait, et voilà qu'après avoir fait pendant des années le désespoir de toutes les marieuses d'Angleterre, il jetait son dévolu sur une jeune femme certes riche et de bonne famille, mais fille d'un simple baronnet.

Les proches de Nell avaient changé, constata-t-elle. Son père rayonnait et ses frères avaient l'air de penser qu'elle avait accompli un véritable exploit en s'attachant le comte, comme s'il constituait un trophée prestigieux. Elle ne savait si elle devait en rire ou pleurer. Jamais elle n'aurait imaginé que son père, et encore moins ses frères, soupiraient après une position plus élevée dans le monde, mais à les voir se repaître du prestige et de l'influence de leur futur gendre et beau-frère, il lui fallait réviser son opinion.

Elle était apparemment la seule à n'être pas prête à se prosterner aux pieds du comte. Ce qui ne signifiait pas qu'elle ne le trouvait pas séduisant... trop séduisant même à son goût. Mais si elle était bien décidée à ne pas tomber sous son charme, elle avait parfois du mal à résister, surtout quand il la gratifiait de ce sourire dont il avait le secret.

Elle se maudissait alors pour sa faiblesse et attendait de nouveau le jour de ses noces comme un condamné attend de monter à l'échafaud.

Julian, quant à lui, attendait son mariage avec une impatience qui le surprenait lui-même. Il avait beau se répéter qu'il avait seulement hâte de faire cesser les commérages, il n'était pas dupe.

Dès que Nell apparaissait, dès qu'il lui effleurait la main, dès qu'il croisait son regard, son pouls s'affolait, et il aurait juré qu'il avait tendance à flotter à travers la pièce plus qu'à la traverser. Et en dépit de la froideur résignée qu'elle continuait à lui témoigner, il était bien décidé à gagner son cœur. Il avait tout son temps. Il allait l'épouser, et aurait la vie entière pour la séduire.

Et sa résistance n'était pas pour lui déplaire, après tout…

Ces noces n'enchantaient pas tout le monde. Depuis qu'il lui avait appris la nouvelle, convaincue qu'Eleanor Anslowe n'était qu'une mangeuse d'hommes décidée à lui ravir l'affection de son beau-fils, lady Wyndham était en proie à une migraine tenace. Quand elle consentait à quitter le lit et à abandonner son flacon de sels, c'était pour arborer des yeux rougis et une mine de martyre. Ces manifestations de désespoir venaient opportunément accréditer la version de Julian, et plus personne ne doutait que si le comte avait gardé secrète son inclination pour Mlle Anslowe, c'était pour ménager sa belle-mère.

Quant à Elizabeth, qui ne partageait pourtant pas le goût de sa mère pour les tragédies domestiques, elle appréhendait elle aussi les bouleversements que ce mariage allait fatalement apporter à leur vie, même si elle n'en laissait rien paraître.

Les réserves qu'Adrian Talcott nourrissaient à propos de cette union s'étaient évanouies lorsqu'il avait rencontré la fiancée lors d'un dîner chez le comte. De manière imprévue, il était tombé sous le charme de la jeune femme et avait décidé que si son ami *devait* se passer la corde au cou, il ne pouvait trouver meilleure compagne. Et à en juger par le regard pétillant d'intelligence et le menton volontaire de cette dernière, Wyndham n'allait pas s'ennuyer.

Des amis du comte et des proches, qui avaient déjà quitté Londres pour l'ouverture de la chasse, revinrent en ville afin de rencontrer la diablesse qui avait réussi à prendre dans ses rets le désespoir de toutes les filles à marier. Moins d'une semaine après l'annonce des fiançailles, Marcus Sherbrooke fit son entrée dans la bibliothèque où Julian, assis dans un fauteuil devant la cheminée, semblait plongé dans ses pensées.

— Tu as déjà des regrets, cousin ? Et le mariage n'est plus que dans deux jours !

— Marcus ! s'exclama le comte en se levant, le sourire aux lèvres. Je ne pensais pas te revoir en ville de sitôt.

— Tu ne croyais tout de même pas que j'allais manquer l'événement de l'année ?

— Avoue que tu n'osais plus y croire !

— J'ai encore du mal. Je suis impatient de rencontrer la magicienne qui a su captiver le plus indécrottable célibataire que je connaisse.

— Par moments, j'ai du mal à y croire moi-même, reconnut Julian en indiquant un siège à son cousin. Mais quand tu la connaîtras... soit tu me prendras pour un fou, soit tu m'en voudras de l'avoir rencontrée le premier.

Marcus avait juste deux ans de moins que son cousin. Lady Barbara Weston, la sœur aînée du précédent comte, avait épousé un riche propriétaire terrien dont les domaines jouxtaient Wyndham Manor, et les deux cousins avaient grandi ensemble. Ensemble, ils avaient subi la discipline de fer d'Eton ; ensemble, ils avaient savouré à Oxford les délices de la vie étudiante ; ensemble, ils avaient regagné la campagne pour les vacances. Hormis la haute taille et la chevelure de jais caractéristique des Weston, ils se ressemblaient assez peu.

— Tu as vu le faire-part dans les journaux, je suppose, fit Julian en remplissant deux verres de cognac.

— Non, c'est notre estimé cousin Charles qui m'a prévenu. Il a surgi dans ma salle à manger en brandissant le *Times*.

— J'espère qu'il ne va pas s'imaginer que je me marie pour le contrarier, marmonna Wyndham. Si mon oncle n'était pas allé se mettre dans la tête que mon père lui avait volé le titre, et s'il n'en avait pas persuadé Charles, nous n'aurions pas des rapports aussi tendus.

— Les dernières illusions de Charles s'évanouiront définitivement quand tu auras des enfants et que, l'année prochaine à la même époque, nous sablerons le champagne pour célébrer la naissance de ton premier fils. Le premier d'une nombreuse lignée !

— On peut toujours espérer.

— Parle-moi donc de cette jeune femme, et raconte-moi tout. J'ai beau chercher, je ne me souviens pas de l'avoir rencontrée.

L'histoire que Julian avait servie à Talcott était maintenant bien rôdée, et Marcus l'écouta sans broncher.

— Bien, fit-il quand son cousin eut terminé. Si tu me disais la vérité, à présent, plutôt que de me raconter une histoire à dormir debout.

— Désolé de te décevoir, mais je resterai muet comme une carpe ! rétorqua Julian en riant. Sache seulement que je ne suis pas mécontent du tour pris par les événements. Je suis certain que Mlle Anslowe et les siens te plairont. Sir Edward est un homme affable, ses trois fils également. Leur lignée comme leur fortune est irréprochable, et ils ne semblent pas cacher de squelettes dans les placards. Contrairement à la nôtre.

— Ainsi donc, la demoiselle descend d'une longue lignée de parangons de vertu.

— Bien sûr, sourit Julian. Le comte de Wyndham ne peut pas prétendre à moins !

— Et le petit oiseau des îles, ta chère belle-mère, comment prend-elle ce mariage ?

— J'ai droit à des crises de larmes et à des pâmoisons quotidiennes, soupira Julian. Elle est persuadée que Mlle Anslowe va les jeter à la rue, Elizabeth et elle.

— Et cela risque d'être le cas ?

— J'en doute fort. Ma fiancée n'est ni stupide ni cruelle. Elle instituera probablement quelques... euh, changements dans la marche de cette maison, mais pas de grands bouleversements selon moi.

— Et dire que je te croyais clairvoyant ! s'exclama Marcus. Autant lâcher un chat dans une volière. Je te prédis des guerres homériques.

— Tu as peut-être raison, mais comme ma belle-mère et Elizabeth ont décidé de rester en ville jusqu'à nouvel ordre, quand elles regagneront Wyndham Manor, Nell aura eu tout le temps de s'imposer comme maîtresse des lieux.

— Mais en attendant ? Tu ne vas pas partir à la campagne tout de suite après la cérémonie ? Si lady Diana est toujours dans les mêmes dispositions, tu te prépares une lune de miel agitée !

— J'y ai pensé. Nous partirons passer une semaine dans le Surrey tout de suite après le repas de noces, qui aura lieu chez les Anslowe. Talcott a eu la gentillesse de me... de nous prêter son manoir. Avec un peu de chance, ma belle-mère et ma femme n'auront pas occasion de se disputer avant des semaines, voire des mois.

— Ne me dis pas que Diana n'assistera pas à la cérémonie !

— Elle sera là avec Elizabeth, ne t'inquiète pas. Après un torrent de larmes comme tu n'imagines pas, je lui ai tranquillement expliqué que si elle voulait rester en termes amicaux avec la comtesse de Wyndham et moi, il serait dans son intérêt de faire une apparition à notre mariage. Elle m'a parfaitement compris. En récompense, je lui ai suggéré d'engager quelques domestiques de son choix, puisque Dibble et la majeure partie du personnel vont nous suivre à Wyndham Manor pour l'hiver. J'ai bon espoir de la persuader d'ici le printemps prochain de se choisir un lieu de résidence indépendant que je prendrai de bon cœur à ma charge, bien entendu.

Marcus, qui était loin d'être convaincu, n'aurait pas pris la place de son cousin pour un empire. Ils parlèrent de choses et d'autres, puis, inévitablement, la conversation revint sur le mariage.

— Tu as des nouvelles de Stacey ? s'enquit Marcus. Je ne le vois pas rater ton mariage.

Stacey Bannister était le fils de la bien-aimée sœur cadette du père de Julian.

— Non, avoua celui-ci. Mais je m'attends qu'il surgisse à ma porte d'un instant à l'autre. Comme toi.

— Et Charles, son frère et cette chère tante Sophie ? Tu crois qu'ils vont arriver à l'improviste, eux aussi ?

— En plus de nos autres sujets de mésentente, Charles sait parfaitement que je le considère comme en partie responsable de la mort de Daniel. Je sais qu'il l'aimait beaucoup et qu'il n'avait aucune mauvaise intention quand il lui a présenté Tynedale et sa bande de bambocheurs. Mais il n'empêche que c'est ce qui a conduit ce garçon au suicide. Je serais surpris que lui ou quiconque de sa famille vienne au mariage.

Les yeux rivés sur son verre, Julian garda le silence un long moment. Jusqu'à la mort de leur jeune neveu, son cousin Charles avait été l'un de ses cousins préférés.

— Où loges-tu ? demanda-t-il abruptement, s'efforçant de chasser ses idées sombres. Tu n'as pas rouvert ta maison de ville pour un séjour de quelques jours, j'imagine ?

— Non, je suis descendu à l'hôtel. Je retourne à la campagne jeudi.

— Veux-tu être mon témoin ? demanda Julian, comme il reconduisait son cousin un instant plus tard.

— J'aurais été profondément offensé si tu ne me l'avais pas demandé, sourit Marcus.

Il faisait gris et humide ce mercredi-là, et Nell trouva ce temps maussade parfaitement assorti à son humeur. Il avait fallu obtenir une dispense de bans pour ce mariage précipité, choisir l'église, lancer les invitations, s'occuper du repas de noce, et les jours avaient passé à la vitesse de l'éclair, sans qu'elle puisse profiter de ses derniers instants de liberté.

La cérémonie, qui devait avoir lieu à 11 h 30, serait suivie d'un déjeuner qui, Chatham et la cuisinière l'avaient juré, serait digne des *Mille et Une Nuits*. La jeune femme était intervenue le moins possible dans tous ces préparatifs. Puisqu'on la livrait comme un paquet à son destinataire, qu'importait son opinion ?

Dans la voiture qui les conduisait à l'église, elle écouta d'une oreille distraite les récriminations de son père contre le mauvais temps. Sous le porche, elle laissa docilement une demoiselle d'honneur rajuster la couronne de fleurs et de perles qui retenait un voile aérien avant de faire son entrée au bras de sir Edward.

Seuls les proches avaient été conviés, toutefois, une partie des bancs était occupée par des membres de la bonne société dont Nell soupçonnait qu'ils étaient venus poussés par la curiosité autant que par le désir de partager cet instant avec eux. Le service fut bref, heureusement, et elle y assista en spectatrice. Tout ce qu'elle savait, c'était que ce grand inconnu à ses côtés était désormais son mari. Ni le visage radieux de son père, ni la fierté de ses frères, ni le sourire amical du témoin de Julian n'avaient de prise sur sa mélancolie.

Elle s'efforça néanmoins de faire bonne figure pour ne pas embarrasser sa famille. Elle eut un mot aimable pour chacun et reçut avec affabilité les félicitations des invités, tout en se demandant s'il ne s'agissait pas d'un nouveau cauchemar, différent mais pas moins effrayant que ceux qui hantaient ses nuits.

L'heure du départ arriva enfin, et ils se mirent en route pour la demeure où ils devaient passer la semaine afin de laisser à Dibble, le majordome du comte, le temps de préparer Wyndham Manor pour l'arrivée de la nouvelle châtelaine.

Dans l'intervalle, il fallait affronter le présent. Songeant à la nuit qui l'attendait, la gorge de la jeune femme se noua. Elle risqua un coup d'œil prudent vers l'étranger assis en face d'elle, un étranger qui allait partager son lit cette nuit et toutes les nuits à venir s'il le désirait.

Croisant son regard, Julian observa :

— Tout doit vous paraître un peu étrange, j'imagine.

— Un peu, admit-elle en baissant les yeux sur ses mains gantées.

— Je suis désolé – de ce mariage précipité.

— Seulement de cela ?

— Notre mariage sort des sentiers battus, mais ce ne sera pas la première fois que deux étrangers se marient avant d'avoir fait connaissance.

Comme elle demeurait silencieuse, il se pencha en avant. Elle eut un mouvement de recul qui, songea-t-il, n'augurait rien de bon pour leur futur couple.

— Je vous l'ai déjà dit, reprit-il, notre union sera ce que nous en ferons. Je ne peux vous obliger à vous montrer complaisante, pas plus que je ne peux faire en sorte que vous soyez sinon heureuse du moins contente. Cela dépend de vous, et de vous seule, de ne pas nous rendre tous les deux malheureux.

— Voilà qui est facile à dire pour *vous* ! répliqua-t-elle. Ce n'est pas votre vie qui est sens dessus dessous. C'est chez *vous* que nous allons habiter avec *vos* domestiques, qui sont des inconnus pour moi et qui ont l'habitude d'obéir à votre belle-mère. Je suis censée prendre sa place dans une maison qui est la sienne depuis des années ! J'ai abandonné tout ce qui m'est cher, ma famille, ma maison, et il n'y aura rien dans la vôtre qui me soit familier, à part Becky, ma femme de chambre, et les vêtements que je porte. Tout cela pour quoi ? Pour vivre avec un homme que je ne voulais pas épouser ! Et vous voudriez que je sois heureuse ?

— Tout ce que vous dites est exact, admit-il, mais j'espère qu'avec le temps vous considérerez comme vôtre tout ce qui m'appartient.

— Vous êtes toujours aussi raisonnable ? s'enquit-elle, irritée par son calme.

— Pas toujours ! avoua-t-il en riant. Je suis connu pour mes colères, même si elles sont rares, et il m'arrive de bouder quand les choses ne se passent pas comme je le veux, poursuivit-il en se penchant pour lui prendre la main. Je sais que ce n'est pas facile pour vous, et que ça l'est bien plus pour moi, ajouta-t-il comme elle ouvrait la bouche pour répliquer. Mais nous sommes mari et femme, à présent, et même si tout vous semble étrange et nouveau, nous avons la vie entière pour apprendre à nous connaître.

— Et vous ne voyez pas d'inconvénient à vous retrouver marié à une parfaite inconnue ? s'étonna-t-elle.

— Pas si elle est aussi charmante et agréable que vous, ma chère.

— Quel flatteur ! répliqua Nell, qui ne put s'empêcher de rire. Depuis notre rencontre, je n'ai jamais été ni charmante ni agréable avec vous.

— Que voulez-vous que je vous dise ? Je suis trop bien élevé pour traiter ma femme de menteuse, et je peux difficilement vous dire que vous êtes désagréable si je tiens à la vie.

— Quel cruel dilemme, milord ! Mais un homme aussi habile que vous devrait trouver rapidement le moyen de le résoudre...

Il éclata de rire et, inexplicablement, l'humeur de Nell s'en trouva allégée. Le comte avait décidé de distraire son épouse récalcitrante, si bien que lorsqu'ils arrivèrent devant la charmante gentilhommière où ils devaient passer la semaine, la mariée avait oublié sa mélancolie.

— Peut-être aimeriez-vous voir vos appartements et vous rafraîchir avant le dîner ? suggéra Julian lorsque le majordome de Talcott, qu'il connaissait depuis de nombreuses années, les eut menés dans le salon.

Nell accepta volontiers, et retrouva peu après sa femme de chambre, Becky, dans les pièces qui lui étaient réservées.

— Oh, mademoiselle, euh… milady, rectifia-t-elle en rougissant. Je ne savais pas si je devais déballer tous vos bagages, mais j'ai préparé vos affaires pour la nuit et j'ai fait repasser votre robe bronze pour le dîner.

Nell la remercia, et se mit à arpenter la chambre d'un pas nerveux. Elle se sentait impuissante et, en dépit des efforts que Wyndham avait faits pour la mettre à l'aise, un peu effrayée. Elle redoutait la nuit à venir. Le comte était un homme séduisant, il fallait le reconnaître, et c'était un soulagement. Mais elle n'était pas pour autant pressée de faire l'amour avec lui. Cela dit, elle gardait un souvenir brûlant du baiser qu'ils avaient échangé dans la bibliothèque… Peut-être, s'il se montrait patient, parviendrait-elle à envisager d'un cœur plus léger leur vie conjugale ?

En l'attendant pour le dîner, Julian tenta de se mettre à la place de sa femme et de s'imaginer projeté brutalement dans un milieu totalement étranger.

Son épouse l'attirait plus qu'il ne l'aurait cru possible, et il attendait leur nuit de noces avec impatience. Mais il lui vint soudain à l'esprit que Nell ne partageait peut-être pas son impatience. Il avait suffisamment confiance en ses qualités d'amant pour lui rendre ce passage plus facile, mais il n'avait jamais envisagé se trouver face à une épouse réticente.

Il avait déjà remarqué le caractère bien trempé de la nouvelle comtesse de Wyndham et, à en juger par les propos qu'elle avait tenus durant le voyage, son aimable participation était loin d'être acquise. Comment parvenir à ses fins sans accroître davantage sa méfiance à son égard et la distance qu'elle conservait à son endroit ?

C'est Nell qui résolut ce dilemme. Ils avaient à peine touché au somptueux repas qui les attendait et, aux prix d'efforts méritoires, avaient réussi à entretenir une conversation polie mais sans chaleur.

— Voulez-vous une liqueur ? proposa Julian une fois qu'ils eurent gagné le salon, le dîner achevé.

Nell acquiesça. Tenir un verre lui occuperait les mains et l'alcool lui donnerait peut-être du courage. Comme son mari prenait place en face d'elle, et qu'un silence gêné tombait entre eux, elle prit une profonde inspiration, puis débita d'une traite :

— Milord, j'aimerais vous parler au sujet de cette nuit.

— Oui ?

— Je ne veux pas partager mon lit avec vous, lâcha-t-elle en rougissant.

S'efforçant de dissimuler sa consternation, Julian répondit :

— À moins que ma mémoire ne me trompe, nous sommes mari et femme. On vante les plaisirs conjugaux, et j'avais très envie de vérifier par moi-même si cela se justifiait, ajouta-t-il avec son sourire le plus enjôleur.

— Et cela vous ennuierait beaucoup de ne pas le vérifier *ce soir* ? articula-t-elle.

Il avait craint une mariée réticente, mais il n'avait pas encore mesuré l'étendue de ses réticences. Elle était raide comme la justice, et dans son regard d'émeraude, il ne lut qu'un mélange de peur et de défiance.

— Êtes-vous en train de me demander de ne jamais consommer notre union ? s'enquit-il calmement tandis que son précédent mariage lui revenait à l'esprit.

— Non, certainement pas. Je vous demande juste un peu de patience, que nous prenions le temps de mieux nous connaître avant de… goûter aux plaisirs conjugaux.

— Et selon vous, combien de temps cela prendra-t-il ? Une semaine ? Un mois ? Six mois ?

— Je l'ignore, mais je ne pense pas que nous puissions fixer un délai. Vous non plus n'avez certainement pas envie d'une femme que vous connaissez à peine ? ajouta-t-elle timidement.

Julian l'aurait volontiers détrompée s'il n'avait craint de la voir prendre ses jambes à son cou. Il n'était pas habitué à ce que le beau sexe lui résiste et se sentait en terrain peu familier La requête de Nell était raisonnable, devait-il admettre, même si elle ne lui plaisait pas. Et puis, qu'importait une semaine, un mois, ou même plus, quand on avait la vie devant soi ?

Il contempla la jeune femme assise en face de lui, les reflets mordorés de sa chevelure, la flamme dans son regard d'émeraude, l'éclat nacré de ses épaules. Elle n'avait aucune idée de son pouvoir de séduction, mais il saurait embraser ce corps soyeux qu'il devinait souple comme une liane… Tout son être s'enflamma à cette pensée et, s'il n'avait tenu qu'à lui, il aurait franchi la faible distance qui les séparait pour lui faire découvrir sa science de l'amour.

Devant son silence, Nell se racla la gorge.

— Eh bien, milord ?

Il se leva pour la rejoindre, lui prit la main et y posa les lèvres.

— Vos désirs seront les miens…

— Oh, merci, milord ! s'exclama la jeune femme, comme si elle venait d'échapper à un sort pire que la mort.

Lui arrachant sa main avec une promptitude qui en aurait offensé plus d'un, elle se leva.

— Eh bien, reprit-elle, je suis heureuse que la question soit réglée. La journée ayant été longue et fatigante, je crois que je vais vous laisser. Bonne nuit, milord.

— Encore une petite chose, ma chère.

Elle se figea dans son envol, puis fit volte-face, et sursauta en le découvrant juste derrière elle.

— Oui, fit-elle, de nouveau sur ses gardes.

— Je vous promets d'attendre votre bon vouloir pour consommer notre union, mais en retour, sourit-il en lui caressant la joue, vous me laisserez vous courtiser.

— Me courtiser ? Qu'entendez-vous par là ?

— Passer du temps ensemble, m'autoriser à vous toucher de temps à autre, expliqua-t-il en la prenant par la taille, et me laisser vous voler un baiser par-ci, par-là…

Sur ce, il attira Nell contre lui, et s'empara de sa bouche pour la gratifier d'un long baiser ardent. Il dut lutter pour contenir sa passion, refouler le désir qui le transperçait de prendre beaucoup plus.

Quand il lâcha finalement ses lèvres, elle ployait comme une fleur brisée entre ses bras, le souffle court et le regard embrumé.

Satisfait, il la fit pivoter, et la poussa doucement vers la porte non sans lui avoir murmuré à l'oreille :

— Bonne nuit, ma chère. Dormez bien.

7

Nell rejoignit ses appartements comme si elle avait le diable aux trousses. Elle ferma la porte, s'adossa un instant au battant pour reprendre son souffle avant de chercher frénétiquement une clef ou un verrou. Il n'y en avait pas. De toute façon, même si elle parvenait à se barricader pour tenir le comte à distance, elle n'arriverait pas pour autant à le bannir de son esprit. Le long baiser passionné qu'ils venaient d'échanger semblait gravé au fer rouge dans son cerveau.

Elle s'efforça de répondre au babillage de sa femme de chambre pour mieux éloigner ses pensées de ce qui n'aurait *pas* lieu ce soir, mais elle eut un petit pincement au cœur en enfilant la chemise de nuit et le déshabillé arachnéen que Becky avait préparés.

Dès qu'elle fut seule dans la pénombre, le souvenir de ce baiser de feu lui revint, plus brûlant encore. Elle avait déjà été fiancée et ils avaient eu l'occasion de s'embrasser, Aubrey et elle, mais comparer les baisers de ce dernier à ceux de Julian revenait à comparer l'eau au champagne ! Pourtant, elle était follement amoureuse d'Aubrey, à l'époque. Alors pourquoi, se demanda-t-elle, mal à l'aise, le baiser d'un homme qu'elle ne connaissait pas, qu'elle n'était pas sûre d'apprécier, la mettait-il dans cet état ? Elle s'endormit d'un sommeil agité sans avoir trouvé les réponses à ses questions.

Ce n'est pas sans appréhension qu'elle descendit rejoindre son mari pour le petit déjeuner le lendemain matin, mais la courtoisie de Julian eut vite raison de son inquiétude.

Au grand soulagement de Nell, il ne fit aucune tentative pour la courtiser. Comme il était par ailleurs un très agréable compagnon, plein d'esprit et de prévenances, elle ne tarda pas à se détendre et s'aperçut que le temps passait fort agréablement. À tel point qu'elle n'aurait peut-être pas été opposée à un autre baiser...

D'un accord tacite, ils se retrouvaient tous les matins pour le petit déjeuner et décidaient du programme de la journée. Ils partaient généralement faire de longues promenades à cheval. Nell était ravie que son époux partage sa passion pour l'équitation, et ils passaient de longues heures à parler chevaux et techniques d'élevage. L'après-midi, ils exploraient l'immense parc qui s'étendait autour du manoir. Un jour, ils allèrent même pique-niquer au bord du lac qui jouxtait la propriété. Le soir, ils se retiraient tôt, chacun regagnant ses appartements. Au fil des jours cependant, Nell s'attardait de plus en plus longtemps au salon pour rire et bavarder avec son mari.

Les contraintes que son épouse avait fixées pesaient à Julian, et il avait du mal à s'en tenir au rôle de charmant camarade qu'elle lui avait assigné. Mais à la fin de la semaine, ses efforts méritoires pour contenir le désir qui le consumait furent récompensés. Quand ils quittèrent la gentilhommière de Talcott pour regagner Wyndham Manor, ils commençaient à mieux se connaître, et Nell s'était tout à fait habituée à lui et le traitait en ami.

Le voyage jusqu'à Wyndham s'avéra des plus agréables. Le temps était anormalement clément pour la saison et ils eurent tout loisir de profiter des paysages accueillants du Dorset, encore embellis par les derniers feux de l'automne.

La jeune femme, qui n'avait pas été fâchée de quitter cette maison, où elle avait trop de temps pour penser, attendait avec impatience de connaître la demeure qui était maintenant la sienne. Cependant, quand la voiture s'engagea dans la longue allée bordée de tilleuls qui menait au château, elle fut en proie à une anxiété inattendue.

La modeste Eleanor Anslowe n'avait eu que quelques jours pour devenir la comtesse de Wyndham, et elle n'avait pas pris toute la mesure du changement qui résultait de ce nouveau statut. Elle regarda Julian assis en face d'elle, le beau visage aux traits fermes et la chevelure de jais, et tandis que leurs regards se croisaient, son cœur bondit dans sa poitrine.

Ils n'étaient plus en terrain neutre, mais sur le sien à *lui*. Cela changerait-il sa façon de se comporter avec elle ? Se révélerait-il un tyran une fois chez lui ? Elle n'avait pas de raison de penser qu'il changerait en l'espace d'une nuit, et deviendrait différent de l'homme qu'elle avait appris à connaître ces derniers jours, mais le doute subsistait, en même temps qu'un certain malaise. Pourtant, quand ils descendirent de voiture devant l'imposant édifice élisabéthain couvert de vigne vierge, elle s'accrocha avec reconnaissance à la main qu'il lui tendait.

Les innombrables fenêtres à meneaux étincelaient d'une multitude de chandelles. Les lourdes portes de chêne s'ouvrirent devant eux et la domesticité au grand complet s'inclina devant la nouvelle châtelaine.

Nell les salua un à un, s'appliquant à trouver un mot aimable pour chacun, tout en se demandant comment faire pour retenir la moitié seulement de leurs noms. Pourtant, à mesure que Dibble les lui présentait, elle se sentait plus à son aise.

Ils avaient l'air heureux de l'accueillir !

Le majordome les conduisit dans une petite salle à manger où les attendait un souper léger. Nell fit largement honneur à une succulente timbale de volaille aux petits légumes ainsi qu'à une aérienne mousseline à la pistache.

— Vous avez une bien jolie demeure, milord, déclara-t-elle à la fin du dîner en parcourant du regard les délicates boiseries crème et le mobilier raffiné.

— Cette demeure est aussi la vôtre, lui rappela-t-il avec un sourire. Aimeriez-vous la visiter ? Je suis certain que Dibble ne demanderait pas mieux que de vous servir de guide, ajouta-t-il comme elle hésitait.

— Eh bien, il ne sera pas dit que j'ai déçu votre majordome, déclara-t-elle. Sonnez-le, s'il vous plaît.

— Notre majordome, corrigea-t-il en s'exécutant.

Mis au courant, le domestique s'inclina profondément et assura la comtesse qu'il serait ravi de lui faire les honneurs de Wyndham Manor. Julian leur emboîta le pas. Une lueur malicieuse au fond des yeux, il observait le visage expressif de la jeune femme tandis que Dibble la conduisait de salon en salon en lui égrenant fièrement la longue litanie des embellissements apportés par chaque Wyndham à chaque génération. Voyant au bout de quelque temps le regard de Nell se voiler de fatigue, Julian eut pitié d'elle et, lui prenant la main, déclara :

— Cela fait beaucoup, n'est-ce pas ? La comtesse n'a peut-être pas besoin de tout voir dès ce soir, ajouta-t-il à l'adresse de Dibble. Le voyage a été long et j'imagine qu'elle est pressée de se retirer dans ses appartements.

Portant la main de sa femme à ses lèvres, il murmura :

— Becky doit vous attendre. Si vous voulez bien m'excuser, j'ai des choses à voir.

Nell lui adressa un sourire reconnaissant avant de suivre le majordome au premier étage.

Elle s'adossa à la porte et contempla le vaste salon tendu de soie rose et or. C'était maintenant son domaine personnel, il ne lui restait plus qu'à s'y habituer. Elle traversa un boudoir un peu plus petit et poussa la porte qui devait mener à la chambre à coucher où Becky, qui n'avait pas encore fini de défaire les bagages, l'accueillit avec un sourire épanoui.

— Est-ce que vous aviez déjà vu une maison aussi grande et aussi belle, milady ?

— Oui, mais je n'aurais jamais pensé y vivre un jour ! s'amusa sa maîtresse.

Elle se promit de changer les tentures et le ciel de lit. Toutes ces nuances de rose finiraient par lui donner une indigestion ; jamais elle ne se sentirait chez elle dans cette bonbonnière. Elle inspecta la garde-robe, aussi grande à elle seule que son salon personnel de Meadowlea, avant d'aller voir ce que cachait une double porte au fond de la chambre, et de se retrouver dans les appartements de son époux, vides fort heureusement.

— As-tu eu le temps de t'installer, Becky ? s'enquit-elle. Est-ce que le personnel te traite bien ?

— Oh, oui, milady, tout le monde est très gentil, mais j'ai un peu de mal à retenir leurs noms. Ils sont tellement nombreux ! Vous vous rendez compte, il y a quatre filles de cuisine !

Nell sourit, mais ses pensées étaient ailleurs. La vie qui l'attendait à Wyndham Manor ne serait finalement pas si différente de celle qu'elle menait chez son père. Diriger une maisonnée, même si celle-ci était beaucoup plus importante, ne lui faisait pas peur. C'étaient les devoirs de la vie conjugale qui l'effrayaient. Son mari s'était montré extrêmement compréhensif, mais combien de temps demeurerait-il dans ces bonnes dispositions ? Il allait finir par se lasser…

Et y verrait-elle un inconvénient ? Un frémissement d'anticipation la parcourut tandis qu'elle imaginait Julian dans ce lit, en train de l'embrasser comme il l'avait fait le soir de leurs noces, en train de la caresser, et elle répondant à ses caresses…

Les joues en feu, le corps brûlant d'une ardeur inconnue, elle chassa bien vite ces pensées.

Après avoir pris son bain, elle se prépara pour la nuit avec l'aide de Becky, et sombra dans le sommeil dès qu'elle eut posé la tête sur l'oreiller.

Elle dormit profondément durant plusieurs heures avant que, tel un reptile sortant de son repaire, le cauchemar s'insinue dans son esprit.

Le même cachot aux murs tachés de suie, la même silhouette masculine dans la pénombre, et les mêmes femmes en pleurs. Celle de ce soir était différente des autres, elle était brune et non blonde, et plus âgée. Mais son corps dénudé était aussi mince et sa peau aussi lisse avant que la lame ne la touche.

Terrifiée, Nell se débattait dans ses draps, gémissant à chaque coup comme si le couteau s'enfonçait dans sa propre chair. Et ce sang… Tout ce sang… Elle s'arc-bouta lorsque l'homme en noir acheva sa victime et, les yeux agrandis d'horreur, se dressa en hurlant encore et encore, incapable de s'arrêter.

Au premier cri, Julian bondit hors de son lit, prêt pour la bataille bien qu'à moitié endormi. Un deuxième hurlement acheva de le réveiller. Son sang se figea dans ses veines quand il localisa la provenance du cri. Attrapant le poignard qu'il gardait à portée de main, il franchit en courant la porte qui le séparait des appartements de Nell sans se soucier de sa nudité.

Il faisait noir, mais les plaintes suffisaient à le guider. En quelques enjambées, il atteignit le lit où se débattait la frêle silhouette blanche de sa femme.

— Arrêtez, par pitié ! suppliait-elle. *Arrêtez !*

Comprenant qu'elle était la proie d'un cauchemar, il posa son arme sur la table de chevet et s'assit sur le lit pour la prendre dans ses bras.

— Chut, Nell, c'est fini ! Ce n'est qu'un mauvais rêve, ma chérie. Tout va bien. Personne ne vous fera de mal, je vous protégerai, murmura-t-il.

Mais dès que sa main se posa sur l'épaule de la jeune femme, elle se cabra avec un hurlement épouvanté. Ses ongles s'enfoncèrent dans la joue de son mari tandis qu'elle se débattait de plus belle, terrifiée.

— Nell, réveillez-vous ! C'est moi, Julian ! Réveillez-vous !

Ses adjurations déchirèrent les brumes du sommeil. Elle cessa de se débattre, et un frisson la parcourut.

— J... Julian ? C'est... vous ? balbutia-t-elle.

Rassuré, le comte alla allumer une chandelle et revint s'asseoir près de sa femme.

— Ça va ?

Avec un sourire tremblant, Nell essuya ses larmes et hocha la tête.

— Je vous ai réveillé, s'excusa-t-elle en détournant le regard de cette nudité virile.

— Ce devait être un horrible cauchemar. J'ai bien cru qu'on vous égorgeait ou qu'on vous découpait en morceaux !

— C'est ça, justement, fit-elle d'une voix rauque. Une femme était assassinée. Comme toujours.

— Comment ça, comme toujours ? Vous faites souvent les mêmes cauchemars ?

— Pas forcément très souvent, mais plus fréquemment depuis quelque temps. Pourtant, pendant longtemps...

— Pendant longtemps ? l'encouragea-t-il.

Elle se risqua à le regarder et le trouva d'une beauté à couper le souffle avec ses cheveux de jais en désordre qui retombaient sur son front, ses traits ciselés que la lueur de la chandelle mettait en valeur, ses larges épaules et ses longues jambes musclées.

— Je vous ai griffé, murmura-t-elle pour rompre le silence qui devenait pesant. Je suis désolée… Je vous avais pris pour lui.

— Ce n'est rien, la rassura-t-il. Vous m'avez pris pour un personnage de votre cauchemar ? Voulez-vous me le raconter ?

— Je n'avais jamais fait ce genre de cauchemars avant de tomber de cette falaise. C'est depuis que je suis infirme… Parfois, ils me laissent tranquille pendant des mois, et puis cela recommence… C'est toujours le même rêve. Enfin, la première fois, c'était un homme qui était assassiné. Dehors, dans une forêt, pas dans le cachot. Mais depuis, ce sont toujours des femmes, et toujours dans ce cachot.

— Le cachot ? répéta Julian en la fixant d'un regard intense.

— Ce n'est pas un endroit que je connais, mais c'est toujours le même. Les mêmes pierres, les mêmes chaînes aux murs, les taches de sang… Celui qui torture ces malheureuses est toujours dans l'ombre. Je n'ai jamais vu son visage, mais c'est le même homme, je le *sais*. Il ne peut y avoir deux créatures aussi cruelles, aussi dépravées au monde ! Elles ont beau pleurer, supplier, implorer sa pitié, il s'en moque. Il jouit du pouvoir qu'il a sur elles, il prend plaisir à les faire souffrir, acheva-t-elle dans un sanglot.

— Chut ! Vous n'avez rien à craindre, il ne peut pas vous faire de mal. Je suis là, chuchota Julian en l'attirant contre lui.

— Mais il les torture, et je ne peux pas l'en empêcher. Je ne peux que regarder ! se désespéra-t-elle, blottie contre sa poitrine.

— Ce n'est pas réel, Nell, lui rappela-t-il. C'est un cauchemar.

— C'est très réel pour moi, objecta-t-elle en levant la tête pour croiser son regard. Une fois, j'ai même eu l'impression que je connaissais la victime.

— Cela peut vous paraître réel, mais ça ne l'est pas. À moins que je n'aie épousé une sorcière qui voit des choses cachées au commun des mortels, ajouta-t-il avec un sourire.

— Mais j'ai eu l'impression de connaître une des jeunes femmes ! Comment expliquez-vous cela ? Je suis convaincue qu'il s'agissait d'une femme de chair et de sang, pas d'une illusion.

— Vous l'aviez peut-être rencontrée quelque temps avant et, pour une raison ou pour une autre, votre mémoire l'a fait surgir dans votre cauchemar.

— Vous croyez ?

— J'en suis sûr, la rassura-t-il en lui caressant machinalement le dos comme il l'aurait fait à un enfant effrayé.

La présence rassurante de son mari et ses paroles réconfortantes achevèrent de dissiper les dernières images de l'horrible rêve. À quel moment sentirent-ils un besoin impérieux enflammer leur chair ? Aucun des deux n'aurait su le dire.

Le regard qu'ils échangèrent les ébranla comme un coup de tonnerre. Qui embrassa l'autre le premier ? Ils l'ignoraient, mais leurs lèvres se joignirent et ils s'embrassèrent comme si leur vie en dépendait.

Julian savait qu'il aurait dû se retenir, mais il était incapable de contenir la passion qui le consumait. Son baiser se fit impérieux, et Nell y répondit avec une ferveur qui eut raison de lui. Sa main se referma sur son sein avant de descendre le long de sa cuisse fuselée…

Quand il retroussa la fine chemise de nuit, les doigts de la jeune femme se crispèrent contre son torse. Pourtant, elle ne protesta pas ni ne tenta de l'arrêter lorsqu'il fit passer le vêtement par-dessus sa tête avant de le jeter au loin.

Sentir contre sa poitrine le torse musclé de Julian fit naître une onde brûlante au plus profond du corps de Nell. Spontanément, elle se pressa contre lui, s'abandonnant à une ivresse aussi vieille que le monde et cependant si nouvelle pour elle.

Il reprit sa bouche avec ardeur tandis que ses mains caressaient ses seins ronds et fermes, que ses doigts en agaçaient les pointes qui se dressèrent orgueilleusement. Nell gémissait et se cambrait, l'incitant à prendre plus encore, ce qu'il fit, explorant avec avidité ce corps offert.

Ces baisers et ces caresses enivrantes éveillaient au creux du ventre de Nell un besoin inconnu qui croissait à chaque instant, jusqu'à la submerger tout entière. Et Julian répondait à ce désir lancinant, flattant et caressant le jardin secret qui vibrait sous ses doigts tel un violon sous l'archet.

Elle se risqua à son tour à explorer ce dos athlétique, ces bras puissants, ce torse viril, puis cette virilité qui se dressait entre eux. Un sentiment de triomphe la gagna lorsqu'il gémit sous ses doigts malhabiles. Doucement, il lui montra comment lui procurer autant de volupté que possible. Elle se révéla une élève douée, pleine de zèle et d'ardeur, comme le souffle rauque et les plaintes de Julian le lui prouvèrent rapidement.

— Un jour, ma douce, tu me montreras ce qui te fait jouir, souffla-t-il contre ses lèvres. Pour le moment, j'espère juste que je te donne du plaisir.

— Oh, mais tu m'en donnes ! assura-t-elle en retenant un cri comme il insinuait un doigt en elle.

L'allongeant sur le dos, il se glissa entre ses cuisses sans cesser de la caresser pour s'assurer qu'elle était prête à l'accueillir. Quand elle arqua le dos à sa rencontre, il l'embrassa passionnément avant de s'introduire dans le fourreau étroit de son intimité, doucement, tout doucement, chaque poussée si enivrante qu'il aurait pu en mourir de plaisir.

— Je vais peut-être te faire mal, lui chuchota-t-il à l'oreille quand il arriva à la fine membrane qui l'empêchait d'aller plus loin, mais ce sera la seule fois, je te le promets.

— Je sais, dit-elle en s'agrippant à ses épaules. S'il te plaît. Fais-le... *Tout de suite.*

Incapable de se retenir plus longtemps, il s'empara de sa bouche avec détermination, puis, avec un gémissement de volupté, força le passage et s'abîma en elle d'un puissant coup de reins.

Nell s'accrocha à lui tandis que la douleur qui l'avait transpercée faisait lentement place à une sensation délicieuse. À chaque poussée, une vague brûlante semblait se répandre dans son corps. Frémissant de passion, elle ondulait et se tordait au rythme de ses assauts. Ils étaient seuls au monde, ne faisaient plus qu'un, et tandis qu'ils se laissaient entraîner dans une danse sauvage, un tourbillon inconnu prit naissance au creux de ses reins... une houle merveilleuse, venue du plus profond de son être, une délicieuse agonie... Elle se cabra, retint un cri, puis s'abandonna au maelström vertigineux où elle se perdit.

Enfoui en elle jusqu'à la garde, Julian perdit tout contrôle et, d'une dernière poussée, la rejoignit sur les rivages voluptueux de l'extase.

Repu comme jamais il ne l'avait été, le souffle court, le cœur battant la chamade, il se retira et, basculant sur le dos, attira Nell contre son flanc.

Elle posa la tête sur son torse, ravie de constater qu'elle n'était pas la seule dont le cœur s'était emballé. Au fond de son corps, la vague du plaisir refluait lentement, et elle s'émerveillait de découvrir qu'un acte aussi simple puisse procurer pareille volupté. Et dire qu'elle aurait pu connaître ce délicieux à-côté du mariage voilà des jours ! songea-t-elle en fronçant les sourcils.

— À quoi penses-tu ? demanda Julian.

— Je me disais que j'avais été stupide de t'avoir tenu à distance !

— J'en déduis que ce que nous venons de faire t'a plu, commenta-t-il avec un demi-sourire.

— Oh, oui ! Est-ce que nous le referons souvent ? questionna-t-elle, un éclair de malice s'allumant au fond de ses yeux d'émeraude.

— Aussi souvent que tu voudras, mon cœur. Je serai toujours à ton... service, promit-il en déposant un baiser sur les lèvres de Nell. Mais j'espère que tu me laisseras un peu de répit avant d'exiger que j'exerce de nouveau mes devoirs d'époux.

Nell pouffa de rire en s'étirant voluptueusement contre lui. En épousant Julian, elle n'était peut-être pas condamnée à un si terrible sort, au fond... Elle leva les yeux vers le beau visage ténébreux et son cœur tressaillit curieusement dans sa poitrine. Elle n'était pas amoureuse de lui – du moins ne le pensait-elle pas –, mais elle devait bien s'avouer que jamais un homme ne l'avait autant attirée. Pourtant, si c'était à refaire, elle n'était pas sûre que ses appréhensions s'évanouiraient et qu'elle ne ferait pas tout pour échapper à cette union. Elle éprouvait un dégoût inné pour toute forme de coercition...

Elle étudia son mari à la dérobée. Il avait pris son parti de ce mariage, et elle aurait dû lui en être reconnaissante. Il n'avait montré aucune réticence, en fait. Ils ne se connaissaient pourtant ni d'Ève ni d'Adam, il n'était en rien responsable des circonstances qui les avaient obligés à convoler, il aurait pu et dû légitimement ressentir une certaine amertume. Pourquoi n'avait-il soulevé aucune objection ? s'interrogea-t-elle soudain. Par indifférence ?

C'était une pensée humiliante, et dérangeante. Était-ce parce qu'il avait déjà été marié qu'il s'était montré si complaisant ? Avait-il tellement aimé sa première femme qu'aucune autre ne pourrait jamais posséder son cœur ? Aucun enfant n'était né de cette union. Peut-être avait-il songé qu'il était temps d'assurer sa descendance ?

— Qu'y a-t-il ? questionna Julian, alarmé par le changement d'expression de Nell. À quoi penses-tu ?

— Tu as beaucoup aimé ta première femme ? interrogea-t-elle tout à trac.

— Je préférerais ne pas parler d'elle, déclara-t-il en se raidissant. Elle appartient au passé et n'a pas sa place dans notre mariage… et encore moins dans notre lit.

— Oh, cela signifie qu'il faut que j'attende le petit déjeuner pour te poser la question ? plaisanta-t-elle pour dissimuler son malaise.

— Non. Cela signifie que je ne veux pas parler de Catherine, ni maintenant ni jamais.

Seigneur, comment pourrait-il évoquer cette période, la plus malheureuse de sa vie, son amertume, le désespoir d'avoir consenti à une union aussi mal assortie, son angoisse après la perte de cet enfant à naître ? Surtout devant cette enchanteresse aussi pétillante qu'une coupe de champagne qui, miraculeusement, lui avait redonné le goût du bonheur ? Nell méritait une autre réponse, il en était conscient, mais il ne pouvait se résoudre à raconter ces jours sombres. Pas encore. Plus tard peut-être, quand leurs relations auraient trouvé un équilibre…

— Pourquoi ? s'entêta la jeune femme, sachant qu'il était imprudent d'insister, mais incapable de s'en empêcher.

Il avait dû beaucoup l'aimer pour montrer tant de réticence à l'évoquer, elle ne voyait pas d'autre explication, et cette idée suffisait à lui faire chavirer le cœur.

— Parce que je ne veux pas que son fantôme s'invite dans notre lit ou à notre table, fit-il en se levant, et Nell fut frappée par l'expression douloureuse de son visage crispé. Catherine appartient à une autre période de ma vie, et je ne souhaite pas partager ces souvenirs avec qui que ce soit.

Il se retourna pour récupérer son poignard, pressé de mettre fin à cette conversation, et oublieux des cauchemars sanglants de sa femme.

À la vue de la lame, Nell, qui ne l'avait pas vue quand il était entré, recula à l'autre bout du lit, prête à prendre la fuite.

— Je suis désolé, s'excusa immédiatement Julian en dissimulant le poignard. Je ne voulais pas t'effrayer. J'ai pris cette lame, qui ne me quitte jamais, quand je t'ai entendue crier. J'ai cru qu'on t'attaquait et je suis accouru pour te défendre, pas pour te faire du mal. Quant à ma répugnance à parler de mon premier mariage, pardonne-moi, mais je ne souhaite pas mettre mon cœur à nu… C'est trop douloureux.

Oubliant l'arme, Nell sentit un grand froid l'envahir. Les souvenirs de sa première épouse étaient donc si précieux qu'il lui était insupportable de les évoquer ? De nouveau, elle se demanda s'il ne l'avait épousée que parce que, après toutes ces années, il voulait un héritier. Peu importait celle qui le lui donnerait…

Julian savait qu'il venait de commettre une bévue, mais il n'avait pas mesuré quel mal ses paroles avaient fait. La femme passionnée qu'il tenait dans ses bras quelques instants plus tôt le regardait à présent comme s'il venait de la trahir de la pire manière qui soit.

— Maintenant que vous avez eu ce que vous veniez chercher, je pense qu'il est temps pour vous de regagner vos appartements, milord, lâcha Nell d'une voix glaciale.

8

La conversation fut tendue le lendemain matin quand ils se retrouvèrent pour le petit déjeuner. En fait, le malaise entre eux persista durant toute la semaine qui suivit.

Julian savait qu'il lui fallait réparer les dégâts qu'il avait involontairement causés, mais l'occasion ne se présenta pas. La réserve avec laquelle Nell le traitait ne lui facilitait pas les choses. Pour l'éviter le plus possible, elle s'en remettait aux bons soins de Dibble, qui se faisait un plaisir de l'initier aux us et coutumes domestiques de Wyndham Manor, ce qui constituait une occupation à plein temps. De son côté, Julian aussi était très occupé. Il avait été absent de longs mois et le domaine requérait toute son attention.

Quand par hasard il trouvait un moment à passer avec sa femme, en dehors des repas où ils n'étaient jamais vraiment seuls, elle se débrouillait pour lui fausser rapidement compagnie. Il avait envisagé d'aller la trouver dans ses appartements, mais l'idée de se rendre comme un pénitent dans sa chambre lui répugnait. Cela lui aurait rappelé les derniers mois de son premier mariage, quand il déployait tous les efforts possibles et imaginables pour faire accepter sa grossesse à Catherine. Nell n'était sans doute pas faite du même bois, mais il ne tenait pas à renouveler l'expérience.

Il s'en voulait de s'être laissé désarçonner, lui qui avait une réputation de diplomatie et de sang-froid à toute épreuve. Son précédent mariage lui était un souvenir si pénible qu'il avait toujours répugné à l'aborder. La question de Nell, après la nuit d'amour la plus troublante qu'il ait jamais connue, l'avait pris au dépourvu, et il avait commis maladresse sur maladresse.

Jamais il n'aurait dû la quitter avant d'avoir réparé cette bévue. Et le temps ne ferait que creuser le fossé qui s'était installé entre eux. Il fallait absolument le combler avant qu'il ne devienne infranchissable.

Il n'était pas le seul à se faire des reproches. Les relations aimables qui étaient les leurs jusqu'à cette nuit manquaient à Nell, qui s'en voulait également de s'être montrée si intransigeante, même si Julian, à son avis, paraissait se moquer éperdument du froid qui s'était installé entre eux.

Tout en écoutant d'une oreille distraite les explications de Dibble sur la tapisserie flamande d'une des salles de réception du château, la jeune femme se demandait comment dissiper le malentendu qui s'était installé entre eux. Parler de sa première femme lui était visiblement douloureux, ce qui ne faisait qu'accroître sa curiosité, surtout quant aux sentiments qu'il avait éprouvés à son endroit !

C'était une question cruciale, et elle ne pouvait la laisser sans réponse. Leur union n'avait pas commencé sous les meilleurs auspices et ils n'avaient aucune chance de trouver le bonheur ensemble si l'ombre d'une épouse morte venait constamment se dresser entre eux.

Épouser un homme qu'elle pouvait en venir à aimer et qui pourrait l'aimer en retour était une chose ; passer sa vie entière aux côtés d'un mari amoureux d'une morte en était une tout autre. Comment se mesurer à un fantôme ? Elle n'avait aucune intention de se morfondre jusqu'à la fin de ses jours, elle voulait aimer l'homme que le sort lui avait imposé, et elle entendait bien se faire aimer de lui, découvrit-elle non sans étonnement.

Elle remercia Dibble et décida de faire une petite promenade dans le parc. Novembre approchait, mais le temps était exceptionnellement clément pour la saison, et les massifs étaient encore en fleurs.

Perdue dans ses pensées, elle marcha au hasard, et finit par s'asseoir sur un banc au bord d'un étang. Elle pouvait facilement éclaircir une autre bizarrerie qui la troublait. Il avait dit que son poignard ne le quittait jamais… Pourtant, un couteau n'était pas une arme habituelle chez un homme du monde. Un pistolet, un sabre ou à la rigueur une épée convenait mieux à un gentleman… Il suffisait de lui poser la question, et elle verrait bien s'il acceptait d'y répondre.

Revenir à la charge à propos de Catherine était beaucoup plus difficile, à moins de s'exposer à une nouvelle rebuffade. Il lui fallait pourtant mettre fin à cette brouille ridicule – dont elle était en grande partie responsable, devait-elle admettre, même si Julian n'avait jusqu'à maintenant pas fait beaucoup d'efforts pour la dissiper. Peut-être ce modus vivendi lui convenait-il ? Peut-être entendait-il partager avec elle la même résidence, occasionnellement le même lit, et mener le reste du temps une existence séparée, comme le faisaient beaucoup de couples de leur milieu ?

Un bruit de pas la tira de ces sombres méditations. Levant la tête, elle aperçut le comte qui se dirigeait vers elle. Tandis que son cœur s'emballait, elle lui décocha un sourire.

— Eh bien, tu as terminé ton travail ? s'enquit-elle.

— J'ai pensé qu'il faisait trop beau pour continuer à vérifier des livres de comptes, avoua-t-il en lui rendant son sourire. Surtout quand je peux me consacrer à des occupations beaucoup plus agréables… Comme profiter de la compagnie de ma femme et d'une si belle vue, par exemple, ajouta-t-il en s'asseyant près d'elle et en s'emparant de sa main.

Il posa sur elle un regard si intense qu'elle rougit.

— Ce n'est pas la vue que tu contemples, remarqua-t-elle.

— Mais si ! Et c'est la plus agréable qui soit.

— Êtes-vous en train de flirter avec moi, milord ?

— Je crois, oui. Cela t'ennuie ?

— Pas du tout. Tu m'as manqué, ajouta-t-elle impulsivement. Tu as été vraiment très occupé tous ces jours-ci.

— Toi aussi, murmura-t-il, dissimulant le plaisir que lui procuraient ces paroles.

— Nous aurons peut-être moins à faire dans les jours qui viennent ? suggéra-t-elle en fixant l'étendue lisse du lac.

— Certainement, assura-t-il en portant sa main à ses lèvres.

Un ange passa tandis que chacun cherchait comment dissiper définitivement le malaise qui les avait éloignés l'un de l'autre.

— Je te dois des explications à propos de l'autre nuit, commença Julian.

— À propos de ce poignard ?

Soulagé que Nell ne parle pas de Catherine, et sachant qu'il se montrait là affreusement lâche, il saisit avec empressement la perche qu'elle lui tendait.

— Je comprends qu'il t'ait effrayée, après cet horrible cauchemar, et j'en suis vraiment désolé.

— Tu as dit que ce poignard ne te quittait jamais...

— C'est exact.

Pour preuve de ses dires, il tira d'un geste vif ledit poignard de sa botte.

— Et tu as une raison particulière d'être toujours armé ? Je doute que la plupart des gentlemen soient armés. Ni mon père ni mes frères ne le sont. Pourtant, les deux plus jeunes sont militaires

— Je ne connais effectivement aucun gentleman qui dissimule un poignard dans sa botte. Mais rassure-toi, ce n'est qu'une vieille habitude.

— Et d'où te vient cette habitude ?

— D'un vieil homme du nom de Roxbury qui trouve très intelligent d'envoyer de jeunes aristocrates avides d'aventure jouer les espions sur le continent. À raison. Je lui ai effectivement rapporté quelques renseignements qui ont aidé à empêcher Napoléon d'avaler le monde entier.

— Tu es un espion ? souffla Nell, stupéfaite.

— Pas exactement, et plus maintenant. Mais il n'y a pas si longtemps, il m'arrivait effectivement de traverser la Manche pour glaner des renseignements utiles à notre pays.

— Mais tu as eu une vie passionnante ! s'exclama Nell.

— C'était rarement passionnant, crois-moi. Parfois, il s'agissait juste de porter des messages, d'autres fois d'ouvrir les yeux et les oreilles. Mais ces « missions » pouvaient se révéler dangereuses, d'où leur attrait, je l'avoue, et avoir une arme à portée de main était une nécessité. C'est ainsi que je me suis habitué à avoir ce poignard sur moi en permanence, même si je n'en ai plus besoin désormais, sinon pour te protéger d'éventuels agresseurs ! Me pardonnes-tu de t'avoir effrayée ? demanda-t-il en déposant un autre baiser sur la main de Nell.

— Si tu me pardonnes de m'être comportée comme une gamine.

— Je pense que cela peut s'arranger, murmura-t-il en l'enlaçant.

Leurs lèvres se joignirent, et Nell, nouant les bras autour du cou de Julian, répondit à son baiser avec une ferveur égale à la sienne. La réaction passionnée de la jeune femme à laquelle vint s'ajouter le souvenir de leur nuit d'amour firent naître chez Julian un désir impérieux. Sa main se referma avidement sur le sein de sa compagne, qui gémit de plaisir. Il lui fallut faire appel à toute sa volonté pour ne pas la renverser sur le banc.

Les yeux brillants de désir, il l'écarta et observa d'une voix rauque :

— C'est une bonne chose que nous soyons mariés, sinon je nous déshonorerais tous les deux !

— Une bonne chose ? Notre mariage ? demanda-t-elle calmement.

— Repose-moi la question dans vingt ans, sourit-il en lui caressant les lèvres du pouce.

Cette réponse ne la satisfaisait pas, mais Nell était trop heureuse pour ne pas s'en contenter. Le fossé qui les séparait semblait comblé et même si les questions qu'elle se posait sur sa première femme demeuraient, elle se rassura en se rappelant qu'ils n'étaient mariés que depuis quelques semaines. Elle avait toute la vie pour découvrir ce qu'il avait éprouvé pour Catherine. C'était elle sa femme désormais, et elle était bien vivante !

Quand Julian vint la rejoindre ce soir-là, elle l'accueillit sans arrière-pensées dans son lit et dans son corps, déterminée qu'elle était à chasser de son esprit et de son cœur le spectre de l'autre femme. Ce qu'elle ignorait, c'était que la dernière chose à laquelle il pensait lorsqu'elle était dans ses bras, c'était cette autre femme qui l'avait rendu si malheureux autrefois.

Enchantée de retrouver cette intimité qui lui avait tant manqué, grisée par leurs étreintes, la jeune femme commençait à se dire que la vie conjugale ne constituait pas une épreuve si terrible, surtout avec un homme aussi séduisant et ardent que Julian, dont elle attendait maintenant avec impatience les visites nocturnes.

Quand les derniers feux de l'automne firent place aux frimas de l'hiver, Nell commençait à se sentir chez elle à Wyndham Manor. Marcus Sherbrooke leur rendait souvent visite avec sa mère. Elle avait rapidement sympathisé avec l'un comme avec l'autre et traitait maintenant comme un frère le cousin de son époux. Elle avait également fait connaissance avec la plupart des notables de la région et se sentait plus à l'aise, même si elle savait que, à leurs yeux, elle demeurait une étrangère.

L'aisance avec laquelle elle avait endossé son rôle de comtesse la surprenait elle-même. Quant à son mari, un seul sourire de lui suffisait à illuminer sa journée, tandis que tout son être vibrait à son approche. Elle était en train de tomber amoureuse de lui, mais elle avait du mal à se l'avouer.

Ses sentiments envers elle restaient un mystère, mais elle savait qu'il se plaisait en sa compagnie, et la fréquence de ses visites nocturnes disait clairement qu'il trouvait la vie conjugale à son goût. Et quand le fantôme de sa première femme venait parfois jeter une ombre sur son bonheur naissant, elle le repoussait avec énergie. Elle était bien vivante, tandis que Catherine était morte.

Sa famille lui manquait malgré tout. Heureusement, toutes les semaines, une lettre de son père ou de l'un de ses frères venait lui apporter des nouvelles de la maison. Andrew et Henry étaient toujours à Londres, et leurs lettres ne parlaient que de la guerre qui menaçait de nouveau. Tous deux ne rêvaient que de s'illustrer sur les champs de bataille et comptaient bien faire partie de la campagne qui s'annonçait. Robert et leur père étaient partis pour Meadowlea peu après le mariage et, peu à peu, sir Edward abandonnait à son aîné la charge de leurs domaines pour se consacrer à ses serres et à la passion qu'il s'était découverte sur le tard pour la botanique.

Un matin de décembre particulièrement froid et pluvieux, tandis qu'ils dépouillaient leur courrier, Julian se rembrunit soudain en reconnaissant une écriture familière. La lecture de la missive ne fit que confirmer ses appréhensions.

— De mauvaises nouvelles ? s'inquiéta Nell.

— Cela dépend. Si tu ne vois pas d'inconvénients à ce que, dans quelques semaines, ma belle-mère et sa fille viennent vivre avec nous en attendant que Dower House soit réaménagée à leur convenance, ce qui prendra certainement des siècles, les nouvelles ne sont pas particulièrement mauvaises.

— Je croyais que lady Diana préférait passer l'hiver à Londres, remarqua Nell, plus préoccupée qu'elle ne voulait le montrer.

Lady Wyndham ne l'aimait pas, elle s'en était rapidement aperçue. La comtesse douairière ne lui avait jamais rien dit de blessant, mais sa froideur et ses manières distantes montraient clairement qu'elle n'approuvait pas le mariage de son beau-fils. Nell pensait qu'elle n'aurait pas de difficultés à s'entendre avec Elizabeth – qui semblait charmante et de bonne composition. C'était sa mère qui l'inquiétait.

— C'est ce que j'avais compris moi aussi, mais elle a dû changer d'avis et veut revenir ici.

— Elle y est aussi chez elle, remarqua Nell avec un sourire un peu contraint.

Les avertissements de Marcus revinrent à la mémoire de Julian. Nell s'était parfaitement adaptée à Wyndham Manor. Elle avait tout de suite trouvé le ton juste avec les domestiques qui, même s'ils ne se seraient jamais permis le moindre commentaire, appréciaient visiblement leur nouvelle maîtresse. Mais comment réagirait-elle face aux sautes d'humeur et aux caprices de Diana ?

— N'est-ce pas ? insista-t-elle. C'est sa maison ?

— Pas exactement, rétorqua Julian. *C'était* sa maison, et je ne veux surtout pas qu'elle se sente indésirable. Mais c'est chez nous, désormais, et c'est toi la châtelaine de Wyndham Manor, pas ma belle-mère. Elizabeth et elle seront nos invitées.

Le comte méditait encore sur le retour inopiné de lady Diana quand Dibble vint lui annoncer l'arrivée de Marcus. Il était toujours heureux de voir son cousin, surtout quand celui-ci venait le distraire de ses soucis, et il l'accueillit à bras ouverts. Les deux hommes s'installèrent dans le bureau du maître de maison, une grande pièce remplie de livres égayée par un somptueux tapis persan et des rideaux de velours bleu roi. Il pleuvait depuis le matin et une bonne flambée illuminait cette pièce un peu austère.

— Tu as choisi une bien vilaine journée pour arpenter la campagne, remarqua Julian une fois que le majordome eut apporté un grand bol de grog fumant. Il n'y a rien de grave, j'espère ?

— Non, rien de grave ni même d'urgent, mais je ne voulais pas que vous tombiez nez à nez au détour d'un chemin. Une telle rencontre amuserait certes beaucoup Raoul, quant à Charles… Il est parfaitement capable de s'inviter à dîner ici avec ce gredin. Il a tous les toupets et cela ne rend pas toujours intelligent.

— De quel gredin parles-tu ?

— Tu ne devineras jamais qui j'ai rencontré hier après-midi à Dawlish ? Charles et Raoul, accompagnés de lord Tynedale ! Il faut rendre justice à Charles, il ne paraissait pas enchanté d'une telle compagnie, mais cette canaille se rengorgeait et faisait la roue, tout en se répandant en compliments sur l'hospitalité à Stonegate. Il paraissait décidé à y rester un bon moment. Raoul s'est montré égal à lui-même et m'a fait un interminable exposé sur la façon dont Tynedale nouait sa cravate. Crois-moi, j'ai dû me retenir pour ne pas leur flanquer mon poing dans la figure à tous les trois !

Depuis son mariage, Julian avait complètement oublié la fripouille qui avait pourtant provoqué sa rencontre avec Nell, et il se le reprocha. Il avait racheté les dettes du misérable, il avait donc les moyens de le faire payer pour le rôle qu'il avait joué dans la mort de son filleul. Daniel serait vengé, c'était une chose acquise, le tout était de décider quand.

Il ne croyait pas ce débauché prêt à se mettre au ban de la société pour le seul plaisir de salir la réputation de la nouvelle comtesse de Wyndham, mais les réactions d'un homme aux abois n'obéissent pas forcément à une logique rigoureuse. Peut-être que ce forban était disposé à se déshonorer si le scandale pouvait éclabousser Nell et, par ricochet, Julian.

Et puis, il y avait Charles... Charles constituait effectivement une difficulté parce qu'il était imprévisible. S'il apprenait dans quelles circonstances Nell et lui s'étaient mariés, il pouvait très bien partir en guerre sous prétexte de protéger leur nom, ou jeter de l'huile sur le feu, juste pour le plaisir. Avec ce ludion, on ne savait jamais à quoi s'attendre.

— À part le meurtre, je ne vois aucun moyen de se débarrasser de Tynedale, reprit Marcus. Bien entendu, si tu le souhaites, je peux le provoquer en duel, en mémoire de Daniel.

Le comte essayait de rassembler rapidement ses idées. Marcus ne connaissait pas le rôle qu'avait joué Tynedale dans sa rencontre avec Nell. Il avait confiance en son cousin et le savait discret, mais moins de gens connaîtraient la vérité, moins elle risquerait de transpirer. Leurs fiançailles, puis leur mariage précipité avaient déjà fait suffisamment jaser, si le rôle de cette canaille devenait public, c'était le scandale à coup sûr.

— Que comptes-tu faire ? interrogea Marcus. Tu as beau être le chef de famille, je ne pense pas que, même si tu le lui ordonnes, cela suffira à convaincre Charles de renvoyer Tynedale à ses affaires.

— C'est compliqué… commença Julian. Plus que tu ne le penses.

S'il n'avait tenu qu'à lui, il se serait confié à son cousin sans hésiter, mais il s'agissait du secret de Nell autant que du sien. Sur une impulsion, il sonna Dibble.

— Lady Wyndham est dans la maison ? s'enquit-il auprès du majordome.

— Elle fait son courrier dans son petit salon, milord.

— Excuse-moi un instant, veux-tu, demanda-t-il à son visiteur, visiblement perplexe. Je ne serai pas long.

Il grimpa l'escalier quatre à quatre jusqu'aux appartements de sa femme, qui l'accueillit avec un sourire.

— Tu as fini tes comptes ? s'enquit-elle.

— Pas tout à fait, mais je voulais te parler,

Il traversa la pièce, tira un siège près d'elle et lui prit la main après s'être assis.

— J'ai appris que Tynedale est dans les environs, expliqua-t-il. Il séjourne chez mon cousin, pour ne rien te cacher.

— Comment est-ce possible ? fit Nell, qui avait pâli. Je n'imagine pas Marcus frayer avec un aussi vil personnage.

— Tu n'as pas encore rencontré toute la famille. J'ai toute une ribambelle de cousins et de cousines, mais ceux qui nous occupent pour le moment, et qui habitent à moins de dix lieues d'ici, ce sont Charles et Raoul Weston. Leur père était le frère jumeau du mien, et le suivant après moi pour la succession au titre. Pour différentes raisons, et surtout parce que c'est moi qui ai hérité du titre, nous sommes plutôt en froid, même si cela n'a pas toujours été le cas. Mais le fait est qu'ils ne seraient peut-être pas fâchés de me voir éclaboussé par un scandale.

— Tu crois que Tynedale oserait colporter le bruit qu'il m'a enlevée ? demanda-t-elle, avant d'ajouter, affolée : Oh, Seigneur, j'espère que nous ne serons pas obligés de le côtoyer !

— C'est bien ce qui me préoccupe. Il est parfaitement capable de tout raconter à mes cousins. Quant à le rencontrer en visite, je crois que nous n'avons pas grand-chose à craindre. Charles n'est pas idiot, il ne prendrait pas le risque de l'emmener là où je risque de me trouver. En revanche, je ne serais pas étonné que Tynedale essaie de jouer au chat et à la souris avec nous. J'ai les moyens de le ruiner, expliqua-t-il posément, puisque j'ai racheté toutes ses dettes. Il l'a certainement appris, et il s'est peut-être mis en tête de monnayer son silence.

— Il ne faut surtout pas céder, décréta Nell en serrant la main de son mari. C'est un être sans scrupules, qui n'a aucune parole.

— Je suis de ton avis. Je viens d'apprendre qu'il est à Stonegate, et je n'ai pas encore décidé de la conduite à tenir, mais il n'en constitue pas moins un danger pour nous. Je veux qu'il s'en aille, et qu'il se taise. Et s'il raconte à Charles ou à Raoul qu'il t'a enlevée, je ne réponds pas des conséquences.

— Tes cousins ne font donc aucun cas de leur nom et de la réputation de leur famille ? Un scandale qui nous toucherait les éclabousserait aussi.

— À voir le genre de vie que mène Charles, j'en viens parfois à me dire qu'à part hériter de mon titre et de ma fortune, tout ce qui touche à notre famille lui est parfaitement indifférent. Il peut aussi bien prendre notre parti avec fougue que nous traîner dans la boue.

— Je ne t'ai apporté que des ennuis, alors que tu t'es montré si gentil avec moi, murmura Nell d'un air chagrin. Et voilà que tu risques d'être déshonoré à cause de moi, et toute ta famille avec toi. Si je n'étais pas allée me réfugier dans ce poste d'octroi, rien de tout ceci ne serait arrivé !

— Je n'ai pas été « gentil » avec toi, rétorqua le comte en se levant. J'ai fait ce que je désirais.

À en juger par son expression, Nell n'en croyait pas un mot.

— Quoi qu'il en soit, nous sommes mariés, reprit Julian, un peu agacé, en arpentant la pièce, et Tynedale nous menace tous les deux. Il nous faut garder la tête froide et rassembler nos forces si nous voulons que notre réputation demeure intacte.

— Tu en parles comme d'une bataille.

— C'en est une, d'une certaine façon, et je compte bien la gagner. Mais j'ai besoin de ton aide.

— Tu peux compter sur moi, déclara-t-elle avec feu en se levant pour le rejoindre. À nous deux, nous battrons Tynedale à plate couture !

— Tout ce que je te demande pour le moment, c'est de me permettre d'expliquer à Marcus le rôle qu'a joué cette fripouille dans notre mariage.

Nell cilla, prise de court, réfléchit un instant, puis :

— Si cela peut nous aider à vaincre ce gredin, raconte tout à ton cousin !

Elle assortit ses paroles d'un charmant sourire qui fit tressaillir le cœur de Julian. L'attirant contre lui, il lui donna un long baiser.

— Et je ne suis pas « gentil » avec toi, grommela-t-il quand il la lâcha.

9

Laissant une Nell perplexe, Julian regagna le bureau où l'attendait Marcus.

— Une urgence ? questionna celui-ci.

— Pas exactement, mais ce que j'ai à te dire ne concerne pas que moi, et je voulais l'autorisation de ma femme avant de t'en parler.

— Ai-je bien entendu ? s'écria Marcus, une lueur amusée dans les yeux. Mes sens me tromperaient-ils ? Suis-je bien en face du célèbre Julian Weston, comte de Wyndham et bourreau des cœurs de son état ? Ai-je donc vécu jusqu'à ce jour pour le voir tomber sous le joug d'une représentante du beau sexe ?

— Ne ris pas trop vite. Le jour viendra où ce sera ton tour, et peut-être plus tôt que tu ne penses !

— Non, pitié ! Ne me parle pas de mariage ! La vie que je mène me convient parfaitement et, contrairement à toi, je n'ai pas à me préoccuper de transmettre un titre au fruit de mes entrailles.

— Mais tu as des terres et une fortune considérable, et il faudra bien que quelqu'un en hérite.

— Ce n'est pas pour discuter de ma fortune et de ma succession que tu es monté consulter ta femme, j'espère ?

Abandonnant le ton de la plaisanterie, Julian expliqua rapidement à Marcus les circonstances de sa rencontre avec Nell. Quand il eut terminé, il s'adossa à son siège et attendit la réaction de son cousin.

— Je me suis toujours trouvé très perspicace, mais cette fois-ci, j'aurais pu donner ma langue au chat. Quand tu m'as annoncé tes noces, je sentais bien que tu me cachais quelque chose, mais je n'aurais jamais soupçonné la vérité. Tu crois que si Tynedale est venu séjourner à Stonegate, c'est qu'il médite un mauvais coup ?

— C'est possible, bien que je n'y croie guère.

— Je me demande s'il a compris que Charles, si l'envie lui en prenait, pourrait se révéler un allié précieux pour ruiner la réputation de ta femme. Tu te rends compte que si cette histoire s'ébruite, c'est elle qui en souffrira le plus ? Après tout, tu es le comte de Wyndham, tandis qu'elle n'était, jusqu'à son mariage, qu'une petite provinciale inconnue – quoique riche et ravissante. C'est elle qui sera la cible de tous les commérages. Certains te plaindront d'être tombé entre ses griffes, d'autres te traiteront de cocu pour avoir épousé les restes de Tynedale, mais c'est elle qui sera vilipendée.

— Surveille tes paroles, conseilla Julian d'un ton glacial. Ne t'avise plus jamais de parler de ma femme comme « des restes de Tynedale ». Elle a été la victime de cette canaille et je ne permettrai pas à qui que ce soit de lui manquer de respect. J'aurais demandé raison à un autre que toi s'il avait parlé d'elle comme tu viens de le faire.

— Ne monte pas sur tes grands chevaux avec moi, je t'en prie, tu te tromperais d'ennemi ! J'ai la plus grande estime pour ton épouse et tu me trouveras toujours à tes côtés pour la défendre. Je ne faisais qu'imaginer ce que d'autres diront. Personnellement, je suis convaincu que votre mariage est ce qui t'est arrivé de mieux depuis longtemps et pour un peu, j'irais remercier Tynedale d'avoir provoqué votre rencontre.

— Nous sommes du même avis, confirma Julian avec un sourire en coin.

— Que décidons-nous ? Je déteste attendre comme un idiot qu'on nous attaque. Je préfère de loin prendre l'initiative.

— Moi aussi, mais, pour le moment, à part le tuer, je ne vois pas d'issue. Si je prends les devants, Tynedale va se croire plus fort qu'il n'est en réalité. Les reconnaissances de dettes ne me servent à rien pour l'instant. Si je les échange contre son silence, rien ne me garantit qu'il tiendra parole une fois qu'elles seront entre ses mains, comme Nell me l'a fait remarquer.

Se rembrunissant, Julian ajouta :

— En fait, c'est lui qui a les meilleures cartes en main ! Il lui suffirait d'altérer ne serait-ce que légèrement la vérité pour se donner le beau rôle et apparaître comme la victime, expliqua-t-il devant la mine sceptique de Marcus. Il peut raconter que sir Edward refusait de lui accorder la main de sa fille, qu'elle l'a suivi de son plein gré et qu'ils ont été séparés par la tempête. Mon arrivée a ruiné leurs plans. C'est moi qui ai compromis Nell et l'ai arrachée aux bras de son véritable amour. De cette façon, je me retrouve à endosser le mauvais rôle, ma femme est éclaboussée par le scandale et lui s'attire toutes les sympathies.

— Bon sang, tu as raison ! Eh bien, il n'y a qu'une solution, il faut que je le tue en duel. Charles aussi, pour bien faire, mais tuer un parent est contre mes principes.

— Contre les miens aussi, figure-toi, rétorqua en riant Julian. En outre, je n'ai pas pour habitude de me battre par procuration. Je ne sais pas encore comment, mais nous viendrons à bout de Tynedale, je te le promets !

Le temps tournait à l'orage et Marcus, cédant aux prières de Julian, accepta de rester dîner. Nell n'était pas très à l'aise quand elle rejoignit les messieurs dans la salle à manger. Elle craignait que leur cousin n'ait une mauvaise opinion d'elle, mais l'attitude de ce dernier ne tarda pas à la rassurer et, quand ils arrivèrent au dessert, elle avait compris qu'elle aussi avait en Marcus un ami sincère et fidèle.

Avant de laisser les deux hommes déguster leur cognac, elle suggéra, puisque le temps ne s'améliorait pas, que leur cousin passe la nuit à Wyndham Manor, ce qu'il accepta de bon cœur.

Nell battit en retraite dans le petit salon vert à l'arrière du château, une pièce beaucoup plus intime que les salons d'apparat, et qui était devenue sa préférée. Lorsque Dibble lui apporta son thé, elle lui demanda de faire préparer une chambre pour Marcus.

Les deux hommes la rejoignirent peu après.

— Cela ne vous ennuie pas qu'un valet de pied vous serve de valet de chambre, j'espère ? dit-elle à Marcus.

— Ma chère, non seulement je n'y vois aucun inconvénient, mais je vous remercie de votre hospitalité.

— Il faudra aussi que je te prête du linge propre demain matin, j'imagine ? intervint Julian.

— Je préfère que tu ne me prêtes pas ton linge sale, effectivement !

Ils bavardèrent tranquillement jusqu'à ce que Nell les laisse à leur partie de piquet et monte se coucher.

Elle était plus fatiguée que d'ordinaire, constata-t-elle en se mettant au lit. Pourtant, une fois couchée, le sommeil ne vint pas. Elle se tournait et se retournait, essayant d'ignorer la nausée qu'elle avait commencé à ressentir après le dîner, mais qui se faisait de plus en plus insistante. Finalement, elle se redressa dans l'intention de sonner pour demander une tasse de thé. Ce fut une erreur. Elle n'eut que le temps de bondir hors du lit et de saisir le pot de chambre avant de rendre tout son dîner.

Quand la porte de communication s'ouvrit, elle leva vers Julian un visage défait.

— Nell ! s'écria-t-il en se hâtant vers elle. Qu'est-ce qui t'arrive, mon cœur ?

Mortifiée qu'il la trouve dans cette position, elle l'arrêta d'un geste et partit en titubant dans son cabinet de toilette. Elle se lava le visage et se rinça la bouche. Le reflet que son miroir lui renvoya lui arracha une grimace. Livide, les yeux immenses, les traits creusés, elle avait vraiment tout pour plaire à un jeune marié amoureux…

— Je n'aurais pas dû manger de homard, cela ne me réussit jamais, expliqua-t-elle lorsqu'elle fut de retour dans sa chambre.

— Veux-tu que je te fasse monter quelque chose ? s'enquit-il, visiblement inquiet.

— Un peu de thé, s'il te plaît.

Il l'aida à se remettre au lit et sonna la femme de chambre. Quelques minutes plus tard, Nell avalait son thé brûlant à petites gorgées en priant le ciel pour que son estomac le supporte. Elle s'était sentie suffisamment humiliée et ne tenait pas à vomir sur les genoux de Julian.

Encore une fois, elle n'eut que le temps de bondir du lit. Si elle s'était sentie embarrassée que Julian la voie malade, que dire de la honte qu'elle éprouva tandis qu'il lui soutenait la tête au-dessus du pot de chambre ? Quand ses spasmes s'apaisèrent enfin, il alla déposer le pot souillé dans le cabinet de toilette et revint avec une serviette mouillée pour lui essuyer le visage. Son humiliation était totale. Elle n'oserait plus jamais le regarder dans les yeux, désormais.

— Je suis désolée, murmura-t-elle.

— Il n'y a pas de quoi. Cela arrive à tout le monde d'être malade. Tu te sens mieux, à présent ?

Elle fit signe que oui, en priant intérieurement pour qu'il retourne dans sa chambre et la laisse mourir en paix.

— Allonge-toi et essaie de dormir, conseilla-t-il en lui caressant les cheveux. Je ferai venir le médecin demain matin à la première heure.

— Oh, ce n'est pas la peine ! assura-t-elle. J'irai bien demain. C'est le homard, tu sais.

— Je préfère tout de même que tu voies le Dr Coleman. C'est un très bon médecin, et il est charmant. Il te plaira, j'en suis sûr.

Nell eut beau protester, il n'en démordit pas.

— Dors maintenant, murmura-t-il après lui avoir déposé un baiser sur le front Si tu as besoin de quoi que ce soit, appelle-moi. Je laisse la porte ouverte et je t'entendrai.

Elle finit par trouver le sommeil, non sans mal, et passa une nuit somme toute paisible.

Quand elle s'éveilla le lendemain matin, la tempête s'était calmée, et son estomac aussi.

Elle lézarda dans un bon bain chaud et, une fois coiffée et parfumée, revêtit une jolie robe de cachemire vert d'eau, avant de rejoindre les messieurs dans la salle à manger où, après les avoir rassurés sur sa santé, elle se servit un copieux petit déjeuner.

— J'ai toujours eu bon appétit, expliqua-t-elle à Marcus qui regardait avec étonnement son assiette pleine. Et mon père a coutume de dire qu'il ne faut pas commencer la journée avec l'estomac creux.

— Je suis content de voir que vous êtes complètement remise, commenta Julian, revenant au vouvoiement dès qu'ils étaient en présence d'un tiers.

— Ce n'est plus qu'un mauvais souvenir. Je vous avais bien dit que je n'avais pas besoin de médecin.

— Je lui ai quand même demandé de passer le plus tôt possible.

— On ne vous a jamais dit que vous étiez parfois autoritaire et tyrannique ? lança Nell en plissant le nez.

— C'est effectivement les termes qui conviennent, intervint Marcus. Je le lui ai répété des dizaines de fois, mais, hélas, belle dame, l'illustre comte de Wyndham n'entend pas les remarques des simples mortels comme vous et moi !

— Tu peux me rappeler pourquoi tu es mon cousin préféré ? riposta le comte.

Le déjeuner fut joyeux et Nell regretta sincèrement de voir partir leur visiteur.

— Je l'aime beaucoup, dit-elle à son mari tandis qu'ils pénétraient dans le hall après l'avoir regardé s'éloigner.

— Cela me fait plaisir. Nous avons toujours été très proches, et Marcus est plus un frère qu'un cousin pour moi.

— Pas comme Charles et Raoul ?

— Ma relation avec Charles est difficile à comprendre quand on ne connaît pas l'histoire familiale, expliqua Julian en la faisant entrer dans son bureau. Nous avons été très proches à une époque mais...

— Mais ?

— C'est compliqué, commença-t-il, lui indiquant un fauteuil près du feu. C'est une longue histoire, et il faudrait que je retrace un peu la généalogie familiale.

— Je suis tout ouïe.

Il hésita, soupira, puis :

— Mon père avait un frère jumeau.

— Ils se ressemblaient autant qu'Andrew et Henry ?

— Oui. Mon père, Fane, et mon oncle Harlan étaient nés à quelques minutes d'intervalle et se ressemblaient comme deux gouttes d'eau, physiquement du moins, car ils étaient très différents de caractère. Mon grand-père, le vieux comte, comme on l'appelait, était un débauché comme on n'en fait plus, qui s'était taillé une solide réputation de séducteur, de joueur et d'ivrogne. Harlan tenait de lui, tandis que mon père tenait plutôt de sa mère.

— Donc, si ton père n'était pas né quelques minutes plus tôt, Harlan aurait hérité du titre ?

— Tu as compris. En vieillissant, mon oncle s'est mis à remâcher continuellement son amertume. Je me souviens qu'une fois où il avait bu encore plus que de coutume, peu de temps avant sa mort, il avait osé affirmer que c'était lui l'aîné et que son frère et lui avaient été intervertis à la naissance.

— Ce n'est pas très logique.

— Oncle Harlan et la logique ne faisaient pas toujours bon ménage. Quand il voulait, il pouvait se montrer le meilleur des oncles, mais…

— Mais il ne voulait pas souvent, murmura Nell.

— En effet. Lorsque j'étais enfant, mon père et mon oncle étaient très proches, comme c'est souvent le cas pour des jumeaux. Ils se disputaient parfois, bien sûr, mais il y avait entre eux un lien qui paraissait indissoluble. Quand sa première femme est morte, et que John et Charles se sont retrouvés pratiquement abandonnés, mon père l'a tenu à bout de bras pendant des mois, jusqu'à ce qu'il se reprenne. Et après le décès de ma mère, quelques années plus tard, mon père s'est beaucoup appuyé sur Harlan. Jusqu'à la disparition de John, nos deux familles étaient inséparables.

— Tu parles de John et de Charles, mais jamais de Raoul, s'étonna Nell.

— Raoul est arrivé plus tard. Sa mère, prénommée Sophie, est la seconde femme de mon oncle.

— D'où son prénom.

— Le mariage de mon oncle avec Sophie a fait sensation à l'époque. Cela en ferait certes plus maintenant, avec la guerre contre Napoléon, mais on a tout de même beaucoup jasé.

— Elle vit toujours ?

— Mais oui. À Stonegate, ce qui donne au manoir un semblant de respectabilité. Sans elle, Charles et Raoul en feraient un véritable tripot.

— Tu ne brosses pas d'eux un portrait très engageant.

— Ils peuvent se montrer charmants, comme oncle Harlan, et à une époque j'étais aussi proche d'eux que je le suis de Marcus. Quand nous étions jeunes, je passais autant de temps à Stonegate qu'ils en passaient ici, comme Marcus. Nous avons tous grandi ensemble, en fait. John avait cinq ans de plus que moi et nous avons toujours été très proches. Quand son fils Daniel est né, il m'a demandé de lui servir de père si jamais il lui arrivait quelque chose. Ce n'est pas le genre de pensée qui vient habituellement quand on fête une naissance, mais nous avions beaucoup bu, et j'ai accepté sans me douter que j'aurais un jour à tenir ma promesse.

Comme il demeurait silencieux, le visage sombre, Nell demanda doucement :

— Qu'est-il arrivé à John ?

— Il a été assassiné lorsque son fils avait à peine douze ans.

— Assassiné ? Mais c'est abominable !

— C'est la pire tragédie qui ait jamais frappé ma famille – pire encore que la mort de ma mère et de ma tante. Nous étions tous anéantis. J'ai toujours pensé que la mort de son fils aîné a précipité la déchéance d'oncle Harlan. Il avait toujours beaucoup bu, mais après le meurtre de John, il est devenu un véritable ivrogne, et il s'est mis à jouer... En quelques mois, il a perdu pratiquement toute sa fortune, qui était considérable. Il m'en voulait d'être le tuteur de son petit-fils, mais quand il s'est vu au bord de la ruine, il s'est pris d'une véritable haine pour mon père et moi.

— Mais vous n'y étiez pour rien ! s'insurgea Nell. Vous n'aviez pas assassiné son fils et tu ne t'étais pas décrété tuteur de son petit-fils.

— Cela n'empêchait pas Harlan de nous reprocher tous ses malheurs. Et Charles et Raoul ont pris le parti de leur père: puisqu'il nous en voulait, ils nous en ont voulu aussi. Leur attitude n'est ni logique ni sensée... Si mon oncle avait vécu, peut-être auraient-ils fini par revenir à de meilleurs sentiments, mais il est mort moins d'un an après John. Un soir d'ivresse, il est tombé dans l'escalier de Stonegate.

— C'est horrible, mais, là encore, vous n'y étiez pour rien, ton père et toi. Charles et Raoul ne peuvent pas vous le reprocher.

— Sans doute, mais ils sont pourtant convaincus que si mon père ne s'était pas montré aussi égoïste – c'est le terme employé par Raoul – en refusant de payer les dettes de son frère, celui-ci n'aurait pas bu autant et ne serait pas tombé. Charles a été aussi profondément blessé que son frère aîné me confie la garde de Daniel. Il s'est senti méprisé et m'en a beaucoup voulu. Et personne n'est plus rancunier que Charles, conclut-il amèrement.

— Eh bien, ils ont tort, comme ton oncle! répliqua fermement Nell. Et Daniel, que lui est-il arrivé?

En quelques mots, Julian lui raconta ce qui avait conduit son neveu au suicide.

— *Tynedale!* s'écria-t-elle. Jamais je n'aurais imaginé qu'on puisse se montrer aussi vil! Il a poussé ce garçon au suicide, il m'a enlevée... Cet homme est un véritable fléau. Il faut le mettre hors d'état de nuire, Julian!

— J'ai déjà essayé, mais je ne suis parvenu qu'à lui laisser cette cicatrice au visage.

— C'est toi qui l'as défiguré? Bien joué! s'enthousiasma-t-elle. Quel dommage que tu ne l'aies pas tué!

— C'est bien mon avis ! Puisque je n'avais pas réussi à le tuer en duel, j'avais projeté de le ruiner. C'est pour cela que j'ai racheté ses dettes.

— La situation est très compliquée, murmura-t-elle pensivement. Je comprends pourquoi tu ne veux pas utiliser ces reconnaissances de dettes. Tu es sûr que Charles et Raoul prendraient son parti contre toi ?

— Difficile à dire. Nos relations sont devenues très tendues ces dernières années. Nous ne sommes pas vraiment à couteaux tirés, nous pouvons sauver les apparences si nous nous rencontrons dans le monde, mais leur ressentiment est patent.

— Charles est ton héritier ?

— Oui, à moins que nous ayons un fils.

Un enfant. Celui de Julian... Cette possibilité n'avait pas traversé l'esprit de Nell. Pour la première fois de sa vie, elle demeura sans voix. Se remémorant leurs nuits passionnées, son cœur se mit à battre plus vite. Elle pouvait fort bien être déjà enceinte... Une douce chaleur l'envahit. Elle n'imaginait rien de plus merveilleux que de tenir leur bébé dans les bras.

Le comte l'étudiait avec attention, s'efforçant de deviner ses pensées. Catherine ne voulait d'enfant à aucun prix, mais il n'avait jamais abordé le sujet avec Nell. Elle ne ressemblait certes en rien à sa première femme, mais malgré leur intimité, ils se connaissaient peu. Et elle avait montré tellement de réticences à l'épouser...

L'entrée de Dibble l'arracha à ses pensées.

— Le médecin est arrivé, milord.

— Conduisez-le dans les appartements de la comtesse. Elle le rejoint tout de suite.

Le majordome à peine sorti, Nell se leva.

— Je t'ai dit que je n'avais pas besoin de voir un médecin.

— Et je t'ai répondu que je n'étais pas du même avis, rétorqua Julian.

— Et si je refusais ?

— Cela m'ennuierait, mais je me verrais contraint de te porter moi-même dans tes appartements.

Nell trouvait cette perspective plutôt tentante, et elle se demanda un instant si elle n'allait pas l'y obliger, puis elle décida qu'elle aurait certainement des occasions plus importantes de vérifier son pouvoir sur lui.

— Tyran !

— C'est pour ton bien, assura-t-il avec un sourire en coin. Allons, viens, que je te présente le Dr Coleman.

Le cœur de Nell s'arrêta de battre lorsqu'elle se trouva en face du praticien. C'était le sosie de son mari, et on aurait pu les confondre ! En les regardant plus attentivement l'un et l'autre, elle trouva un certain nombre de différences faciles à remarquer pour un œil exercé, mais la ressemblance était suffisamment frappante pour tromper un étranger.

Après les présentations et quelques minutes de conversation, le comte s'éclipsa.

— Voulez-vous que nous passions dans votre cabinet de toilette, milady ? Je vous promets que cet examen ne sera pas long.

Il ressemblait décidément beaucoup à Julian. Les mêmes yeux de jade, le même sourire...

— Ce n'est vraiment pas nécessaire, assura-t-elle. Je n'ai pas supporté le homard d'hier soir, mais je me sens très bien, à présent.

— J'en suis convaincu, mais nous allons faire le minimum pour être agréable à lord Wyndham, si vous n'y voyez pas d'inconvénient, bien entendu.

Décidément, le Dr Coleman plaisait bien à la jeune femme, qui le précéda dans son cabinet de toilette en riant.

— Vous habitez près d'ici ? s'enquit-elle.

— À moins de deux lieues, à Rose Cottage.

— Oh, je vois très bien. C'est un endroit charmant !

Elle aurait aimé l'interroger davantage, mais il l'avait fait asseoir tandis qu'il ouvrait sa sacoche de cuir noir, et elle comprit que les choses sérieuses commençaient.

— Je vais devoir vous poser quelques questions et prendre votre pouls si je veux être capable de regarder lord Wyndham dans les yeux. Vous n'y voyez pas d'inconvénients ?

Elle n'en voyait aucun. Il était tellement aimable et sa conversation tellement distrayante qu'elle répondit à toutes ses questions sans même s'apercevoir qu'il procédait à un examen complet.

— Vous êtes un homme habile et un fin diplomate, docteur, le félicita-t-elle en le raccompagnant. Mon mari sera content de vous.

— Vous m'avez percé à jour, mais ne m'en veuillez pas ! Lord Wyndham est un homme bien et je ne voudrais pas le mécontenter. Et puis, ce n'était pas si pénible, n'est-ce pas ?

— Non, ça ne l'était pas, admit Nell. Si j'ai vraiment besoin d'un médecin, je saurai que je suis en de bonnes mains avec vous.

— Vous êtes en excellente santé, milady, et je doute que vous ayez besoin de mes services avant un moment, mais je vous remercie de votre amabilité.

Nell laissa Dibble conduire le médecin jusqu'au bureau de son mari. La ressemblance entre les deux hommes l'intriguait beaucoup et elle n'avait qu'une hâte : interroger Julian.

— Je suppose que tu es venue savourer ton triomphe ? plaisanta ce dernier quand elle le rejoignit après le départ du praticien. Coleman m'a assuré que tu étais en parfaite santé et que si tout le monde se portait aussi bien que toi, il mourrait de faim.

— Je te l'avais bien dit. La prochaine fois, tu m'écouteras peut-être.

— Tout s'est bien passé ?

— Oui. Il est vraiment charmant et il a procédé à un examen très complet pratiquement sans que je m'en rende compte. Il me plaît bien.

— Je me doutais qu'il te plairait.

— Il te ressemble comme un frère, lâcha-t-elle à brûle-pourpoint. On vous prendrait pour des jumeaux...

— Attends de rencontrer mon cousin Charles, répliqua Julian. Tous les Weston ont un air de famille, mais Charles et moi pourrions vraiment passer pour des jumeaux.

— Le Dr Coleman ne fait pas partie de la famille si je ne m'abuse. À moins que quelque chose m'ait échappé. Serait-ce un cousin de plus ? s'enquit-elle innocemment.

Le comte hésita un instant, mais Nell était maintenant une Weston, et il préférait lui dévoiler lui-même les secrets de famille plutôt qu'elle ne les découvre par la voie de commérages plus ou moins bien intentionnés.

— Ce serait plutôt un oncle, mais de la main gauche, admit-il à contrecœur.

— C'est un enfant illégitime ? s'exclama Nell, visiblement choquée.

— Tu te souviens de ce que je t'ai dit à propos du vieux comte ? Tu risques de trouver un air de famille à beaucoup de gens de la région. Coleman n'est qu'un des nombreux... enfants illégitimes que mon grand-père a semés dans les environs avec une grande libéralité. C'est l'un des plus respectables, heureusement.

— Tu ne trouves pas cela gênant ?

— Personne n'en a jamais fait mystère chez les Weston. J'ai toujours su que j'avais un certain nombre d'oncles et de tantes de la main gauche dans les environs. Il faut dire à la décharge de mon grand-père qu'il les reconnaissait et qu'il les établissait confortablement. Mais là s'arrêtaient ses devoirs paternels, de son point de vue du moins.

— Finalement, ta famille est *bien* plus intéressante que la mienne, remarqua Nell après un temps de réflexion.

Julian, qui avait craint de baisser dans son estime, éclata de rire. Décidément, sa femme ne cesserait jamais de le surprendre. Du moins l'espérait-il !

Le bruit d'une voiture qui s'immobilisait devant le perron les fit tressaillir. Ils échangèrent un regard.

— Tu attends quelqu'un ? questionna-t-elle.

— Non.

Un certain tumulte dans le hall ajouta à leur étonnement. Sortant du bureau, ils découvrirent un amoncellement de malles et de cartons à chapeaux dans le hall. Tel un général à la bataille, Dibble tentait d'organiser le chaos et donnait des instructions à une armée de domestiques affolés qui tournoyaient comme des toupies autour d'une femme vêtue de fourrures et portant un chapeau surmonté de plumes d'autruche rose indien.

— Oh, Julian ! Je sais que j'aurais dû vous prévenir, mais je n'en pouvais plus ! s'exclama la femme en question en se jetant au cou du comte. Je devais *absolument* rentrer à la maison. Londres est abominable sans vous !

Lady Diana venait d'arriver.

[illegible] Nous venons d'arriver.

10

— Nous sommes désolées d'arriver à l'improviste, s'excusa Elizabeth, mais maman ne supportait plus Londres. J'espère que vous ne nous en voulez pas, ajouta-t-elle avec un sourire timide à l'adresse de Nell. Et que cela ne vous cause pas un trop grand désagrément.

— Mais bien sûr que non ! intervint Diana, visiblement de mauvaise humeur. Il me semble que nous pouvons rentrer à la maison à tout moment sans que cela dérange qui que ce soit. N'est-ce pas, Julian ? Vous ne jetteriez pas votre belle-mère dehors, tout de même ?

— Non, bien sûr, intervint Nell en riant sous cape devant l'air affolé de son mari. Mis à part Dower House, avec toutes les propriétés qu'il possède, je suis certaine que mon époux trouvera toujours un toit pour vous abriter. En attendant, ajouta-t-elle en prenant le bras de lady Diana, nous sommes ravis de vous avoir chez nous, Elizabeth et vous.

Elle conduisit les nouvelles venues devant un valet de pied quelque peu dépassé et les invita à lui confier leurs manteaux et chapeaux, avant de les guider d'un pas déterminé vers le petit salon.

— Ce sera délicieux d'avoir de la compagnie, poursuivit la jeune femme. Mais après ce long voyage, je suis certaine que vous êtes impatientes de vous rafraîchir et de vous reposer un peu. Nous avions déjà pris quelques dispositions en prévision de votre arrivée, et je suis sûre que vos appartements ne tarderont pas à être prêts. N'est-ce pas, Dibble ?

— Mais certainement, milady, acquiesça le majordome, plein d'admiration pour la façon dont sa maîtresse avait pris la situation en main.

— Parfait ! En attendant, pouvez-vous faire servir le thé dans le salon vert, je vous prie ?

— Tout de suite, milady.

— Vous voyez, tout sera prêt dans un instant, déclara Nell à l'adresse de Diana. Mais venez donc me raconter votre voyage.

Perdu au milieu de l'amas de bagages, Julian regarda s'éloigner le trio. Nell avait coupé l'herbe sous le pied de sa belle-mère avec une maestria qui le confondait, et si les relations entre les deux femmes venaient à s'envenimer, il ne donnerait pas cher de Diana.

Nell ne manquait pas de sang-froid et lady Diana, si elle pouvait faire preuve d'étourderie et se montrer parfois vexante, n'était pas méchante. Malgré quelques petites frictions, la comtesse douairière et sa fille s'adaptèrent à leur nouveau statut à Wyndham Manor sans difficultés majeures.

Tandis que l'hiver avançait, les promenades et les sorties devinrent de plus en plus difficiles. Nell étant occupée avec lady Diana à la rénovation de Dower House, Julian en profita pour se consacrer à l'administration de ses biens. Il avait un personnel de confiance à qui il pouvait facilement déléguer l'exécution de certaines tâches, et tout allait pour le mieux. Seul l'entretien qu'il eut avec son garde-chasse lui causa quelques soucis.

— Des déprédations inhabituelles ? Qu'entendez-vous par là ?

John Hunter, le garde-chasse, était de toute évidence un autre rejeton du vieux comte, et Julian s'était souvent demandé comment son père avait supporté d'avoir à son service un de ses demi-frères. En ce qui le concernait, donner des ordres à un oncle, même illégitime, le mettait mal à l'aise.

Hunter avait la haute taille de tous les Weston, les mêmes sourcils broussailleux et le même regard de jade. C'était un homme impressionnant, qui avait toujours une cravache à la main et n'hésitait pas à frapper quiconque braconnait sur les terres de son maître. Il avait vingt-cinq ans de plus que Julian, qui l'avait toujours connu et qui le savait parfaitement compétent.

— Je vous ai souvent mis en garde, milord. Vous avez la main trop légère et maintenant vous en payez le prix. Un vaurien s'introduit sur vos terres comme en pays conquis et vient impunément décimer votre gibier.

— Je suis sûr que vous exagérez, Hunter ! De toute façon, je ne veux pas qu'on s'en prenne au pauvre hère qui attrape de temps à autre un lièvre ou une perdrix, vous le savez bien.

— Oui, je le sais, soupira John Hunter, mais il ne s'agit pas de ça. J'ai retrouvé les restes d'une boucherie innommable dans les bois du nord. Rien à voir avec un pauvre diable qui cherche de quoi nourrir sa famille, croyez-moi, milord. Celui qui a fait ça est un monstre ! Les bêtes ont été littéralement mises en pièces, puis il a laissé les dépouilles pourrir sur place.

— Il n'a pas emporté ses prises ?

— Pas le plus petit morceau, pour autant que je sache. Et il n'a même pas cherché à cacher ses forfaits. Comme s'il voulait qu'on les trouve...

Julian se leva.

— Emmenez-moi voir votre dernière découverte, John, ordonna-t-il.

Le garde-chasse n'avait pas exagéré. Le cerf qu'il lui montra n'avait pas été dépecé, mais lacéré à coups de couteau avec une sauvagerie innommable. Julian en avait l'estomac retourné. Quelle sorte de monstre avait pu commettre un tel carnage ? Et comment faire pour l'attraper et mettre un terme à ses jeux sanguinaires ?

Lady Diana était certainement évaporée, mais elle n'était pas stupide, et elle avait vite compris, malgré la gentillesse de Nell, que la maîtresse de Wyndham Manor, c'était elle désormais. Comme elle avait une bonne nature et qu'elle n'était pas femme à s'entêter de façon stérile, elle avait immédiatement consacré toute son énergie, qui était considérable, à faire de Dower House une résidence agréable pour Elizabeth et pour elle.

La maison, une jolie gentilhommière à une petite lieue de Wyndham Manor, possédait son propre parc. Elle était inhabitée depuis la mort de l'arrière-grand-mère de Julian. Après avoir inspecté en compagnie de Diana et d'Elizabeth la grande bâtisse à deux étages et ses terrasses envahies par les broussailles, Nell avait compris que ses parentes allaient encore résider avec eux pendant de longs mois.

Julian avait fait diligence pour recruter les meilleurs ouvriers et artisans locaux, mais le mauvais temps ralentissait les travaux. Pourtant, même si la rénovation avançait lentement, les dames avaient quand même fort à faire et la jeune comtesse proposa spontanément son aide pour choisir les tissus et les meubles.

Flattée de l'intérêt que lui portait sa nouvelle belle-fille, et ravie de constater qu'elle avait beaucoup de goût et un grand sens des couleurs, lady Diana l'enrôla avec joie. Elles passèrent de longues heures à consulter des échantillons de tissus ou de papiers peints, des cartons de tapis ou des dessins d'ébénistes.

Se rappelant la froideur de sa belle-mère envers elle lors de leurs rares rencontres avant le mariage, Nell avait éprouvé quelques appréhensions à l'avoir sous son toit, mais il ne lui fallut pas deux jours pour s'apercevoir que Diana, même si elle pouvait se révéler fatigante, ne possédait pas une once de méchanceté. Quant à Elizabeth, c'était un amour, et si elle avait eu une sœur, Nell aurait aimé qu'elle lui ressemble.

Peu après l'arrivée des deux femmes, Julian invita Marcus à dîner. Lorsque les dames se retirèrent pour laisser les hommes fumer un cigare et déguster leurs digestifs, Marcus leva son verre.

— Félicitations, vieux frère ! Si je ne l'avais pas vu de mes propres yeux, je ne le croirais pas. J'aurais parié que ces dames allaient s'écharper, mais tu as réglé le problème de main de maître !

— C'est ma femme qu'il faut féliciter. Quand Diana est arrivée, j'étais complètement dépassé, mais Nell a su garder la tête froide et a sauvé la situation.

— Si délicieux soit le sujet, je suppose que tu ne m'as pas fait venir uniquement pour me chanter les joies de l'harmonie domestique, reprit Marcus. Ne me dis pas que Tynedale a encore fait des siennes !

— Non. En fait, le voisinage est resté remarquablement calme. Ni Tynedale ni nos chers cousins ne se sont manifestés. Cela devrait peut-être m'inquiéter, mais je ne vois pas ce que je pourrais faire tant qu'ils ne bougent pas. À supposer qu'ils bougent, d'ailleurs.

— S'il ne s'agit ni de cette canaille ni de Charles, qu'est-ce qui te tracasse ?

— As-tu eu des problèmes de braconnage ?

— Pas plus que d'habitude. Rien de sérieux en tout cas.

— Pas de gibier sauvagement mis à mort ? Pas de dépouilles abandonnées sur place ?

— Jamais. Et je n'imagine pas un braconnier abandonner ses prises et revenir les chercher plus tard, au risque de tomber sur le garde-chasse. Surtout chez toi, avec quelqu'un comme John Hunter, qui arpente tes terres à toute heure !

— Là, tu te trompes, marmonna Julian avant de lui raconter ce qui s'était passé.

— C'est immonde, commenta Marcus quand il eut terminé.

— Je ne te le fais pas dire. J'ai autorisé John à engager des extra pour patrouiller de nuit. Il voulait disséminer des pièges un peu partout, mais je m'y suis opposé. Je ne veux pas avoir un infirme ou un mort sur la conscience sous prétexte qu'il braconnait sur mes terres.

— Il ne s'agit pas d'un braconnier, si tu veux mon avis, objecta Marcus.

— Tu as raison. J'aimerais que John et ses hommes lui mettent la main dessus et qu'on n'en parle plus. Je n'ai rien dit aux dames, elles ne comprennent rien à la chasse.

— Tu en es sûr ? Je ne serais pas étonné que ta femme se révèle une grande chasseresse.

— C'est bien possible, admit Julian avec un sourire. Elle m'a déjà réservé bien des surprises.

— Des bonnes, j'espère ?

— Très bonnes. Tu as devant toi un mari comblé.

En fait, s'il ne regrettait certainement pas son mariage, Julian hésitait à se dire heureux. Il y avait beaucoup réfléchi ces derniers temps, mais il ne savait comment expliquer ce vague sentiment d'insatisfaction. Il avait une femme charmante, qui dirigeait sa maison avec autant de tact que d'autorité, et qui répondait avec fougue à ses élans amoureux. Que demander de plus ? Et pourtant, quelque chose n'allait pas. Quand il pénétrait dans la chambre de Nell, elle l'accueillait avec toute la passion dont pouvait rêver un homme, mais il sentait bien qu'elle lui refusait une part d'elle-même.

Il y avait entre eux comme une barrière invisible. Il le sentait dans la façon que Nell avait parfois de l'observer à la dérobée, comme si elle cherchait quelque chose qu'elle ne trouvait pas. La façon qu'elle avait de se dérober avec un sourire ou une plaisanterie quand il lui faisait un compliment ou tentait de badiner avec elle. Elle le fuyait, sans qu'il comprenne pourquoi, et il en était conscient chaque jour davantage.

La peur que Julian aime encore sa première épouse devenait pour Nell une véritable obsession. Il était tout ce qu'une femme pouvait demander à un mari, mais qu'importait si elle n'avait aucune chance de gagner son cœur ? Elle était en train de tomber amoureuse de lui, mais le souvenir de lady Catherine la hantait, si bien qu'elle réprimait ses sentiments.

Elle refusait de se consumer d'amour pour un homme dont le cœur appartenait à un fantôme. Elle remplirait ses devoirs d'épouse, goûterait le plaisir de sa compagnie, mais ne se laisserait jamais aller à l'aimer.

La présence de lady Diana et d'Elizabeth l'aidait à offrir à tous, et en particulier à son mari, un visage serein pendant la journée, mais la nuit, après le départ de Julian, les sanglots lui montaient à la gorge et elle ne parvenait pas toujours à les retenir. Leurs étreintes lui faisaient oublier ses tourments, mais quand il la laissait seule, elle s'abandonnait à sa détresse et à son chagrin. C'était un instinct primitif, un désir purement animal qui poussait son époux à venir dans son lit ; il n'éprouvait pour elle aucun sentiment profond.

Elle avait beau se dire que ce gredin de Tynedale aurait parfaitement pu arriver à ses fins cette horrible nuit, et qu'au lieu de la ruine ou du déshonneur, elle avait un mari non seulement beau, mais attentif et gentil, qu'elle était comtesse et vivait dans un splendide château, cela ne lui était d'aucun secours. La richesse et les honneurs ne lui suffisaient pas.

Loin de là.

Ces considérations la minaient et derrière le visage enjoué qu'elle s'appliquait à offrir, les larmes n'étaient jamais loin. L'approche des fêtes et leurs préparatifs n'arrangeaient rien. Les bouquets de houx, les branches de sapin et les guirlandes qui ornaient toutes les cheminées et balustrades ne faisaient qu'augmenter sa détresse. Ce serait le premier Noël qu'elle passerait loin de Meadowlea, et sa famille lui manquait terriblement.

— Oh, j'en ai assez de me faire du souci à propos de tous ces travaux ! s'écria lady Diana, un matin peu avant Noël, en remarquant que Nell avait la tête ailleurs. Allons nous distraire un peu !

— Avec le temps qu'il fait, une promenade est exclue, même en voiture, observa la jeune femme, ravissante dans une robe de cachemire vert foncé.

— Nell a raison, renchérit Elizabeth, noyée au milieu des échantillons de tissu. Que pourrions-nous faire ?

Sa mère réfléchit un instant, puis :

— Nous pourrions nous promener dans les serres.

— Nous y sommes déjà allées hier, lui rappela Elizabeth.

— C'est vrai. Ça ne doit pourtant pas être bien sorcier de trouver une activité pour nous changer de ces plans et de ces échantillons !

— Je n'ai pas encore exploré le château dans son entier, commença Nell, incertaine. Vous pourriez peut-être me faire découvrir les parties les moins connues ?

— Avez-vous vu les cachots ? demanda Diana après avoir échangé un regard malicieux avec sa fille.

— Les cachots ? répéta Nell, réprimant un frisson.

— Julian ne vous en a pas parlé ? Quel dommage !

— Vous ne saviez pas que le château était construit sur le site d'une forteresse du haut Moyen

Âge ? enchaîna Elizabeth. Et qu'il reste un passage secret qui conduit à je ne sais plus quel vieux donjon en ruine ? C'est un endroit terrifiant, ajouta-t-elle d'un air gourmand. Le cousin Charles nous y a emmenées et nous a raconté des histoires épouvantables. Nous nous sommes énormément amusées, même si maman a fait ensuite des cauchemars pendant une semaine. Lord Wyndham, le père de Julian, était furieux, et il nous a assuré que toutes ces histoires de tortures et de meurtres n'étaient que des inventions de son neveu pour se rendre intéressant, conclut-elle, non sans regret.

— Je croyais que mon mari et son cousin Charles étaient un peu en froid, s'étonna Nell.

— Ils se sont beaucoup éloignés, c'est indéniable, mais juste après mon mariage avec feu le comte, ils entretenaient encore des relations cordiales et Charles venait assez souvent nous rendre visite, expliqua lady Diana.

— Visiter les cachots aujourd'hui n'est peut-être pas une si bonne idée, intervint Elizabeth. Charles nous y a emmenées en été, et il nous a dit que c'était très humide en hiver, et qu'une partie était inondée.

— Tu as raison, acquiesça Diana. Il faut trouver autre chose.

— Et la galerie des portraits ? suggéra Elizabeth.

— Dibble me l'a déjà montrée, mais si rapidement que j'ai à peine eu le temps de jeter un coup d'œil à tous ces portraits de famille, avoua Nell.

— Dans ce cas, allons-y, décréta Elizabeth. C'est très amusant, vous allez voir ! Rien que le premier comte mérite le détour. Il a absolument l'air d'un traître de mélodrame.

Le premier comte de Wyndham avait effectivement l'allure du traître, mais il avait les mêmes yeux verts et les mêmes sourcils sombres que Julian. Elles avaient commencé par les portraits les plus anciens, et prirent beaucoup de plaisir à commenter les costumes et les coiffures du temps jadis.

Elles arrivaient aux tableaux plus récents quand l'un d'eux attira l'attention de Nell. Si elle remarqua le bouquet de fleurs fraîches posé sur une étagère sous le cadre doré, ce furent la silhouette gracile, le visage à l'ovale parfait, les cheveux d'or et le regard d'azur dignes d'une princesse de contes de fées qui la captivèrent.

— C'est lady Catherine, la première femme de Julian, murmura Elizabeth. Elle était belle, n'est-ce pas ? Une véritable incarnation de Vénus... Sa mort a été une telle tragédie.

— Elle était effectivement ravissante, admit Nell d'une voix blanche.

Savoir qu'une autre avait emporté dans la tombe le cœur de son mari était difficile à vivre, mais constater de ses yeux que sa rivale avait été d'une incomparable beauté était pire encore. Nell n'avait pas à rougir de son physique, pourtant, elle s'était toujours considérée comme passablement jolie. Que valaient ses boucles cuivrées, ni vraiment blondes ni vraiment brunes, comparées à cette magnifique crinière dorée ? Même l'éclat de son regard d'émeraude pâlissait comparé à ces deux lacs d'azur, aussi lumineux qu'un ciel d'été. Lady Catherine incarnait l'idéal féminin. Elle était tout ce qu'elle-même n'était pas : parfaite !

— Elle est morte dans la fleur de l'âge, soupira lady Diana en les rejoignant. Un accident de voiture, si je me souviens bien. Mon défunt mari disait toujours qu'une part de Julian était morte avec elle ce jour-là. Il craignait que son fils ne s'en remette jamais et ne la suive dans la tombe. Je vois qu'il fait toujours fleurir son portrait. Je me demande s'il parviendra un jour à…

Le discret pincement d'Elizabeth lui rappela à qui elle s'adressait. Avec un petit rire gêné, Diana glissa le bras sous celui de sa belle-fille.

— Je ne l'ai jamais connue, elle est morte avant que j'épouse le père de Julian, et je ne connais d'elle que ce que m'en a dit mon mari. Je sais que Julian a été anéanti par sa mort, mais maintenant qu'il vous a, il va retrouver le goût du bonheur.

Nell commençait à en douter sérieusement.

Cette nuit-là, pour la première fois, elle repoussa les avances de Julian lorsqu'il vint la rejoindre.

— Je suis désolée, mais je ne me sens pas bien, mentit-elle tandis que le beau visage de lady Catherine dansait devant ses yeux.

— Une migraine, peut-être ? hasarda Julian, soucieux, en lui prenant la main.

Elle lui avait paru anormalement calme ce soir, et en la regardant avec attention, il remarqua qu'elle avait le teint pâle et les yeux cernés.

— Un léger mal de tête, corrigea-t-elle en retirant sa main.

— Ai-je fait ou dit quelque chose qui t'a froissée ? s'inquiéta-t-il, certain qu'un malaise s'était installé entre eux.

— Mais non ! assura-t-elle avec un sourire contraint. Je suis un peu fatiguée ces temps-ci, voilà tout.

Il se contenta de cette excuse et, après un chaste baiser sur le front, regagna ses appartements. À peine avait-il refermé la porte que la jeune femme éclata en sanglots. Jamais elle ne s'était sentie aussi misérable. Elle aurait voulu mourir !

Le comte dormit mal cette nuit-là. Il aurait fallu être stupide pour ne pas remarquer que son épouse était malheureuse, et il ne l'était pas. Allongé dans l'obscurité, il tenta de se remémorer à quel moment elle avait changé, à quel moment il avait senti que quelque chose n'allait pas. Il ne se rappelait aucun incident significatif, aucune parole qui aurait pu la blesser et motiver ce changement d'attitude, mais il avait l'horrible impression qu'il la perdait avant même de l'avoir conquise. D'abord Catherine, et maintenant Nell…

La seule différence, c'était qu'il n'avait jamais eu *envie* de conquérir Catherine.

Par deux fois, il s'était marié par obligation. Il avait épousé lady Catherine Bellamy pour faire plaisir à son père, et cette union s'était révélée un désastre. Il avait juré de ne jamais se remarier, mais l'irruption de Nell dans sa vie avait eu raison de ses bonnes résolutions et, encore une fois, il s'était marié pour de mauvaises raisons, même si elles étaient nobles.

Mais cette fois-ci, il avait épousé une femme qui… l'attirait, et les premiers temps de leur vie commune avaient paru justifier ses espérances. Et voilà que pour des raisons qu'il ne s'expliquait pas, elle le repoussait ! Bon sang, il n'endurerait *pas* de nouveau les colères, les larmes et les disputes qui avaient caractérisé son premier mariage !

Comparer Nell à Catherine n'était pas lui rendre justice, dut-il admettre. Jamais avec sa première femme il n'avait connu les plaisirs qu'il partageait avec Nell.

Peut-être se faisait-il du souci pour rien, après tout. Sa femme était fatiguée, il n'y avait pas de quoi en faire un drame ni se ronger les sangs. Mais il avait beau s'efforcer de se rassurer, il sentait bien qu'elle prenait ses distances avec lui, et il ne savait quoi faire pour l'en empêcher.

Enfin, elle au moins ne l'accablait pas de reproches et n'éclatait pas en sanglots dès qu'elle l'apercevait, constata-t-il amèrement avant de sombrer dans un sommeil agité.

Les fêtes de fin d'année passées, Meadowlea et les siens manquaient toujours autant à Nell, mais elle avait accepté l'idée que Julian, lady Diana et Elizabeth constituaient désormais sa famille. Elle pouvait s'en trouver heureuse ou continuer d'être triste. Elle choisit d'être heureuse.

Il plut tout au long de janvier et, au bout de quelques semaines, les trois femmes ne savaient plus quoi faire pour se distraire et tournaient en rond comme des animaux en cage. Quand enfin, début février, la pluie cessa et que les routes et les chemins eurent séché, ces dames, escortées de deux palefreniers, partirent faire une promenade à cheval. Julian, qui avait à faire en ville, ne les avait pas accompagnées.

Il faisait frais, mais un agréable soleil illuminait la campagne et après toutes ces longues journées de réclusion, Nell, montée sur une fougueuse petite jument noire, se sentait des ailes, même si elle s'appliquait à régler son pas sur celui, paisible, qu'avaient choisi Diana et Elizabeth, qui n'étaient visiblement pas des écuyères émérites.

Elle n'avait pas encore eu l'occasion d'explorer les environs et elle observait avec intérêt ces douces collines couvertes de prés et de bois, ces vergers et ces champs soigneusement cultivés qui constituaient à présent ses terres.

Quand sa belle-mère déclara que cette longue chevauchée l'avait épuisée, sa monture et elle piaffaient encore d'impatience. Elles avaient peut-être couvert une bonne distance, mais ce train de sénateur n'était pas fait pour leur convenir.

— Si vous n'y voyez pas d'inconvénient, avant de rentrer, je vais laisser mon cheval se dégourdir un peu les jambes.

Ignorant les protestations de Diana, elle piqua des deux et, laissant à l'animal la bride sur le cou, s'élança au galop. Grisée par le vent qui lui fouettait le visage, elle oublia ses soucis et sa mélancolie, et jusqu'au portrait de cette beauté fatale qui avait emporté dans la tombe le cœur de son mari.

Elle se décida enfin à rejoindre ses compagnons et venait de tourner bride quand Hodges, l'un des palefreniers, arriva au galop.

— Oh, milady, quelle peur vous nous avez faite ! Lady Diana est persuadée que votre cheval s'est emballé !

— La dernière fois que mon cheval s'est emballé, j'avais huit ans, et cette petite jument est trop bien élevée pour s'y risquer, rétorqua Nell en flattant le cou de sa monture.

Elle connaissait Hodges de vue et savait qu'il avait une réputation d'excellent cavalier. Le hongre bai qu'il montait paraissait de taille à affronter la jument.

— Ces dames sont encore loin ? s'enquit-elle.

— Deux lieues environ.

— Que diriez-vous d'une petite course ? proposa-t-elle avec un sourire espiègle.

La jument avait un léger avantage. Hodges était plus lourd et Nell l'avait pris par surprise, mais en quelques foulées, il avait pratiquement rattrapé son retard et luttait pour prendre la tête. Ils longeaient un petit bois lorsqu'un chevreuil traversa brusquement le sentier. La jument fit une embardée et sa cavalière vida les étriers.

Nell revint à elle la tête nichée contre une épaule masculine fort musclée. Elle entendait les sanglots de Diana qui se lamentait et le jeune palefrenier qui tentait d'expliquer ce qui leur était arrivé. Elle poussa un soupir de soulagement en voyant sa monture brouter paisiblement à quelques pas de là.

Elle avait très mal à la tête et se doutait qu'elle arborerait quelques bleus impressionnants dans les jours à venir.

— Restez tranquille, intima une voix d'homme comme elle tentait de se redresser. Et laissez-moi m'assurer que vous n'êtes pas sérieusement blessée. Julian me tannerait le cuir s'il vous arrivait quelque chose !

Elle leva la tête. Un inconnu la tenait dans ses bras, mais elle sut immédiatement qui il était.

— Cousin Charles, murmura-t-elle.

— Eh oui ! C'est le méchant cousin Charles, pour vous servir, milady !

11

Heureusement que Julian l'avait avertie que son cousin et lui pouvaient passer pour des jumeaux. La ressemblance était effectivement frappante. Ils avaient le même visage aux traits marqués, le même menton volontaire, le même nez aquilin, la même chevelure d'ébène, les mêmes yeux de jade… Mais quiconque connaissait un tant soit peu son mari ne s'y serait jamais trompé. On avait beau sonder le regard de Charles Weston, il était aussi froid que la mer du Nord en décembre et on n'y trouvait pas la moindre trace de l'humour et de la chaleur qui faisaient le charme de Julian.

Charles lui sourit, et Nell remarqua que ce sourire n'éclairait pas son regard. Son cousin par alliance ne lui plaisait décidément pas, et l'intimité de leur position encore moins. Elle lutta pour se redresser et échapper à son étreinte, mais il la retint d'une main de fer.

— Ne bougez pas. Vous avez fait une chute spectaculaire. Donnez-vous le temps de reprendre vos esprits.

— Vous m'avez vue tomber ?

— J'étais derrière vous. Je suis arrivé au moment où votre cheval a fait un écart. Laissez-moi jeter un coup d'œil, histoire de mesurer l'ampleur des dégâts.

Sans prêter attention aux protestations de Nell, il lui enleva son beau chapeau vert orné de plumes, puis lui palpa le crâne avec une douceur surprenante. Elle étouffa un gémissement lorsqu'il frôla la tempe.

Son examen achevé, il la gratifia d'un sourire singulièrement séduisant.

— Vous vivrez, milady. Vous avez quelques bleus et bosses, mais pas la moindre coupure. Un ou deux jours de repos et il n'y paraîtra plus.

— Je vous remercie, mais j'aurais pu rendre ce diagnostic moi-même, murmura Nell, mi-figue, mi-raisin.

— Oh, Nell ! Vous êtes vivante ! Dites-moi que vous êtes vivante ! s'exclama lady Diana, au bord des larmes. Julian me tuerait s'il vous arrivait quelque chose ! Mon Dieu, pourquoi avons-nous fait cette stupide promenade à cheval ?

— Calme-toi, maman, intervint Elizabeth. Personne n'y est pour rien ! C'était un accident, et tu vois bien que lady Wyndham est vivante.

— Tu es sûre ? insista sa mère en se tamponnant les yeux avec un ravissant mouchoir en dentelle.

— Ne vous inquiétez pas, je vais bien, la rassura Nell. Je serai certainement meurtrie et courbatue pendant quelque temps, mais il n'y a pas de quoi s'alarmer. Puis-je me lever, maintenant ? s'enquit-elle en tournant la tête vers Charles.

— Comme il vous plaira, concéda-t-il en se tournant avant de l'aider à faire de même.

Une fois debout, Nell fut prise de vertige. Sa jambe abîmée se déroba sous elle, et si Charles ne l'avait pas soulevée dans ses bras, elle se serait affalée sur le sol.

— Il me semble que vous êtes moins vaillante que vous ne le pensiez, remarqua-t-il en la tenant fermement contre lui.

— Vous avez peut-être raison, admit-elle.

— Qu'allons-nous faire ? se lamenta Diana. Comment allons-nous la ramener à la maison ? Elle ne peut remonter en selle, et nous sommes à des lieues de Wyndham Manor !

— Vous oubliez, milady, que Stonegate n'est qu'à deux lieues d'ici, observa Weston avec flegme. Je vais y emmener lady Wyndham dans ma voiture.

— Charles, vous n'y pensez pas ? Julian ne sera pas content du tout !

Charles eut un rire que Nell trouva déplaisant.

— Depuis quand est-ce que je me soucie de l'opinion de mon estimé cousin ? rétorqua-t-il.

Lady Diana replongea dans son mouchoir en dentelle en gémissant.

— Ne vous donnez pas cette peine, monsieur Weston, intervint Nell. Si vous voulez me reposer sur le sol, je suis certaine que je me sentirai très bien dans un instant.

Ignorant superbement les objections de Nell, Charles pivota sur ses talons et jeta par-dessus son épaule :

— Mademoiselle Forrest, je vous serai reconnaissant de faire taire votre mère avant que je lui torde le cou. Et vous, milady, reprit-il à l'intention de Nell, cessez de vous tortiller comme un ver, ou je vous laisse tomber sur le sol.

Il en était parfaitement capable, elle le lisait dans son regard, aussi préféra-t-elle obtempérer et se laisser installer dans le tilbury.

— Que l'un de vous rentre à Wyndham Manor informer votre maître de l'accident, ordonna-t-il à l'un des palefreniers en s'installant près d'elle. Assurez-lui que lady Wyndham n'a rien de grave, mais que j'ai préféré l'emmener à Stonegate où ma belle-mère pourra s'occuper d'elle en attendant qu'il vienne la chercher avec une voiture confortable. Vous allez venir avec nous, ajouta-t-il en se tournant vers Diana et Elizabeth. Ainsi, on ne pourra m'accuser d'intentions malhonnêtes.

Cramponnée au siège du tilbury, Nell luttait contre la nausée. Sa chute l'avait ébranlée beaucoup plus qu'elle ne l'avait cru, et sa jambe la faisait cruellement souffrir. Elle aurait dû être reconnaissante à Charles Weston de son aide, mais connaissant l'animosité qu'il nourrissait envers son mari, elle aurait mille fois préféré que ce soit un autre que lui qui vienne à son secours.

Ils ne roulèrent pas longtemps avant de franchir un large portail de granit gris. Ils s'engagèrent dans une allée bordée d'ormes centenaires et débouchèrent devant une élégante bâtisse. Charles sauta à terre, fit le tour du véhicule et souleva Nell dans ses bras. À peine avait-il gravi les marches du perron que la lourde porte de chêne s'ouvrit en grand.

— Garthwaite, demandez à ma belle-mère de nous rejoindre dans le salon de l'est, et faites préparer du thé et une collation pour ces dames, ordonna-t-il au majordome.

— Je m'en occupe tout de suite, monsieur, dès que j'aurai installé ces dames, assura le domestique, impassible, comme si voir rentrer le maître de maison avec une inconnue dans les bras était chose parfaitement banale. Me permettez-vous de prendre vos gants, madame ? demanda-t-il à Nell en s'inclinant cérémonieusement, avant de se tourner vers ses deux compagnes.

Lady Diana et Elizabeth lui tendirent à leur tour leurs gants et leurs chapeaux, avant de se hâter vers le salon. Nell, qui se sentait un peu mieux, regarda autour d'elle avec curiosité.

Étant donné la situation financière délicate de Charles, elle s'attendait que Stonegate reflète ses difficultés, mais elle constatait qu'il n'en était rien. Le parc lui avait semblé parfaitement entretenu, et la façade également. Les laquais portaient de luxueuses livrées, les murs du hall et du couloir, tendus de soie crème, étaient ornés de girandoles de bronze et de cristal, et de tableaux de prix. Tout, y compris la mise du maître de maison, qui n'avait rien à envier à lord Brummell, l'arbitre des élégances londoniennes, dénotait une opulence certaine.

Weston poussa la porte d'un grand salon où le bleu dominait. Là aussi tout, depuis l'élégant tapis et les sièges recouverts de damas jusqu'aux potiches de Chine et aux bibelots de Wedgwood, respirait le luxe.

Charles déposa avec précaution la jeune femme sur un canapé à côté de la cheminée. Aussitôt, Diana et Elizabeth vinrent s'asseoir à côté d'elle.

— Est-ce que vous souffrez ? s'inquiéta lady Diana.

— Tout va bien, je vous remercie, la rassura Nell. J'ai simplement besoin d'un peu de repos.

— C'est aussi mon avis, trancha Charles en allant remplir un verre qu'il lui apporta. Buvez cela. C'est du cognac. Cela vous remettra d'aplomb.

— Je suppose que si je refusais, vous me le feriez avaler de force, ironisa-t-elle.

— J'admire les femmes intelligentes, commenta-t-il avec un bref sourire. Buvez, maintenant. Cela vous fera du bien, vous verrez.

Elle but prudemment une gorgée, puis vida bravement le verre. Elle crut suffoquer, mais, à sa grande surprise, elle ne tarda pas à se sentir effectivement mieux.

Quelques minutes plus tard, la porte s'ouvrit sur une petite femme vêtue d'une robe de cachemire puce ornée de dentelles. Elle était plaisante plutôt que belle, avec une masse de cheveux de jais savamment arrangés et un teint resplendissant. Ses yeux noirs pétillants d'intelligence se fixèrent immédiatement sur Nell, qui reconnut sans l'avoir jamais vue la mère de Raoul, le demi-frère de Charles. Si la Française fut surprise de trouver la comtesse de Wyndham allongée dans son salon, elle n'en laissa rien paraître.

— Je suis Mme Weston, fit-elle en se dirigeant vers Nell, et je suis ravie de vous rencontrer enfin.

— Nous sommes désolées de faire ainsi irruption chez vous, mais j'ai fait une chute de cheval et votre... beau-fils a insisté pour m'amener ici. J'espère que notre visite inopinée ne vous causera pas trop de soucis.

— Mon beau-fils fait ce qui lui chante dans sa maison, rétorqua Sophie Weston. À quoi avez-vous donc pensé ? ajouta-t-elle à l'adresse de Charles. Vous vous doutez bien que le comte ne sera pas content de trouver son épouse ici ?

— Pourquoi diable tout le monde s'imagine que j'accorde une quelconque importance à l'opinion de mon cousin ? fit-il en haussant les sourcils.

— Vous n'avez pas deux sous de cervelle, lâcha Sophie froidement.

— Eh bien, nous sommes au moins d'accord sur une chose. Ah voici, Garthwaite ! Juste à temps pour nous éviter une querelle devant nos invités, conclut Charles.

Jamais Nell n'avait autant apprécié une bonne tasse de thé. Mme Weston se montra une hôtesse polie et s'attacha à mettre ses visiteuses à l'aise, devisant aimablement et prenant soin d'éviter les sujets sensibles. Quant au maître de maison, il était fort occupé à badiner avec Elizabeth, avec qui il paraissait en excellents termes.

Nell finissait à peine sa seconde tasse de thé lorsque des voix masculines retentirent dans le hall. Elle se figea. Il ne pouvait s'agir de Julian, il était beaucoup trop tôt...

Deux hommes en tenue d'équitation pénétrèrent dans le salon, l'un aussi brun que l'autre était blond. Le brun avait les traits caractéristiques des Weston, et elle n'eut aucun mal à identifier Raoul, le demi-frère de Charles. Quant au blond, elle ne le connaissait que trop bien. Elle serra les poings et dut faire appel à toute sa volonté pour ne pas se jeter sur lui et lui arracher les yeux.

Surpris de trouver toutes ces femmes dans le salon, les deux hommes marquèrent un temps d'arrêt. Se ressaisissant, Raoul se dirigea à grands pas vers le canapé.

— Ne me dites pas que la jeune épouse de mon cousin est venue nous rendre visite ! s'exclama-t-il avec un sourire chaleureux.

Lady Diana se hâta de faire les présentations et d'expliquer les circonstances qui les avaient amenées à Stonegate.

— Quelles que soient les raisons de votre visite, c'est un plaisir de vous rencontrer, lady Wyndham.

Julian mérite toutes nos félicitations pour avoir choisi une aussi jolie épouse.

Nell murmura quelques mots de remerciements et se prépara à affronter lord Tynedale qui, parfaitement à l'aise, vint s'incliner sur sa main.

— Permettez-moi de vous féliciter, chère comtesse. J'ai cru tomber des nues en apprenant votre mariage ! Tout le monde s'imaginait que la belle lady Catherine avait emporté dans la tombe le cœur du comte de Wyndham, et voilà qu'il désespère tous les célibataires de Londres en obtenant la main d'une autre charmante héritière. Il a montré une présence d'esprit stupéfiante. On peut dire qu'il a su saisir l'occasion quand elle se présentait, n'est-ce pas ?

— Lord Wyndham est effectivement fort intelligent, rétorqua suavement Nell. Comparés à lui, je dois avouer que la plupart des hommes paraissent… comment dire ?… mal dégrossis et un peu sots.

— Cela reste à démontrer, chère comtesse, s'esclaffa Tynedale. Certains peuvent à l'occasion paraître sots et commettre des erreurs, mais je vous assure qu'ils font rarement deux fois la même.

— Pourquoi ai-je l'impression d'arriver au deuxième acte d'une pièce qui en comporterait trois ? intervint Charles en venant se placer derrière Nell.

Elle n'avait pas eu l'intention de croiser aussi ostensiblement le fer avec Tynedale, mais elle ne pouvait laisser une telle provocation sans y répondre. C'était une canaille, un débauché, un maître chanteur, et elle le haïssait de toutes ses forces. Sans lui, elle serait toujours Mlle Eleanor Anslowe.

Mais regrettait-elle vraiment d'avoir épousé le comte ? Si lady Catherine avait bel et bien emporté son cœur dans la tombe, oui, mille fois oui !

Nell se détendit comme la conversation prenait un tour plus général. N'ayant aucunement l'intention de reprendre la discussion avec Tynedale, elle se contenta d'écouter. La présence de Charles Weston derrière elle la troublait. Le cousin de Julian la laissait perplexe, devait-elle admettre. En d'autres circonstances, il lui aurait peut-être plu. Mais il paraissait tellement imprévisible...

Plus le temps passait, plus Nell se sentait mal à l'aise. Et ce n'était pas seulement parce qu'elle savait que son mari serait mécontent de la trouver là. Il y avait quelque chose dans cette maison, dans ces gens, qui lui donnait envie de partir sur-le-champ.

Se trouver dans la même pièce que lord Tynedale lui était extrêmement pénible, et devoir lui faire bonne figure plus encore. Elle n'osait penser à la réaction de Julian lorsqu'il découvrirait la présence de cette fripouille.

Son regard tomba sur Raoul, qu'elle observa discrètement. Il avait les yeux et la bouche de sa mère, et il était bel homme, avec des traits plus réguliers que Charles ou Julian. Il avait certainement plus de charme et un physique plus avantageux que son demi-frère, mais à le regarder rire et plaisanter avec Diana, elle décida qu'elle préférait les manières abruptes de son aîné. Trop de charme pouvait devenir un handicap.

Lady Diana se leva pour aller s'asseoir à côté de Mme Weston et les deux femmes se lancèrent dans une longue conversation sur les mérites comparés de l'eau de rose et de la fleur d'oranger, tandis que Raoul emmenait Elizabeth admirer les jardins depuis l'une des grandes fenêtres. Nell se figea en voyant Tynedale s'installer à côté d'elle dans le fauteuil abandonné par Diana.

— Il faut absolument que vous me racontiez comment vous en êtes venue à épouser le comte, ma chère. Comment avez-vous réussi à le piéger ? s'enquit-il à mi-voix.

— Et pourquoi aborderais-je un sujet aussi personnel avec vous ? riposta-t-elle, glaciale. Autant me demander d'attacher ma jarretière en public ! Vous savez parfaitement ce qui s'est passé.

— Oh, belle dame, vous me peinez ! Vous avez fait le mariage du siècle. Vous n'allez pas me reprocher le petit rôle que j'y ai joué ? Quelle honte !

— Vous savez, Tynedale, je suis absolument certain que mon estimé cousin n'apprécierait pas du tout l'attention que vous portez à sa femme, intervint Charles en se penchant par-dessus le canapé. Personnellement, je ne l'apprécierais pas… Et nous nous ressemblons beaucoup, lui et moi… à bien des égards. Vous n'avez pas oublié, j'espère, que lord Wyndham est une des meilleures lames du royaume ? ajouta-t-il devant l'air sceptique de l'intéressé.

Tynedale tressaillit et sa main frôla la cicatrice qui lui barrait la joue.

— Je vois que vous m'avez compris, reprit Weston. À moins que vous ne souhaitiez le rencontrer de nouveau sur le pré, je vous suggère de lever le camp et de trouver une autre victime sur qui exercer vos charmes.

Ils s'affrontèrent du regard.

— Vous vous êtes mépris, déclara Tynedale avec un sourire guindé. Je voulais simplement… renouer avec lady Wyndham.

— Vous croyez que cela intéressera mon cousin ?

— Le comte de Wyndham ! annonça Garthwaite avant que Tynedale ait eu le temps de répondre.

La haute silhouette de Julian s'encadra sur le seuil. Il parcourut la pièce d'un regard circulaire. Si la vue de sa femme frayant avec Tynedale et Charles le dérangea, il n'en montra rien. Il s'arrêta sur Nell, puis, constatant qu'elle n'était pas blessée, il tourna son attention sur Sophie Weston.

Après les salutations d'usage, on lui proposa un rafraîchissement Il refusa avec un sourire.

— Je préfère ne pas m'attarder, expliqua-t-il. Si nous voulons être à la maison avant la nuit, nous n'avons pas de temps à perdre.

— Tu as peur que l'on te corrompe ? commenta Charles en s'écartant du canapé. Allons, une tasse de thé ou un cognac avant de nous enlever ta femme ne te tuera pas.

— Oh, Julian, ne vous fâchez pas, je vous en prie ! implora lady Diana. Ce n'était pas ma faute ! Ni celle de Nell, je vous le promets ! C'était un accident. La jument a fait un écart en plein galop. C'est une chance que Charles soit arrivé à ce moment-là. Sans lui, nous serions encore probablement en plein bois.

— Ne vous inquiétez pas, Diana, je comprends parfaitement, fit Julian d'un ton apaisant. Il faudra qu'un jour prochain mon cousin m'explique comment il s'est trouvé si… opportunément au bon endroit, au bon moment, ajouta-t-il en regardant ce dernier.

— Oh, ne va pas t'imaginer une histoire mirobolante, mon vieux ! répliqua Charles. C'était une simple coïncidence, qui m'a permis de rendre service au chef de famille, ce dont je suis toujours heureux. Tu sais combien je recherche tes faveurs chaque fois que j'en ai l'occasion.

— J'ai toujours pensé que ta qualité la plus remarquable, c'était l'impudence ! lâcha le comte avant d'éclater de rire. En tout cas, merci, ajouta-t-il en s'approchant pour lui tendre la main.

— Je suis content que tu me reconnaisses au moins une qualité, fit Charles en lui serrant la main. Bienvenue !

— Dois-je comprendre que nous sommes de nouveau dans tes bonnes grâces ? questionna Raoul en se joignant à eux.

— Comme tu y vas ! fit Julian. Disons que je vous suis reconnaissant de l'aide que vous avez apportée à ma femme.

Son regard se posa sur Tynedale, toujours assis à côté de Nell. Sa bouche se pinça, mais il se contenta de déclarer :

— J'aurais volontiers pris une tasse de thé, mais la nuit va tomber et j'ai hâte de ramener ma femme à la maison.

S'approchant du canapé, il tendit une main impérieuse à Nell.

— Ma chère ? Vous êtes prête à partir ?

Elle était plus que prête. Elle remercia Mme Weston de son hospitalité, puis quitta la pièce au bras de son mari. Diana et Elizabeth s'attardèrent pour prendre congé tandis qu'ils se dirigeaient vers le hall.

— Tu es sûre que tu n'es pas blessée ? s'alarma Julian en remarquant qu'elle s'appuyait plus que d'ordinaire sur sa jambe saine.

— J'étais un peu étourdie, mais ton cousin Charles m'a fait boire un cognac, et ça m'a fait beaucoup de bien. Je vais être contusionnée et courbatue pendant quelques jours, mais ce sera tout. Tu es très fâché de nous trouver ici ? risqua-t-elle. Nous n'avions pas vraiment le choix.

— Comme Diana l'a dit, ce n'est pas votre faute, soupira Julian. Et ce sera peut-être un mal pour un bien, ajouta-t-il en pensant à son cousin.

— Et Tynedale ?

— J'ai été surpris de le voir assis à côté de toi.

Il y avait une question implicite dans ses paroles et Nell se raidit.

— Tu penses que je l'ai encouragé ? articula-t-elle d'une voix vibrante de colère.

— Bien sûr que non, assura-t-il en hâte. J'étais simplement surpris qu'il ait osé t'approcher.

— Sache que Tynedale fait ce qui lui plaît. *Je* n'ai aucun contrôle sur lui et, à part provoquer le genre de scène que nous voulons justement éviter, je ne vois pas comment j'aurais pu l'empêcher de s'asseoir près de moi. Je serai éternellement reconnaissante à ton cousin Charles de s'être mêlé à la conversation.

— Tu crois qu'il a parlé du rôle qu'il a joué dans notre mariage à l'un ou l'autre de mes cousins ?

— Je l'ignore, mais j'ai eu l'impression que Charles en sait peut-être plus qu'il ne semble.

— Ça, c'est tout lui, fit Julian avec un rire amer. Il aime jouer au plus fin.

Garthwaite lui ayant tendu ses affaires, Nell coiffa son chapeau, puis enfila ses gants tout en regardant autour d'elle. Une porte à double battant était grande ouverte sur un salon d'apparat qui dénotait, comme tout ce qu'elle avait entrevu, beaucoup de goût et des moyens considérables.

L'immense tableau qui dominait la pièce du haut de son cadre doré retint son attention. Irrésistiblement attirée, elle s'approcha pour admirer l'homme à l'élégance surannée qui souriait au garçonnet appuyé contre son genou, et dont la main s'ornait d'un magnifique saphir.

La ressemblance avec les autres Weston était frappante et, tandis qu'elle contemplait, fascinée, le beau visage ténébreux, son cœur se mit à battre à grands coups sourds. Elle avait déjà vu cet homme au sourire plein de charme… Sauf qu'il ne souriait pas…

Un vertige la saisit. Son cœur s'emballa davantage encore comme les souvenirs remontaient du plus profond de sa mémoire. Seigneur ! La pièce se mit à tourner, ses jambes se dérobèrent sous elle, et un voile noir s'abattit devant ses yeux.

Elle revint à elle dans les bras de Julian. Au bruit des sabots, elle comprit qu'ils étaient en voiture.

— Doucement, doucement, murmura son mari en l'aidant à se redresser. Vous vous êtes évanouie. Comment vous sentez-vous ?

— Oh, Nell, vous nous avez fait une peur épouvantable ! s'écria lady Diana. Tout à coup, nous vous avons vue étendue sur le sol… Je vous ai crue morte ! Jamais je n'avais éprouvé une telle frayeur.

— Je suis désolée de vous avoir causé tant d'émotions… murmura Nell avec un faible sourire. Je ne sais pas ce qui s'est passé. Cette chute a dû m'ébranler plus que je ne le pensais.

Si les deux femmes acceptèrent facilement cette explication, il n'en était pas de même de Julian, la façon dont il l'observait à la dérobée le lui indiquait suffisamment. Épuisée, elle ferma les yeux et se laissa aller contre son épaule. On pouvait aussi faire des cauchemars éveillés, apparemment.

Dès son arrivée à Wyndham Manor, Nell remit son sort entre les mains de Becky, qui lui avait fait préparer un bain chaud.

— Il faut manger, milady ! la gronda la femme de chambre en découvrant qu'elle avait à peine touché au plateau qu'on avait monté dans ses appartements. Que dira le comte quand il apprendra que vous n'avez rien avalé ?

— Je n'ai pas très faim. Ce doit être le choc. J'ai fait une mauvaise chute, mais je n'ai rien de grave. Je vais très bien, je t'assure.

— Si vous le dites, milady ! Eh bien, je vais rapporter ce plateau au cuisinier, qui va s'arracher les cheveux en voyant comme vous appréciez le mal qu'il s'est donné.

— Oh, Becky, je t'en prie ! N'en fais pas une affaire d'État, implora Nell, qui sentait la migraine poindre.

— Très bien, milady. Mais vous devriez vous coucher, à présent.

Elle venait tout juste d'obtempérer lorsque son mari pénétra dans la chambre. Il s'assit au bord du lit et lui prit la main

— Tu te sens mieux ? s'enquit-il.

— Oui. Je suis désolée d'avoir causé tant de tracas. Ce n'était qu'une chute de cheval, répondit-elle en s'efforçant de sourire.

— Certes, mais tu ne me feras pas croire que ton évanouissement dans le grand salon de Stonegate est dû à cet accident.

— Non, en effet, admit-elle. Julian, ce... ce portrait chez les Weston, qui représente-t-il ?

— Mon cousin John et son fils Daniel, fit-il, visiblement surpris par cette question. Je t'ai déjà parlé d'eux, tu te souviens ?

Comme elle détournait les yeux, il lui attrapa le menton pour la forcer à le regarder, et murmura :

— Qui y a-t-il, Nell ? Dis-le-moi !

— Tu te rappelles que lorsque je t'ai parlé de mes cauchemars, je t'ai raconté que dans le premier, c'était un homme qu'on tuait ?

Il fronça les sourcils, mais hocha la tête. Nell ajouta alors d'une voix tremblante :

— J'ai reconnu l'homme de mon cauchemar.... L'homme qu'on assassinait, c'était ton cousin John.

12

— C'est impossible ! s'exclama Julian en se levant du lit pour arpenter la pièce. C'était un cauchemar. Comment aurais-tu pu voir John dans un cauchemar ?

— Je l'ignore, souffla Nell, l'air misérable. Tout ce que je sais, c'est que je n'ai jamais oublié le visage de cet inconnu… et que c'était le gentilhomme du portrait. Je l'ai parfaitement reconnu ! insista-t-elle. Crois-moi, Julian, je l'ai vu se faire assassiner !

— Réfléchis un peu ! John est mort il y a une dizaine d'années, et tu n'avais jamais rencontré aucun d'entre nous jusqu'à notre mariage. Comment aurais-tu pu voir son meurtre ?

— Je n'en sais rien, je ne comprends pas moi-même ! Je sais juste que dans le premier cauchemar que j'ai fait après ma chute de la falaise, je voyais un meurtre. Et je te jure que la victime avait le même visage que ton cousin John !

Même si Julian ne voulait pas croire sa femme, si sa raison s'insurgeait contre ses affirmations, il était évident qu'*elle* croyait ce qu'elle disait. Il revint s'asseoir près d'elle et lui prit la main.

— Nell, tu n'as pas pu voir le meurtre de John. Jusqu'à aujourd'hui, tu ne savais même pas qui il était, tu l'as dit toi-même. Comment aurait-il pu hanter tes cauchemars dix ans plus tôt ? Comment peux-tu être si sûre qu'il s'agit bien de lui et non pas d'un homme qui lui ressemble ?

— Je n'en sais rien, mais je suis certaine qu'il s'agit bien de ton cousin. Je suis restée inconsciente plusieurs jours, et durant tout ce temps, je faisais ce même rêve d'un homme en train de se faire assassiner. C'était si réaliste… comme si j'avais vraiment assisté au meurtre.

— Mais ce n'est pas possible, s'entêta-t-il en la scrutant d'un regard troublé.

— Dis-moi, où ton cousin a-t-il été tué ? questionna-t-elle en le regardant droit dans les yeux.

— Je ne me souviens plus exactement. Dans le Devon, aux environs d'une obscure bourgade, tout près de la côte.

Il se figea, interloqué.

— Meadowlea est dans le Devon… près de la côte, reprit-il d'une voix bizarre. Mais il s'agit certainement d'une coïncidence.

— Quand a-t-il été tué ?

— Le 10 octobre 1794.

— Mon accident a eu lieu le 10 octobre de cette même année, et c'est à ce moment-là que mes cauchemars ont commencé. Encore une coïncidence ?

— Sûrement. Penser autrement serait de la folie.

— Très bien, alors laisse-moi te raconter ce cauchemar, tu décideras ensuite s'il s'agit d'une simple coïncidence. Ma jument Firefly avait perdu un fer et je rentrais à la maison. En traversant un petit bois, j'ai entendu des éclats de voix devant nous. Je ne saisissais pas les paroles échangées, mais j'avais compris qu'il s'agissait d'une altercation.

J'étais un peu inquiète, mais c'était le seul chemin pour rentrer, j'étais bien obligée de continuer. Et puis, je me disais qu'il s'agissait certainement d'une dispute entre paysans et qu'ils se calmeraient quand ils me reconnaîtraient.

« Au détour du chemin, j'ai dépassé une petite voiture fermée et, juste après, j'ai aperçu deux hommes, deux inconnus, qui se battaient. Ils ne m'ont pas vue. Je me suis arrêtée, confondue par la violence de leur bagarre. Je n'avais jamais vu personne se battre avec autant de sauvagerie. Ils étaient aussi grands et forts l'un que l'autre, mais ton cousin a pris le dessus. Il avait jeté son adversaire à terre et l'avait immobilisé du genou quand l'autre a dégainé un poignard et le lui a enfoncé en pleine poitrine. Il l'a frappé une deuxième fois au même endroit, puis à l'épaule et ensuite à la gorge. Il y avait du sang partout…

« J'ai hurlé, poursuivit-elle d'une voix chevrotante, je n'ai pas pu m'en empêcher. J'ai entendu un mouvement derrière moi, et j'ai compris qu'un troisième larron devait se trouver dans la voiture. Avant que j'aie eu le temps de me retourner, j'ai reçu un coup sur la tête.

« La suite, je te l'ai déjà racontée. Quand on nous a retrouvées après des heures de recherches, le cadavre de Firefly gisait au pied de la falaise, mais une petite corniche avait arrêté ma chute. Crois ce que tu veux, conclut-elle en retombant sur ses oreillers, épuisée, mais l'homme qu'on a poignardé était bien ton cousin John.

Les détails que lui avait donnés Nell étaient si précis que toutes les certitudes de Julian s'en trouvèrent ébranlées.

— Dans ton cauchemar, comment étaient-ils habillés ? John en particulier.

— Celui qui a tué ton cousin portait un manteau vert bouteille et...

Étrangement, si elle se remémorait parfaitement le visage de John Weston, elle avait beau faire, celui du meurtrier lui échappait sans cesse.

— Une culotte de cheval et des bottes chamois, compléta-t-elle. Ton cousin avait une culotte de nankin, un manteau bleu foncé avec de gros boutons d'argent et un gilet blanc à motifs noirs. Il avait au doigt la même bague que dans le tableau.

Le souffle coupé, le comte resta un moment sans voix. Il ne savait pas ce que portait l'assassin, mais il savait comment son cousin était vêtu lorsqu'on avait retrouvé son corps.

— John était habillé exactement comme tu l'as décrit, admit-il enfin à contrecœur. Il portait toujours la bague dont tu parles, c'était un bijou de famille. C'est quelque chose qui m'a toujours intrigué. S'il avait été tué par des malandrins, comme l'ont prétendu les autorités locales, pourquoi n'ont-ils pas pris cette bague ? Et les blessures de John correspondent parfaitement à la description que tu en fais.

— Tu me crois maintenant, ou penses-tu encore qu'il s'agit de coïncidences ?

— Je ne sais plus quoi penser ! avoua-t-il en se passant la main dans les cheveux. Ce que tu m'as raconté me dépasse, mais trop de détails correspondent pour qu'il s'agisse de simples coïncidences. Mais dis-moi, comment t'es-tu retrouvée en bas de la falaise ?

— Je n'en ai pas la moindre idée. Je suis restée inconsciente plusieurs jours et je n'ai gardé aucun souvenir de ma chute ni même de m'être approchée de la falaise.

— Et cela fait dix ans que tu as eu ce cauchemar ?

Elle percevait son scepticisme, mais ne pouvait le lui reprocher. Comment se rappeler un rêve, un visage, un meurtre même, après dix années ? Pourtant elle s'en souvenait comme si c'était arrivé la veille…

— Oui, cela fait dix ans, mais je l'ai fait pratiquement toutes les nuits pendant des semaines.

— Et les autres cauchemars ? Décris-les-moi.

Elle fit de son mieux pour lui faire partager l'affreuse brutalité, la terreur, l'horreur absolue, toutes les atrocités qu'elle voyait dans ces cachots.

— Et tu es certaine qu'il s'agit du même homme dans tous ces rêves ? demanda-t-il après un long silence. Que l'assassin de John est également le tortionnaire de ces jeunes femmes ?

— Autant qu'on peut l'être. Je n'ai jamais vu son visage, rappelle-toi. Quand je les ai trouvés en train de se battre, le meurtrier me tournait le dos. Et quand ton cousin a pris le dessus, son adversaire s'est retrouvé allongé sur le sol. Je me trouvais à une certaine distance et je ne distinguais que le haut de sa tête. Dans les autres cauchemars, les cachots sont très sombres et le bourreau détourne toujours le visage.

— Dans ce cas, comment peux-tu être sûre que les deux tueurs sont un seul et même individu ?

— Je le sens… Il y a quelque chose dans son allure, sa façon de se déplacer, la forme de sa tête… Tout me donne à penser qu'il s'agit de la même personne. Et puis, avoua-t-elle, je n'arrive pas à croire qu'il puisse y avoir deux monstres pareils dans les environs !

— Si je te crois… Si j'admets que ton rêve reflète un fait réel… tu te rends compte de ce que cela signifie ? demanda Julian sombrement.

— Cela signifie que cet homme existe vraiment, qu'il se promène en toute liberté, et qu'il continue vraisemblablement de tuer des femmes, répondit Nell tout aussi sombrement. Et que ces cachots existent aussi, que je ne les ai pas imaginés. Et je crois savoir où les chercher, ajouta-t-elle d'un ton hésitant.

Julian sursauta.

— Que dis-tu ?

— Diana et Elizabeth m'ont parlé des cachots sur lesquels Wyndham Manor est bâti.

— Et tu t'imagines que c'est chez moi qu'il commet ses forfaits ? Tu me demandes de croire que tu as vu le meurtre de mon cousin et que tu vois torturer toutes ces femmes, et ça ne te suffit pas ? Il faut aussi que je fouille ma propre maison pour trouver la preuve de ces crimes ?

— Je ne sais pas ! s'écria Nell. Je n'y comprends rien, moi non plus. Tout ce que je sais, c'est qu'on ne peut plus dire que mes rêves sont la conséquence de mon accident. J'ai *reconnu* ton cousin, et j'ai *assisté* à son assassinat. Et s'il a bien été tué, cela veut dire que ce qui se passe dans les cachots est vrai aussi.

Le regard lointain, Julian réfléchit longuement. Il aurait aimé ne voir là que les élucubrations d'une femme de constitution fragile, une créature nerveuse et fantasque, mais Nell n'était pas le genre à perdre la tête facilement. Dans le poste de l'octroi, elle se trouvait dans une situation difficile, dangereuse même, se rappela-t-il, pourtant, elle avait fait preuve de cran et de sang-froid. Il ne put s'empêcher de sourire au souvenir de leur rencontre et de la crâne détermination qu'elle avait montrée.

— Je voudrais ne pas te croire, mais je ne vois pas comment faire autrement, déclara-t-il finalement. Il y a tellement de choses qui dépassent l'entendement. C'est une situation impossible ! Tu me sommes de croire que tu as rêvé le meurtre de John et que, d'une façon ou d'une autre, tu as un lien avec son assassin, un infâme tortionnaire qui tue d'innocentes jeunes femmes dans des cachots... Des cachots dont tu penses qu'ils sont situés sous ma demeure !

— Je ne crois pas avoir rêvé le meurtre de ton cousin, rectifia-t-elle. Je pense que j'y ai vraiment assisté.

— Et tu le revivrais dans tes cauchemars ? fit-il, une lueur d'intérêt dans le regard.

— Exactement. Les autres rêves sont... différents. Comme si je les voyais à travers une brume, tandis qu'avec ton cousin John, les couleurs sont vives, les détails précis, je sens l'odeur des sous-bois, la fraîcheur de l'air, les rênes dans ma main.

— Mais si tu as véritablement assisté à cet assassinat, comment t'es-tu retrouvée accrochée à une falaise ?

— Je suppose qu'après m'avoir assommée, le meurtrier et son complice m'ont portée là-bas, et qu'ils m'ont jetée du haut de la falaise et laissée pour morte. Ensuite, ils ont dû pousser ma pauvre Firefly.

Le sang de Julian se glaça dans ses veines à la pensée qu'elle aurait pu mourir... Qu'il aurait pu ne jamais la rencontrer.

— Mais n'était-ce pas dangereux pour eux ? objecta-t-il. Après tout, ta famille occupe une position en vue dans la région. Ils devaient se douter qu'on s'apercevrait très vite de ta disparition et qu'on te rechercherait.

— Je suis sûre qu'ils n'étaient pas de la région, ils ne pouvaient donc pas savoir qui j'étais. Je n'avais pas d'escorte, j'étais habillée sans élégance particulière et, à part Firefly, rien n'indiquait ma condition. Ils ont dû penser qu'à part des parents ou un mari, personne ne me chercherait. Et ils n'ont certainement pas imaginé une seconde que je pourrais survivre à ma chute.

Le comte ne savait plus quoi penser. Tout ce qu'il venait d'apprendre ne lui disait rien de bon. Sa femme semblait avoir un don de double vue, comme les sorcières des légendes, et ce don, si on pouvait parler de don, se manifestait à travers des songes, d'horribles cauchemars qui la plongeaient dans une terreur sans nom.

— Les autres rêves ont *toujours* pour décor les mêmes cachots, et toujours quand il tue ses victimes ?

Nell acquiesça en silence.

— Si tu ne le vois que dans ces moments-là, c'est la violence qui te relie à lui. Le meurtre de John a forgé, Dieu sait comment, un lien entre vous... et chaque fois qu'il tue, cela provoque un cauchemar.

— Jusqu'à aujourd'hui, je ne pensais pas vraiment que je rêvais de personnes réelles. Je savais que les deux cauchemars devaient avoir un lien entre eux, mais je le mettais sur le compte de mon accident et non du meurtre de ton cousin.

Julian avait une foule d'autres questions à lui poser, mais Nell avait l'air épuisée. Elle avait subi deux chocs coup sur coup, l'un physique, l'autre moral, et elle avait besoin d'être dorlotée et non harcelée de questions sur ces horribles souvenirs. Il serait toujours temps d'en discuter le lendemain.

— Tu as besoin de repos, et parler de tout cela ne t'aidera pas à dormir, décréta-t-il. Et je veux que tu voies le Dr Coleman demain matin.

— Ce n'est pas la peine de discuter, je suppose ?

— Non, en effet, ce n'est pas la peine, fit-il avec un sourire bref, avant de lui caresser la joue. Je ne voudrais pour rien au monde qu'il t'arrive quelque chose. Quand Hodges est venu m'annoncer ton accident… Disons que je ne voudrais pas revivre ce moment pour un empire.

Nell n'aurait su dire ce qu'il entendait par là. Avait-il été agacé ? Inquiet ? La retrouver chez son cousin Charles ne lui avait certainement pas fait plaisir, devinait-elle.

— Cela a dû être un choc de nous trouver à Stonegate, risqua-t-elle.

— Indubitablement, mais ce n'est rien comparé au choc que j'ai éprouvé en te voyant installée si près de Tynedale, ajouta-t-il, poussé par il ne savait quel démon.

— Comme je te l'ai dit, je n'avais pas le choix, répliqua-t-elle d'un ton sec. Il est venu s'asseoir à côté de moi, je ne pouvais pas l'en empêcher.

Il ne demandait qu'à la croire, mais trouver sa femme bavardant tranquillement avec la canaille qui avait tenté de l'enlever moins de trois mois plus tôt avait fait naître en lui une jalousie qu'il n'avait jamais éprouvée jusqu'ici. Il avait eu bien du mal à ne pas arracher cette fripouille de son fauteuil pour le jeter dehors comme un malpropre. Quant à Nell, il lui avait fallu se tenir à quatre pour ne pas la prendre dans ses bras devant tout le monde et exiger d'elle que plus *jamais* elle ne lui cause une telle frayeur.

Elle avait de l'affection pour lui, il n'en doutait pas, mais il se rendait compte qu'elle avait tendance à se dérober quand il l'approchait. Il avait essayé de ne pas en faire un drame, mais il avait remarqué qu'elle retirait sa main quand il la lui prenait, ou qu'elle détournait légèrement la tête si bien que ses baisers rataient ses lèvres. La sentir s'éloigner de lui peu à peu le remplissait d'une terreur sans nom. Il aurait voulu la secouer et exiger qu'elle l'aime autant qu'il… l'aimait.

Stupéfait, il la fixa. Il l'aimait ! Que lui était-il arrivé ? Lui, Julian Weston, dont le cœur n'avait jamais battu pour personne, était éperdument amoureux de ce petit bout de femme – *sa* femme ! – aux grands yeux émeraude. Il l'aimait comme il n'aurait jamais cru possible d'aimer.

Et elle s'éloignait de lui sans qu'il sache comment l'en empêcher…

Le souvenir de Tynedale assis à côté d'elle le rendait fou et, pour la première fois, il se demanda si cette canaille l'avait bien enlevée comme elle le prétendait. Il l'avait toujours crue, mais voilà qu'il s'interrogeait. S'était-elle querellée avec son amoureux et avait-elle cherché refuge dans la chaumière abandonnée ? Quand elle s'était trouvée confrontée à sa famille le lendemain matin, peut-être n'avait-elle osé l'avouer et avait-elle décidé de tirer le meilleur parti possible de la situation.

— Tu ne penses tout de même pas que j'ai encouragé lord Tynedale ? reprit-elle, brisant le silence.

— Je ne sais plus que croire, murmura-t-il, rongé par le doute et la jalousie.

— Dans ce cas, et en attendant que tu te décides à *me* croire, je te suggère de ne plus m'imposer ta compagnie, lança-t-elle, les yeux étincelants d'une fureur contenue.

— Imposer ? répéta-t-il, piqué au vif. Fort bien, madame, je vous souhaite une bonne nuit. Et ne vous inquiétez pas, je ne vous imposerai plus ma compagnie.

Partagée entre la colère et le désespoir, Nell le regarda sortir. Elle fut tentée de le rappeler, mais il était déjà trop tard, la porte de communication entre leurs appartements s'était refermée en claquant. Le poing sur la bouche, elle ravala ses larmes. Qu'il aille au diable ! Comment pouvait-il douter de sa parole ? Comme avait-il pu imaginer une seule seconde qu'elle se plaisait en compagnie de Tynedale ? Oh, elle le haïssait ! Et en cet instant, elle n'aurait su dire si cette haine s'adressait à Tynedale ou à ce misérable mari qui avait donné son cœur et son amour à une morte !

Tandis que sa jeune femme s'abandonnait à ses idées noires, Julian arpentait sa chambre. Son valet de chambre avait laissé sur une console un flacon de vieil armagnac et il s'en servit une large rasade.

La découverte de son amour pour sa femme, la jalousie et les soupçons qui le taraudaient, les souvenirs pénibles que les cauchemars de Nell lui avaient rappelés, tout se mélangeait dans son esprit. Il ne s'était jamais vraiment remis de la mort de John, et le suicide de Daniel l'année dernière n'avait fait que raviver cette blessure jamais refermée.

Penser que sa femme avait sans doute vu l'assassin de son cousin et qu'elle serait peut-être capable de l'identifier lui redonnait espoir. Après toutes ces années, il avait une chance de mettre la main sur celui qui avait lâchement assassiné l'homme qu'il avait toujours pris pour modèle. S'il pouvait enfin le livrer à la justice, cela apaiserait un peu le sentiment de culpabilité qu'il éprouvait de n'avoir pas su empêcher son neveu de mettre fin à ses jours.

Marcus avait eu beau lui répéter sur tous les tons qu'il n'avait rien à se reprocher, il avait trahi la confiance que John avait placée en lui. Il avait échoué, et il n'était pas homme à accepter l'échec.

Il aurait préféré ne pas penser à Nell, mais son image, la douceur de son sourire et l'ivresse de ses baisers s'insinuèrent en lui. Il s'immobilisa devant la cheminée et fixa les flammes sans les voir.

Il était amoureux. De sa femme. C'était incroyable et terrifiant ; fabuleux et déconcertant. Un instant, il fut tenté de se ruer dans sa chambre, de la prendre dans ses bras, de l'embrasser à perdre haleine, de lui avouer son amour et d'implorer le sien. Il n'en fit rien. Il serait vertement reçu, à n'en pas douter, et cela ne ferait qu'éloigner Nell davantage. Sa femme ne le tenait pas en haute estime, en ce moment, devait-il admettre.

Elle avait raison sur un point au moins : il devait décider s'il la croyait ou non. De nouveau, la jalousie revint lui ronger le cœur. Se pouvait-il qu'elle soit amoureuse de Tynedale ? Peut-être avait-elle pris conscience de ses sentiments quand elle avait revu ce gredin ? Il ne pouvait y croire. Il savait que ce vaurien était aux abois et qu'un mariage avec une riche héritière était la seule issue à ses problèmes financiers. Qu'il lui faille enlever une femme pour parvenir à ses fins ne l'aurait pas arrêté, c'était évident.

Julian vida l'armagnac jusqu'à la dernière goutte.

Alors, croyait-il sa femme ou pas ? Il revit son expression outragée, ses yeux étincelants de colère, et une vague de honte et de remords le submergea. Comment avait-il pu, comment avait-il osé douter d'elle un seul instant ? Dès qu'il avait aperçu l'homme qu'il haïssait, il avait réagi comme un gamin amoureux pour la première fois. Diable, il était bel et bien amoureux pour la première fois, c'était là sa seule excuse !

Quoi qu'il en soit, il s'était laissé aveugler par la jalousie. Même s'il n'avait pas été amoureux de Nell, il n'aurait pas dû permettre que leurs relations se détériorent. Son premier mariage avait été un échec, il devait tout faire pour qu'il n'en soit pas de même du second. Et il ne l'abandonnerait pas à cette fripouille sans se battre. Elle lui appartenait, et il l'aimait.

Ses cauchemars, et leur lien avec le meurtrier de John l'inquiétaient beaucoup. Si l'assassin découvrait ce lien... s'il en devinait seulement l'existence...

À cette idée, son cœur s'arrêta de battre. Tant qu'on n'aurait pas arrêté ce monstre, sa femme était en danger de mort. La pensée qu'on pourrait s'en prendre à elle l'emplit d'une fureur comme il n'en avait jamais connu. Il crispa les poings avec tant de force que le verre se brisa dans sa main. La douleur lui remit les idées en place et, tout en étanchant le sang qui coulait entre ses doigts, il fit le vœu de démasquer ce monstre et de le tuer.

Il ne dormit pas cette nuit-là ; il avait trop à faire. Au petit matin, il sonna son valet de chambre, prit un bain, puis gagna la salle à manger après avoir envoyé chercher le Dr Coleman.

Il avala un petit déjeuner rapide, et s'enferma dans son bureau. Le plus important était de mettre les choses au point avec Nell et de dissiper cette tension qui minait leur relation. Il n'avait rien d'un lâche, mais son courage vacillait à l'idée de déclarer ses sentiments... Surtout à une femme qui ne les partageait peut-être pas. Sans aller jusqu'à lui avouer son amour, il pouvait au moins faire en sorte qu'ils ne soient plus à couteaux tirés.

Il songea aux cachots dont elle lui avait parlé. Là aussi, elle avait raison. Il fallait explorer ceux du château. Et si elle les reconnaissait, il tendrait au meurtrier un piège dont il ne réchapperait pas.

L'arrivée du Dr Coleman le tira de ses pensées. Il lui expliqua brièvement ce qui était arrivé à Nell, puis l'envoya chez elle. Un sourire ironique lui retroussa les lèvres. Elle aurait ainsi une autre raison de lui en vouloir,

La jeune femme avait passé une mauvaise nuit elle aussi. Elle avait réussi à dormir quelques heures, mais ne se sentait pas reposée, et sa jambe la faisait terriblement souffrir. Elle avait donc décidé de passer la journée au lit et, une fois baignée et coiffée, avait tenu à goûter au plateau que Becky avait tenu à lui monter.

Elle venait de se verser une deuxième tasse de thé lorsqu'on lui annonça le Dr Coleman. Même si elle n'était pas ravie de le voir, elle fit bonne figure, répondit à ses questions et se laissa examiner. Sa ressemblance avec son mari, ainsi que leur parenté, même si elle n'était pas officielle, la mettaient mal à l'aise.

Elle eut une pensée pour le vieux Dr Babbington de Meadowlea et éprouva une soudaine bouffée de nostalgie. Sa maison, sa famille lui manquaient, songea-t-elle les larmes aux yeux. Mais ce qu'elle désirait plus que tout, c'était que Julian l'aime...

— Eh bien, milady, commença le praticien, une fois son examen terminé, malgré votre accident d'hier, vous êtes en excellente santé. Quelques jours de repos et il n'y paraîtra plus. Mais plus de promenades à cheval pendant quelque temps, ajouta-t-il en agitant l'index. Il ne s'agit plus uniquement de votre santé, désormais.

— Que voulez-vous dire ? fit-elle en fronçant les sourcils.

Il la gratifia d'un grand sourire.

— Si tout se passe normalement, et je ne vois aucune raison pour qu'il en soit autrement, fin juillet ou début août, vous donnerez un bel enfant à votre mari. Toutes mes félicitations !

13

Nell était tellement abasourdie qu'elle s'aperçut à peine du départ du médecin. Elle attendait un enfant ! L'enfant de Julian !

Comment était-ce possible ?

Elle rougit au souvenir des nuits torrides qu'ils avaient partagées. Bon, elle savait comment, mais elle n'arrivait tout simplement pas à y croire. Se ruant dans son cabinet de toilette, elle se planta devant la psyché, releva sa chemise de nuit et examina son corps. Son ventre était toujours aussi plat, ses seins ne lui paraissaient pas gonflés.

Un petit coup à la porte, puis la tête de Becky apparut dans l'entrebâillement.

— J'ai vu le docteur partir. Vous avez besoin de quelque chose, milady ?

— Non. Oui ! Je ne sais pas. Regarde-moi, intima-t-elle en faisant signe à la domestique d'approcher. Je te parais différente ?

— Non, milady.

— Oh, Becky, je viens d'apprendre la plus extraordinaire nouvelle ! J'attends un enfant !

— Madem… Je veux dire, milady ! C'est merveilleux ! Comme vous devez être heureuse !

— Oh, que oui ! Mais je ne me rends pas encore tout à fait compte. Je vais avoir un bébé, reprit-elle, une note de respect mêlé d'admiration dans la voix. En juillet, ou début août. Tu imagines ? Un enfant ! Moi !

— Monsieur le comte est content ? demanda Becky, tandis que sa maîtresse l'entraînait dans une joyeuse farandole.

Hors d'haleine, Nell se laissa tomber sur le lit. Sa joie s'était envolée. Elle allait avoir un enfant d'un homme qui ne l'aimait pas, d'un homme dont le cœur appartenait à une morte, d'un homme qui doutait de sa parole. Julian serait certainement heureux de sa grossesse, il avait besoin d'assurer sa descendance et de cela au moins, elle était capable – contrairement à lady Catherine.

— Il ne le sait pas encore, répondit-elle. Je suppose que le Dr Coleman est en train de le lui annoncer.

Elle avait raison. Et comme Julian était à cent lieues de s'en douter, il lui fallut quelques instants pour comprendre ce que le médecin lui disait. Un enfant… Sa petite Nell allait lui donner un enfant… Il allait être père. Cet été.

Toute la fatigue et les angoisses de la nuit s'évanouirent et il s'abandonna à sa joie. Comme un grand sourire illuminait ses traits, le docteur remarqua :

— Je constate que la nouvelle vous fait plaisir.

— *Plaisir ?* Vous n'avez pas idée ! s'exclama Julian. Par Jupiter, Coleman, vous ne pouviez m'apporter de meilleure nouvelle !

— C'était un plaisir, milord, assura ce dernier en souriant. À présent, je vais vous laisser partager votre bonheur avec votre épouse.

— Merci d'être venu si vite !

— C'est tout naturel. Si jamais vous avez besoin de mes services, n'hésitez pas à m'appeler. Ne vous inquiétez pas, la comtesse est jeune et en excellente santé, et tout se passera très bien, ajouta-t-il comme le comte semblait soudain inquiet.

Une fois seul, Julian éclata de rire. Il était si heureux qu'il avait l'impression d'être ivre. Dès cet été, il tiendrait leur enfant dans ses bras. Comme il avait attendu ce jour, autrefois ! Il pensait ne plus jamais entendre ces mots qui le transportaient de joie. Le souvenir de la réaction de Catherine quand elle avait appris sa grossesse lui revint en mémoire, assombrissant son bonheur.

Par sa faute, Nell et lui s'étaient quittés en mauvais termes la veille au soir. L'anxiété, la jalousie, le doute et l'orgueil l'avaient poussé à blesser la femme qu'il aimait. Se remémorant sa mine outragée, il songea qu'elle aussi avait son orgueil, et il se demanda à quel point il devrait ramper pour rentrer dans ses bonnes grâces. Si tant est qu'il y rentre un jour… La venue de cet enfant compliquait la situation. Réagirait-elle comme Catherine et utiliserait-elle sa grossesse comme une arme contre lui, ou bien partagerait-elle sa joie ?

Il était trop heureux pour s'appesantir longtemps sur ces mauvais souvenirs. Nell serait certainement aussi contente que lui. Il s'apprêtait à monter la voir lorsque Dibble frappa à la porte.

— M. Weston, votre cousin, demande à vous voir, milord.

— Charles ? *Charles* veut me voir ?

— En effet, lança l'intéressé en poussant le majordome pour pénétrer dans la pièce. Et que tu insistes pour que Dibble m'annonce comme si j'étais un parfait étranger prouve combien tu es devenu arrogant depuis que tu es comte ! Heureusement que je suis là pour battre en brèche tes manières suffisantes et t'empêcher de devenir par trop guindé.

Julian réprima un rire. En matière d'arrogance, Charles le battait à plate couture.

— À l'avenir, Dibble, veuillez traiter M. Weston comme n'importe quel membre de la famille.

— Ce que je suis, rétorqua Charles, même si tu aimerais prétendre que ce n'est pas le cas.

— Dois-je faire servir un remontant, milord ?

— Bien sûr, s'écria Charles en s'approchant du feu. Au cas où vous ne l'auriez pas remarqué, il fait un froid de loup, et si j'ai pris la peine de venir jusqu'ici, c'est à cause de ce grog que personne au monde ne réussit comme vous, mon cher Dibble ! Je compte sur vous.

Le majordome, qui connaissait Charles depuis l'enfance, sortit en réprimant un sourire. Il était heureux de voir les deux cousins de nouveau réunis.

— À propos d'arrogance… commença le comte, un sourire aux lèvres.

— Oh, bon sang, Julian, tu sais que je déteste faire des manières. J'ai toujours considéré cette maison comme la mienne, et y être reçu comme un étranger m'a agacé. Je suis désolé d'avoir heurté ta sensibilité.

— Grand Dieu ! Est-ce possible ? Charles Weston s'excuse ?

— Cela m'arrive quelquefois, tu sais. Pas souvent, admit-il en riant.

Julian mourait d'envie d'aller voir sa femme. Son cousin n'aurait pu choisir pire moment pour venir fumer le calumet de la paix. Il aurait bien remis la cérémonie à plus tard, mais, si désinvolte soit-il, Charles pouvait se montrer fort susceptible, aussi jugea-t-il préférable de s'en abstenir. S'il ne saisissait pas immédiatement la main tendue, l'occasion ne se représenterait peut-être jamais. Leur brouille durait depuis trop longtemps, et il avait envie de combler le fossé qui les séparait. À regret, il se résigna à attendre pour retrouver Nell.

— Alors, qu'est-ce qui t'amène ici ? questionna-t-il en s'installant devant la cheminée. Tu veux battre le fer pendant qu'il est chaud ?

— Si tel était le cas, qu'est-ce que tu dirais ?

À une époque, Julian avait été particulièrement proche de Charles. Ils avaient pratiquement le même âge, Wyndham Manor était proche de Stonegate, et ils avaient grandi ensemble. Il avait avec lui un lien qu'il ne partageait avec aucun autre membre de la famille. Il éprouvait beaucoup d'affection pour Marcus et s'était toujours plu en sa compagnie, mais même si leurs relations avaient été parfois orageuses, l'audace et la fantaisie de Charles lui manquaient.

— Tu as eu des mots très durs à mon égard, commença Julian. Tu m'as accusé d'avoir usurpé ton droit au titre, si j'ai bonne mémoire.

— J'ai dit ça sous le coup de la colère, répliqua Charles avec un geste impatient. Tu n'as tout de même pas cru que je le pensais vraiment !

— À l'époque, tu paraissais très convaincu.

— Je le pensais peut-être vraiment à l'époque, admit Charles avec un rire gêné. Mais au fond de moi, je ne le croyais pas réellement. Nous avons été profondément blessés, mon père et moi, que John t'ait confié la tutelle de Daniel. Elle nous revenait de droit… Enfin, reprit-il en se rappelant qu'il était venu faire la paix, nous avons eu des mots que nous n'aurions jamais dû avoir. J'ai mal réagi. Cela m'arrive quand les choses ne se passent pas comme je l'entends, si tu te souviens bien.

— Je m'en souviens, oui. Je suis prêt à mettre un certain nombre de choses sur le compte de la colère et de l'orgueil – je sais ce que c'est –, mais cela n'excuse pas tout ce qui a été dit et fait ces dernières années.

— Je ne te reproche pas de ressentir ce que tu ressens, mais je ne peux défaire ce qui a été fait. Avec le meurtre de John, papa a quelque peu perdu l'esprit – comme nous tous d'ailleurs. Dans notre détresse, nous avons frappé aveuglément, stupidement. Même s'il est allé clamer partout cette histoire de bébés échangés, au fond de lui, il n'y croyait pas plus que moi. Il n'empêche que je ne pouvais pas le désavouer. Et peut-être avais-je quelquefois envie de croire à ses divagations, soupira Charles. Je me suis parfois surpris à rêver que le véritable héritier du titre et des terres, c'était moi.

— Tu as changé d'avis ?

— Disons que si j'avais les moyens de prouver les allégations de mon père, je n'hésiterais pas à te flanquer dehors dans la seconde. Mais comme les probabilités d'y parvenir sont proches de zéro, je me suis résigné à rester M. Weston, tout simplement.

Julian s'esclaffa. Cela l'avait toujours étonné, mais Charles avait le don d'asséner les affirmations les plus blessantes sans que l'intéressé s'offusque le moins du monde.

— C'est très gentil de ta part, mais cela n'efface pas tous ces mensonges entre nous.

— Tu veux parler de Daniel ? Je ne peux pas prétendre que je suis un exemple à suivre pour un jeune garçon, et même si je t'en ai beaucoup voulu d'avoir éloigné Daniel de moi, tu avais raison. Je suis tout ce que tu me reproches d'être, entêté, brouillon, prodigue, jouisseur, et je me moque éperdument du qu'en-dira-t-on, mais j'aimais mon frère et mon neveu, Julian, crois-moi, et je n'aurais jamais mené Daniel délibérément à sa perte.

— C'est pourtant ce que tu as fait.

Un muscle tressauta sur la joue de Charles qui serra les poings.

— Coupable, admit-il d'une voix sourde en détournant les yeux. Et je n'ai jamais cessé de m'en vouloir. Tu étais à l'étranger, j'aurais dû veiller sur lui plus attentivement… Je ne pensais pas que… Ce qui arrivé est ma faute, je le sais parfaitement. Et personne ne le regrette plus que moi, ajouta-t-il en regardant de nouveau Julian.

Ce dernier inclinait à le croire. Charles n'avait jamais menti ni ne s'était dérobé face à ses propres méfaits. Leurs relations s'étaient considérablement réchauffées depuis la veille, mais il restait encore un long chemin à faire. Il avait envie de saisir la main que lui tendait son cousin, mais quelque chose l'en empêchait.

— Dans ce cas, pourquoi laisses-tu l'homme qui a causé la mort de Daniel se pavaner à Stonegate ? lâcha-t-il d'un ton mordant. Tu le traites comme un *ami*.

— Je ne me l'explique pas très bien moi-même, avoua Charles avec une grimace.

— Essaie.

L'entrée du majordome avec un bol de grog fumant dispensa Charles de répondre.

— Mon cher Dibble, si jamais vous en avez assez de cette maison, n'hésitez pas à venir frapper à ma porte. Rien que pour ce grog, vous valez beaucoup plus que ce qu'on vous paie, j'en suis persuadé.

Le majordome lui répondit par un sourire radieux et s'inclina profondément avant de s'éclipser.

— Tu veux me voler mon personnel, maintenant ? s'amusa Julian.

— Pourquoi pas ?

— Quel toupet ! fit Julian en secouant la tête. À présent, dis-moi pourquoi tu as laissé cette canaille de Tynedale s'installer chez toi ? Tu sais pourtant qu'il a ruiné Daniel et provoqué son suicide. Comment peux-tu supporter de te trouver dans la même pièce que lui ?

— On est parfois amené à pactiser avec le diable, murmura Charles en guise de réponse.

— Combien lui dois-tu ?

— En dépit des rumeurs, mes finances sont parfaitement saines, et je ne suis pas venu te voir pour t'emprunter de l'argent ou pour que tu me tires des griffes des usuriers. Tynedale n'a pas barre sur moi, tu peux me croire. J'aimerais que ce soit aussi simple.

— Que fait-il chez toi, dans ce cas ? s'emporta Julian. Sa vue seule me rend fou, et je regrette tous les jours que ma lame ait glissé et qu'il ne soit pas mort de ma main ! Cesse de jouer au plus fin et réponds-moi : pourquoi ?

— Parce que c'est comme ça, trancha son cousin d'un ton qui signifiait que le sujet était clos. Je sais que je ne suis pas en position de poser une question, mais est-il vrai que tu as racheté pratiquement toutes ses dettes ?

— Pourquoi devrais-je répondre à ta question quand tu refuses de répondre à la mienne ?

— Parce que la mienne est moins compliquée ? Il te suffit de dire « oui » ou « non ».

— Qu'est-ce que cela peut bien te faire ? En quoi cela te regarde-t-il ?

— Si ce qu'on rapporte est vrai, tu as largement les moyens de le ruiner. Et pourtant, tu ne fais rien. Pourquoi, cousin ? Qu'est-ce qui te retient ?

— On est parfois obligé de pactiser avec le diable, railla Julian.

— Nous voilà dans une impasse, commenta Charles avec un rire sans joie. Je ne veux pas répondre à ta question, tu ne veux pas répondre à la mienne. Nous faisons une sacrée paire, toi et moi !

— Ce n'est pas nouveau.

— Je dois y aller, fit Charles en tendant la main. Je serai très heureux de venir dîner avec ta femme et toi un de ces jours, histoire de sceller la renaissance de notre relation.

— Comme j'ai eu l'occasion de te le dire, c'est ton incroyable impudence qui te rend supportable, répliqua Julian en serrant la main de son cousin. Tu te rends compte que cette invitation ne concerne pas Tynedale ? Jamais, sous aucun prétexte, cette canaille ne mettra les pieds chez moi.

— Tu n'as rien à craindre de ce côté-là.

Comme Julian raccompagnait son visiteur, Nell et lady Diana, qui descendaient justement à ce moment-là, s'arrêtèrent au milieu de l'escalier, stupéfaites.

— Grand Dieu, Charles, c'est vous ? s'écria Diana.

— Je crois, oui, sourit l'intéressé.

— Je n'en crois pas mes yeux ! lança-t-elle en se hâtant de rejoindre les deux hommes. Ne me dites pas que vous avez réglé vos différends avec mon beau-fils !

— Certains d'entre eux. Il m'a même invité à dîner un de ces soirs. Si vous n'y voyez pas d'inconvénient, bien entendu, ajouta-t-il en se tournant vers Nell.

— Pourquoi y verrait-elle un inconvénient ? Oh, ce sera merveilleux d'avoir du monde ! s'enthousiasma Diana. Nous nous sommes tellement ennuyées ces derniers temps ! Venez avec votre mère, cela m'a fait tellement plaisir de la revoir. Et avec votre frère, bien sûr. Pourquoi pas demain soir ? Enfin, si cela convient à lady Wyndham, ajouta-t-elle, écarlate, en jetant un regard coupable à la maîtresse de maison.

— Cela me paraît une excellente idée, mais peut-être pas demain soir, répondit Nell sans s'offusquer. Que diriez-vous de jeudi prochain ? ajouta-t-elle à l'adresse de Charles qui hocha la tête. J'enverrai un mot à Mme Weston. Je me réjouis de vous recevoir.

— Je compte bien vous prendre au mot, et j'attends votre invitation avant la fin de la semaine, rétorqua Charles en prenant le chapeau que lui tendait Dibble.

— Faites-vous toujours montre d'autant de toupet, monsieur Weston ? s'enquit la jeune femme en réprimant un sourire.

— Toujours, confirma Julian. Va-t'en, maintenant, cousin, avant que je ne change d'avis.

Charles salua les dames et s'éclipsa en riant tandis que Diana, confuse de sa bévue et ravie que Nell ne lui en veuille pas, en faisait autant.

Une fois seule avec son mari, Nell hésita. Elle avait hâte de voir comment il accueillerait la nouvelle de sa grossesse, mais la façon dont ils s'étaient quittés la veille l'embarrassait, et elle ne savait quelle attitude adopter. Il n'en avait visiblement pas parlé à son cousin, mais elle non plus n'en avait soufflé mot à personne, à part Becky. Elle aurait voulu clamer son bonheur au monde entier et, en même temps, elle avait envie de le savourer encore un peu avant de le partager.

La main de Julian sur la sienne interrompit ses réflexions.

— Je peux te dire un mot ?

— Bien... bien sûr, balbutia-t-elle.

Souriant, il l'entraîna dans son bureau, referma la porte derrière eux et, s'appuyant au battant, la prit dans ses bras.

— Le Dr Coleman m'a annoncé la nouvelle, mon cœur, murmura-t-il en couvrant son visage de baisers. Tu es heureuse ?

— Très. Et toi ?

— Moi ? Le mot est faible ! s'exclama-t-il en la soulevant dans ses bras pour la faire tournoyer dans les airs. Je suis ivre de joie ! Et savoir que tu es aussi heureuse décuple mon bonheur.

Sans la lâcher, il se laissa tomber dans un des fauteuils devant la cheminée et caressa ses boucles cuivrées tandis qu'elle se blottissait au creux de son épaule.

— On aurait pu me renverser avec une plume quand Coleman m'a appris que j'allais devenir père. Et quand j'ai vraiment compris ce qu'il m'annonçait, j'étais fou de joie. Tu as fait de moi le plus heureux des hommes, mon ange, et tu ne peux pas savoir à quel point je t'en suis reconnaissant, conclut-il en déposant un baiser dans les cheveux de sa femme.

Il était aussi heureux qu'elle de sa grossesse, et Nell était soulagée au moins sur ce point. Mais ce n'était pas sa gratitude qu'elle voulait, c'était son amour. À contrecœur, elle se dégagea de son étreinte et se leva. Le fantôme de Catherine ternissait sa joie, mais elle était déterminée à ne pas laisser voir ses sentiments – surtout à un homme qui en aimait une autre.

— Je suis ravie que la perspective d'avoir un enfant te rende si heureux, dit-elle d'un ton guindé.

Ce n'était pas la réaction qu'il espérait mais elle n'était pas si surprenante après leur dispute de la veille. Il se leva à son tour, et lui caressa la joue.

— Tu es toujours fâchée contre moi pour hier soir ?

— Je ne suis pas fâchée, déçue, peut-être, fit-elle en s'écartant. Tu as mis ma parole en doute. Julian, tu ne peux pas raisonnablement croire que j'ai encouragé Tynedale ! Je le méprise ! Je me suis montrée polie envers lui parce que je n'avais pas le choix. Tu aurais préféré que je fasse une scène et que je lui ordonne de déguerpir devant tout le monde ?

— Tu as toutes les raisons de m'en vouloir, reconnut-il. Tu as agi exactement comme il le fallait, et c'est moi qui suis en faute. Je me suis conduit comme le dernier des imbéciles, et je te demande de me pardonner… J'étais jaloux, et je me suis laissé aveugler par la jalousie.

Nell en demeura bouche bée.

— Tu étais jaloux ? Mais comment peux-tu être jaloux d'un scélérat de son espèce ? Tu es bon, intelligent, généreux, tu es un homme honorable, tu n'as aucune raison d'être jaloux d'un Tynedale ! s'emporta-t-elle.

— Je me suis conduit stupidement hier soir, murmura-t-il en prenant la main de Nell pour déposer un baiser sur le bout de ses doigts. Me pardonneras-tu ?

Malgré toutes ses belles résolutions de le tenir à distance, la jeune femme sentit son cœur fondre.

— Uniquement parce que tu es le père de mon enfant, grommela-t-elle. Et à condition que tu me jures de ne plus jamais te conduire comme un idiot.

— Je ne peux pas te promettre une telle chose ! Je ne suis qu'un homme, après tout, mais je ferai de mon mieux, ma chérie ! promit-il en riant.

— Et pour le reste ?

— Pour tes cauchemars et les cachots ? Cet après-midi, j'irai les explorer avec quelques domestiques, et quand je serai sûr qu'il n'y a pas de danger, je t'y emmènerai. Et je prie le ciel pour qu'ils ne ressemblent pas à ceux de tes rêves.

Après avoir quitté Julian, Nell dirigea ses pas vers la galerie de portraits. Elle passa lentement devant les ancêtres de son mari, retardant le moment d'arriver à son but. Elle s'arrêta enfin devant le tableau représentant lady Catherine et contempla longuement le ravissant visage. La première lady Wyndham était une très belle personne, nul ne pouvait le nier, mais elle ne voyait rien dans ces traits adorables et dans ces formes parfaites pour expliquer l'emprise que cette femme avait encore sur le cœur de Julian.

« C'est mon mari, pas le tien, songea-t-elle. Tu es morte. Laisse-le tranquille. »

Le regard d'azur exprimait toujours la même sérénité, les lèvres de rose conservaient leur sourire indéchiffrable, et Nell fut dévorée d'une furieuse envie d'arracher le tableau du mur et de le réduire en pièces. Elle fit un pas en avant, mais se reprit à temps, et tourna sa soif de vengeance contre le vase rempli de fleurs rares, qu'elle fracassa sur le sol.

Elle considéra avec stupéfaction les débris de porcelaine et les pétales qui jonchaient le plancher.

Seigneur, qu'est-ce qui lui avait pris ?

Quelque peu honteuse de son éclat, et cependant ravie, elle regarda une dernière fois le tableau.

« Je suis sa femme et je porte son enfant, dit-elle en silence. Je suis vivante et tu es morte ! Laisse-le tranquille ! »

Julian tint parole et, l'après-midi même, il inspecta avec quelques domestiques les parties les plus anciennes des fondations. Ils ne trouvèrent rien d'inquiétant dans ces cachots humides et il y revint avec Nell dès le lendemain.

Accrochée au bras de son mari, la jeune femme contempla à la lueur tremblotante des torches les murs suintants d'humidité de deux espèces de cellules donnant sur une grande pièce. Elle remarqua la mousse verdâtre qui couvrait le sol inégal, preuve que les cachots étaient parfois inondés.

L'endroit était lugubre à souhait, mais ce n'était pas le théâtre de ses cauchemars. Si elle était soulagée de savoir que le meurtrier n'officiait pas à Wyndham Manor, elle éprouvait aussi une certaine déception. Si seulement ils trouvaient le repaire du monstre, ils pourraient rapidement l'identifier, et aucune malheureuse ne mourrait plus dans d'horribles souffrances.

Elle leva les yeux vers le visage tendu de Julian et secoua la tête. Avec un soupir de soulagement, il l'entraîna vers l'escalier.

— Tu es sûre que tu te sens bien ? s'inquiéta le comte devant la pâleur de sa femme, qui sirotait une tasse de thé brûlant. Je peux envoyer chercher le Dr Coleman, si tu veux. Je ne sais pas ce qui m'a pris de te laisser venir avec moi dans ces maudits cachots ! Je devais être fou.

— Ne t'inquiète pas, je ne suis pas malade ! Je suis enceinte, et c'est ton enfant qui me rend un peu faible, pas cette petite excursion. De toute façon, si tu ne m'y avais pas accompagnée, j'y serais allée seule. Imagine tes remords !

— T'a-t-on déjà dit que tu étais obstinée et impétueuse ?

— Souvent, reconnut Nell en riant. Je sais que tu n'avais pas envie de m'emmener, mais tu dois quand même être content de savoir que tes cachots sont hors de cause ?

— Dieu soit loué de sa grande bonté, déclara-t-il avec tant de componction qu'elle s'esclaffa de nouveau.

— Mais cela ne change rien, au fond, remarqua-t-elle pensivement, un instant plus tard. Ces cachots sont quelque part dans les environs, et nous devons trouver où si nous voulons arrêter ce monstre. Et faire définitivement cesser mes cauchemars...

Julian, qui arpentait la pièce, vint près d'elle, posa un genou en terre et s'empara de ses mains.

— Nous les trouverons, et nous l'arrêterons, je te le jure ! promit-il.

Comme elle aurait été heureuse si, au lieu de lui promettre d'arrêter ce fou meurtrier, il lui avait dit qu'il l'aimait, tout simplement...

pas de [illegible] dans les [illegible]
[illegible] je dois [illegible]
— Inquiète ? pas, je ne suis pas malade. Je
[illegible] c'est [illegible] qui me [illegible]
[illegible]
[illegible]
[illegible]
— Il y a [illegible] du [illegible] absolument impossible.
— Souvent [illegible] en riant, [illegible]
[illegible]
quand même [illegible]
[illegible]
— [illegible]
[illegible]

14

La nouvelle que la comtesse attendait un enfant se répandit comme une traînée de poudre dans toute la région, et même au-delà. Nell fut aussi flattée qu'amusée devant le flot de félicitations qui s'abattit sur Wyndham. Tout le monde paraissait enchanté, depuis la dernière des filles de cuisine jusqu'aux pairs du royaume. Même le prince de Galles écrivit au jeune couple un mot charmant. Mais la lettre qui la toucha le plus fut, bien évidemment, celle de son père. Elle savait que la nouvelle enchanterait sir Edward et lorsqu'elle apprit qu'il avait décidé de lui rendre visite au début du printemps, elle ne se tint plus de joie.

— Que je suis heureuse ! s'écria lady Diana. Nous avions tellement espéré connaître ce bonheur avec mon défunt mari, mais le sort en a décidé autrement. Je sais qu'il aurait été transporté de bonheur d'avoir un petit-fils ! Je me souviens comme il parlait de Catherine et de l'enfant qu'elle portait, et quel drame sa mort a été pour lui. Pardonnez-moi, je ne voulais pas ressasser le passé, rougit-elle en s'apercevant de sa bévue. Je sais qu'il aurait été aux anges en apprenant votre grossesse.

— Vous faites un couple exemplaire, Julian et vous, intervint Elizabeth en l'étreignant chaleureusement. Et voilà que vous allez avoir un bébé ! Nous ne serons pas loin, maman et moi, et je vous préviens, nous gâterons cet enfant de toutes les manières possibles !

Le dîner avec Charles se passa sans anicroche. Nell avait également invité les Chadbourne, une famille de hobereaux du voisinage qu'elle aimait bien, avec leur fils Pierce, un grand gaillard trentenaire. L'ambiance était très gaie, et l'on porta force toasts à la santé de la mère et de l'enfant à naître.

Quand les dames se retirèrent à la fin du repas pour laisser les messieurs fumer leurs cigares, la jeune femme était enchantée de son premier dîner donné en tant que comtesse de Wyndham. Même si elle n'y avait pris aucune part, elle était heureuse de voir son mari réconcilié avec ses cousins. Personne n'aurait pu se douter que, quelques jours plus tôt, les trois hommes ne se seraient même pas adressé la parole.

Une fois ces dames installées au salon devant un plateau de douceurs, la conversation revint sur la grossesse de la maîtresse de maison.

— Je me souviens de ma première grossesse comme si c'était hier, sourit Blanche Chadbourne en couvant son hôtesse de son doux regard bleu. Il n'y a pas mieux qu'une naissance au début de l'été. Ma plus jeune fille est de décembre, et du moment où la sage-femme l'a déposée dans mes bras jusqu'au mois de juin, elle n'a cessé d'être malade !

— Ma foi, je préfère donner le jour au printemps, comme pour mon Raoul. Une fin de grossesse en plein été est trop pénible. Votre dos vous fera souffrir et vous aurez les pieds enflés, si tant est que vous arriviez à les voir ! prévint Mme Weston.

— Ne faites pas attention à elle, intervint lady Diana. Tous ces petits tracas seront oubliés dès que vous aurez votre bébé dans les bras. Dès que j'ai vu Elizabeth, j'ai oublié tout le reste. Vous verrez que je dis vrai.

— Vous avez effectivement raison, renchérit Mme Chadbourne. Je ne connais pas de plus grand bonheur ! Cela fait longtemps que des rires d'enfants n'ont pas retenti dans cette maison. Je suis certaine que lord Wyndham est fou de joie.

Nell le lui confirma. Son mari n'était peut-être pas amoureux d'elle, mais il rayonnait à la perspective de devenir père, et le plaisir qu'il ne cherchait pas à dissimuler avait beaucoup fait pour la réconforter. Peut-être ne l'aimerait-il jamais, mais il allait adorer leur enfant, et cela suffisait à lui pardonner bien des choses.

Son état offrait encore un autre avantage, plus intime. Depuis qu'il la savait enceinte, Julian lui faisait l'amour avec une douceur si exquise que son corps entier était parcouru de délicieux frissons rien que d'y penser.

— Ce n'est pas la première fois que le comte est sur le point de devenir père. Pourvu que ses espérances ne soient pas déçues, cette fois-ci, soupira Sophie Weston, fixant son regard de jais sur son hôtesse.

— Mais quelle idée ! Comment pouvez-vous dire une chose pareille ? s'insurgea lady Diana.

— Allons, allons, je suis sûre que nous interprétons mal les paroles de Mme Weston, et qu'elle a une explication, intervint Mme Chadbourne d'un air réprobateur.

— Dans ce cas, peut-être Mme Weston aura-t-elle l'amabilité de nous fournir cette explication ? demanda calmement Nell, en soutenant sans se troubler le regard de son invitée.

— Je ne voulais rien dire de particulier, sinon que lord Wyndham a déjà eu l'espoir de devenir père et que, hélas, il a perdu cet enfant en même temps que sa pauvre femme. Il ne peut manquer d'y penser, quelle que soit sa joie.

— Mais cette tragédie n'a rien à voir avec mon enfant, n'est-ce pas ? insista Nell. Je suis certaine que vous ne cherchez pas à m'alarmer, mais comment dois-je interpréter votre remarque ?

— Je vous demande pardon, je me suis mal exprimée, admit à regret Sophie Weston. Parlons d'autre chose maintenant, si vous voulez bien.

Lady Diana et Mme Chadbourne ne demandaient que ça, et elles orientèrent la conversation sur les projets de la comtesse douairière pour la rénovation de Dower House. Elizabeth, qui jusque-là s'était tenue à l'écart, comme il sied à une jeune fille bien élevée, adressa à Nell un sourire plein de chaleur avant de se joindre à la discussion. Mme Weston saisit la perche qu'on lui tendait et, quelques minutes plus tard, ces dames s'étaient lancées dans un débat animé sur les mérites comparés de différents tissus d'ameublement.

La comtesse les écoutait d'une oreille distraite. Les paroles venimeuses de Mme Weston lui trottaient dans la tête. Elle faisait tous les efforts possibles pour trouver des qualités aux proches de son mari, mais il y avait quelque chose chez Sophie Weston qui la hérissait. Peut-être n'aurait-elle pas dû prendre ses paroles tellement à cœur. Si sa belle-mère avait fait une telle remarque, la jeune femme l'aurait considérée comme une nouvelle preuve d'étourderie et n'y aurait prêté aucune attention. Elle était certaine d'une chose en tout cas. La mère de Raoul n'avait pas parlé à la légère, ses propos étaient délibérés.

Quand Diana se leva pour expliquer à sa belle-sœur certains détails d'aménagement, Blanche Chadbourne vint prendre sa place auprès de son hôtesse.

— Ne faites pas attention à Sophie, murmura la brave femme. Elle est souvent hautaine et peut se montrer désagréable, mais je ne pense pas qu'elle ait eu de mauvaises intentions. Elle se moque éperdument de l'opinion et des sentiments des autres, tout simplement.

— Cela fait longtemps que vous la connaissez ?

— Mon Dieu, oui ! Depuis qu'elle a épousé l'oncle de votre mari, il y a une trentaine d'années. J'ai parfois regretté qu'il n'ait pas choisi une femme au caractère plus facile, je ne vous le cache pas, mais elle avait une fortune considérable et Weston en avait bien besoin. Je ne crois pas qu'ils aient été malheureux ensemble, mais ils n'ont certainement pas fait un mariage d'amour. Harlan adorait Letty, la mère de John et de Charles, et quand elle est morte... quelque chose en lui s'est brisé. Stonegate avait besoin de quelqu'un comme Sophie, et Harlan Weston le savait.

— Il avait tellement besoin d'argent ?

— Sans celui de sa femme, il se serait trouvé dans une situation désespérée. Elle l'a sauvé de la ruine, et il lui en était reconnaissant. Et puis, il a été ravi de la naissance de Raoul, cela le rajeunissait. Grâce à l'argent de sa mère, c'est un beau parti, et je dois ajouter, au crédit de Charles, qu'il ne lui en a jamais voulu d'être le futur héritier d'une fortune conséquente contrairement à lui.

Mais Raoul mène une vie de bâton de chaise. Sophie l'a outrageusement gâté, et Charles, qui cache un bon fond sous ses manières arrogantes, l'a tiré d'un mauvais pas à plusieurs reprises. Des histoires de femmes… Vous avez entendu parler du vieux comte, je suppose ?

Nell hocha la tête.

— Eh bien, il paraît que Raoul lui ressemble comme deux gouttes d'eau, en moins généreux. Si vous saviez le nombre de jeunes filles qu'il a déshonorées ! Selon moi, c'est Sophie qui est à blâmer, ajouta Blanche. Elle est en adoration devant son fils et lui passe tout. Elle ne tolère pas la moindre critique à son endroit. Mais j'imagine que c'est naturel ; Harlan l'ayant épousée pour son argent, qui d'autre aimer que ce garçon ? Quand bien même, je le répète, cela n'a pas été un mariage malheureux. Ils éprouvaient du respect l'un pour l'autre, et de l'affection.

— Je vois, murmura Nell, qui ne pouvait s'empêcher de se comparer à Sophie Weston.

Elle non plus, son mari ne l'avait pas aimée… Cela expliquait peut-être sa froideur.

L'arrivée des messieurs vint interrompre leur conversation. Le reste de la soirée se passa si agréablement que Nell regretta presque de voir partir ses invités. Mais la journée avait été longue et fatigante, et elle ne fut pas mécontente d'aller se coucher.

Elle ruminait encore les paroles de Mme Chadbourne quand elle souffla sa chandelle. Julian ne l'avait certes pas épousée pour son argent, mais elle non plus n'avait pas fait un mariage d'amour. La mère de Raoul lui renvoyait-elle l'image de ce qu'elle serait dans trente ans ? Les hommes de cette famille n'aimaient apparemment qu'une seule fois et ils demeuraient inconsolables après la perte de cet unique amour…

L'arrivée de Julian mit un terme à ces sombres pensées. Il se glissa à ses côtés et dès qu'elle sentit contre elle la chaleur de ce grand corps viril, elle oublia tout.

— Eh bien, madame ma femme, vous êtes contente de votre premier dîner à Wyndham Manor ? chuchota-t-il avant de déposer un baiser sur son oreille.

— Tout s'est bien passé, non ? répondit-elle en se blottissant contre lui.

Il ne l'aimait peut-être pas, mais il n'en demeurait pas moins un excellent mari.

— Absolument, et cela n'avait rien d'évident. Il y avait tout de même de fortes chances pour que nous nous sautions à la gorge, Charles et moi, sous les encouragements de Raoul et les cris de joie de tante Sophie.

— J'aime bien ton cousin Charles. Il n'est pas aussi froid et égoïste qu'il le prétend, non ?

— C'est le problème avec lui, acquiesça Julian. Il est loin d'être égoïste, mais il s'applique soigneusement à le cacher.

— Mais pourquoi ?

— Tante Sophie ne s'est pas toujours montrée très tendre envers ses beaux-fils, et quand elle a eu un enfant bien à elle… Elle se ferait hacher menu pour son fils, mais John, Charles et ensuite Daniel, le fils de John, auraient pu se faire mettre en pièces sous ses yeux sans qu'elle lève le petit doigt. Sophie n'apparaît pas toujours très sympathique, mais au bout du compte, je lui suis reconnaissant d'avoir sauvé Stonegate et d'apporter un peu de stabilité à cette branche de la famille. Je ne sais pas ce que serait devenu mon oncle si elle n'avait pas été là. Quant à Charles... même s'ils ne s'aiment pas beaucoup, elle a exercé un certain contrôle sur lui pour l'empêcher d'aller trop loin.

— Grâce à son argent ?

— Elle lui en a rebattu les oreilles plus souvent qu'à son tour. Je me suis parfois demandé comment il faisait pour ne pas lui tordre le cou. Mais nous n'allons pas parler des Weston toute la nuit, enchaîna-t-il en enfouissant le nez dans les boucles de sa femme. Il y a d'autres sujets de conversation bien plus intéressants !

— Lesquels, par exemple ?

— À quel point tu es séduisante ce soir, et comment mon fils grandit en toi, suggéra-t-il en lui caressant le ventre.

— Ton fils ? Qui te dit que ce n'est pas une fille ?

— Eh bien, va pour une fille. Je n'ai rien contre une maison fourmillant de petites diablesses aux yeux verts, lui murmura-t-il à l'oreille. Mais j'espère bien qu'à un moment donné, tu me donneras un héritier.

Ses lèvres trouvèrent celles de Nell pour un long baiser passionné, tandis que ses mains se refermaient sur ses seins ronds.

— Et puis, ce n'est pas déplaisant de faire un bébé, souffla-t-il contre sa bouche. En fait, je ne connais rien de plus agréable...

Tirant prestement sur le ruban qui fermait sa chemise de nuit, il se pencha pour sucer avec ardeur la pointe rose d'un sein qui se dressa sous sa langue. L'été prochain, ce serait leur bébé qui téterait avec la même avidité, songea Nell. Puis la main de son mari s'insinua entre ses cuisses, et elle oublia tout ce qui n'était pas la magie de l'instant.

Ils étaient si bien assortis, se dit-elle un peu plus tard comme, repus et comblés, ils savouraient la douce langueur d'après l'amour. Et pourtant, il y avait ce fossé entre eux. Ce fossé qui s'appelait Catherine.

L'évocation de la première femme de Julian suffit à détruire ce sentiment de plénitude qu'elle goûtait un moment plus tôt. Les paroles de Sophie Weston lui revinrent, ajoutant à son malaise.

— Du calme, murmura Julian. Tu te tortilles comme une anguille.

Elle eut beau faire, elle n'y parvint pas, et finit par s'écarter de lui.

— Qu'y a-t-il ? voulut-il savoir. Quelque chose te tracasse. Tes cauchemars, peut-être ?

— Non. Cela fait des semaines que je n'en ai pas eu. Ce qui signifie sans doute qu'ils recommenceront sous peu.

— Si ce ne sont pas tes cauchemars, qu'est-ce qui fait que tu t'agites autant ? insista-t-il.

— Ce soir, ta tante Sophie m'a rappelé que ce n'était pas la première fois que tu espérais avoir un enfant... et que cet espoir avait connu une fin tragique, avoua-t-elle.

— Quelle peste ! siffla-t-il. Charles n'aura pas besoin de lui tordre le cou, je vais m'en charger moi-même. Je lui dirai deux mots la prochaine fois que je la verrai, compte sur moi. En attendant, oublie ses perfidies. Elle a toujours aimé faire des histoires. Il s'agit de *notre* enfant et ce qu'il y a entre nous n'a rien à voir avec le passé.

Il se trompait. L'ombre du passé assombrissait leur présent. Tant que le fantôme de Catherine se dresserait entre eux, jamais ils ne pourraient être heureux…

Quoique n'étant pas d'une nature poltronne, Nell dut prendre son courage à deux mains avant de demander :

— Tu l'as beaucoup aimée ?

— Qui ? demanda Julian, complètement perdu.

— Catherine.

— Mais que diable vient-elle faire dans notre histoire ? s'exclama-t-il en se dressant comme un ressort. Elle est morte, Nell. Morte et enterrée. Oublie-la !

— Et toi, tu l'as oubliée ?

Le seul nom de sa première femme avait suffi à le mettre en rage. Ce qu'il vivait avec Nell était tellement beau, tellement précieux ! Il ne voulait pas que le fantôme de Catherine vienne ternir son bonheur. Comment expliquer ses mensonges, les scènes qu'elle lui faisait, les amants avec qui elle s'affichait, sans se ridiculiser aux yeux de celle qu'il aimait ? Il ne pouvait pas non plus lui avouer la crainte qui l'avait rongé pendant des mois : que l'enfant que portait Catherine ne soit pas le sien.

S'il y avait un sujet qu'il ne voulait surtout pas aborder avec sa seconde femme, c'était bien la première. Mais Nell lui avait posé une question, il lui devait une réponse.

— Non, je ne l'ai pas oubliée, dit-il, car comment oublier celle qui avait failli le détruire. Jusqu'à mon dernier souffle, je me souviendrai d'elle et du bébé qu'elle portait au jour de sa mort, mais cela n'a rien à voir avec nous. Il s'agit de notre mariage… et de notre enfant. Je t'en supplie, laisse le passé à sa place. Elle est morte et enterrée et personne ne peut rien y changer. Accepte-le comme je l'ai accepté.

Eh bien, elle avait sa réponse. Il l'avait enfin admis, jamais il n'oublierait la divine Catherine. Elle n'avait rien à espérer, il venait de le lui signifier clairement.

— Oh, je comprends parfaitement. Pardonne-moi, mais je suis épuisée, ajouta-t-elle en réprimant ostensiblement un bâillement.

Julian hésita. Il avait parfaitement saisi qu'elle le congédiait, mais il ne voulait pas qu'ils se quittent sur un nouveau malentendu. Il ne voulait, en fait, pas la quitter du tout. Il voulait ce qu'il n'avait jamais désiré avec aucune femme : passer la nuit entière avec elle, dormir à ses côtés, sentir la chaleur de son corps, écouter son souffle léger.

La seule mention de Catherine avait suffi à les éloigner l'un de l'autre, mais il n'allait pas laisser cette peste ruiner du fond de sa tombe ses dernières chances de bonheur. Cette fois-ci, ce serait lui qui gagnerait la bataille !

Il se rallongea, attira Nell contre lui et déposa un baiser dans ses cheveux.

— Moi aussi, je suis fatigué, et je ne vois pas d'endroit plus agréable pour passer la nuit qu'auprès de ma femme.

Nell fit de son mieux pour entretenir sa rancœur, mais c'était impossible. Elle l'aimait. Oui, elle l'aimait. Passionnément. À la folie… Elle aimait cet homme qui la serrait dans ses bras. Elle ne savait pas quand elle avait commencé à l'aimer. Quand il lui était apparu pour la première fois et qu'elle l'avait pris pour un brigand ? Le soir de leur mariage, quand il l'avait embrassée avec tant de fougue ? Ou quand il lui avait fait l'amour pour la première fois ? Elle l'ignorait. Elle savait juste qu'elle l'aimait de tout son être.

Et que lui en aimait une autre. Mais c'était avec elle qu'il dormait, pas avec une morte. Elle avait des mois, des années pour se faire aimer de lui. Et elle portait son enfant… Elle s'endormit, le sourire aux lèvres, lovée contre le corps de son mari, dont la main reposait sur son ventre, comme pour mieux les protéger, elle et leur bébé.

Il n'y eut pas d'avertissement. Elle dormait paisiblement en rêvant de son enfant à naître et du jour où Julian lui déclarerait son amour… et soudain, elle se retrouva dans un cachot, les hurlements d'une malheureuse lui déchirant les tympans. Elle lutta de toutes ses forces pour échapper à ces visions infernales, mais une force irrésistible la retenait et l'obligeait à regarder ces horreurs. Elle frissonna quand l'Homme de l'ombre se détourna de sa victime pour s'emparer d'un nouvel outil, un couteau à la lame aussi acérée qu'un rasoir.

Il était dans la pénombre, comme d'habitude, et elle ne distinguait que sa haute silhouette aux larges épaules. Pourtant, lorsqu'il s'était détourné un instant, il y avait eu comme une secousse dans son cerveau et son cœur avait manqué un battement. *Elle le connaissait*. Elle n'aurait pu dire son nom, mais elle l'avait déjà rencontré, elle lui avait parlé, elle en était certaine.

Elle connaissait l'Homme de l'ombre.

Julian se réveilla à l'instant où un violent frémissement la parcourut. Comprenant qu'elle était la proie d'un nouveau cauchemar, il alluma le bougeoir sur la table de nuit. Le visage de sa femme était déformé par la peur, son front baigné de sueur. Il tendit la main vers elle, mais à peine l'eut-il touchée qu'elle se redressa en hurlant.

— Nell, réveille-toi, ordonna-t-il doucement. C'est un cauchemar. Réveille-toi, ma chérie.

Mais elle n'y parvenait pas. La scène d'une incroyable sauvagerie qui se déroulait devant elle la gardait captive. Jamais, dans aucun de ses cauchemars, elle n'avait vu pareille violence incontrôlable. Elle avait toujours perçu chez le vil tortionnaire qui tourmentait ces malheureuses une espèce de froide curiosité, comme si chaque nouvelle torture constituait une expérience intéressante. Mais cette nuit, la curiosité avait disparu, laissant la place à une fureur aveugle, un besoin irrésistible de faire souffrir, de déchirer, de lacérer.

Les caresses et les mots doux restant sans effet, Julian, en désespoir de cause, lui asséna une gifle. Elle accusa le coup, sursauta et son regard embrumé s'anima de nouveau. Livide, tremblant comme une feuille, elle se jeta dans les bras de son mari.

— C'était horrible ! hoqueta-t-elle. Horrible. Je ne le supporte plus,

Julian la berça doucement, lui parla tendrement à l'oreille en attendant qu'elle se calme.

— Chut, mon cœur, c'est fini. Tu es avec moi, tu n'as plus rien à craindre. Je ne laisserai personne te faire de mal. Calme-toi.

Ses sanglots cessèrent peu à peu, mais elle s'accrochait toujours à lui avec désespoir. Levant la tête, elle murmura :

— Je le connais, Julian.

— Tu as vu son visage ? Tu connais son nom ?

— Non. Mais à un moment, j'ai senti que je le connaissais. Que je l'avais déjà rencontré, que je lui avais parlé. Nous l'avons peut-être reçu ici, dans cette maison, ajouta-t-elle en frissonnant.

— Mais si tu n'as pas vu son visage, comment sais-tu que nous l'avons rencontré ?

— Je ne peux pas l'expliquer, reconnut Nell. Je le sais, c'est tout. Nous le *connaissons*, ce n'est pas un inconnu.

Julian étudia son visage blême, vit les traces de larmes sur ses joues, ses pupilles encore dilatées de peur. Il avait déjà accepté le fait que sa femme, sans qu'on comprenne comment ni pourquoi, entretenait un lien avec l'homme qui avait assassiné son cousin et avait essayé de la tuer en la précipitant du haut d'une falaise. Les cauchemars de Nell révélaient qu'au fond de sombres cachots, ce même homme torturait et assassinait depuis des années des femmes innocentes. Ayant accepté tout cela, comment ne pas la croire quand elle affirmait qu'ils connaissaient le tueur ?

— Nous le connaissons, c'est entendu, mais si tu ne peux pas l'identifier, cela ne nous est pas d'un grand secours, observa-t-il.

— Je sais bien. Si seulement nous trouvions ces cachots, nous saurions qui est ce monstre !

— Sauf que nous n'avons aucune idée de l'endroit où ils pourraient se trouver. Il y a des restes médiévaux enfouis pratiquement sous toutes les grandes demeures d'Angleterre ! Nous pouvons explorer tous les cachots du Dorset, mais ce fou officie peut-être dans le Devon pour ce que nous en savons.

— Non, contra Nell. Je ne peux pas l'identifier ni reconnaître l'endroit, mais je sais qu'il est de la région et que les cachots se trouvent dans les environs.

— Et comment en es-tu si sûre ? soupira Julian.

— Je le sais, c'est tout ! Je ne peux pas l'expliquer, je te l'ai dit. Je le *sens*, mon instinct me le souffle ! Ces cauchemars ont toujours été affreux, mais ceux que j'ai faits ici sont plus... plus intenses... Comme si j'étais plus près de la source. Et du coup, ce que je *ressens* est plus puissant. Je ne sais comment te le faire comprendre, mais ce n'est pas le fruit de mon imagination. Tu me crois, n'est-ce pas ?

— Oui, je te crois, concéda Julian avec lassitude. J'ai eu beaucoup de mal, je te l'avoue, mais ce que tu m'as raconté du meurtre de John m'a convaincu qu'il existe un lien mystérieux entre son assassin et toi. Nous sommes deux, mon cœur, conclut-il en lui prenant la main, et à nous deux, nous trouverons ces maudits cachots et nous démasquerons ce monstre.

— Tu es si bon avec moi, soupira-t-elle en se serrant contre lui. Peu de maris se montreraient aussi compréhensifs.

— C'est une bonne chose, en effet, que je sois un mari aussi exceptionnel, non ? sourit-il en lui embrassant le front.

— Chercherais-tu des compliments ?

— Pas particulièrement, mais ce n'est pas désagréable de t'entendre dire du bien de moi.

Ils demeurèrent un moment enlacés, savourant la complicité qui les liait.

— Je ne veux pas te torturer avec mes questions, reprit finalement Julian, mais dans le cauchemar de cette nuit, tu ne te souviendrais pas d'un détail qui pourrait nous aider ?

— Non, sinon qu'il était enragé. Il bouillait littéralement de fureur.

— Je me demande ce qui a provoqué cette fureur, murmura Julian pensivement.

— Je n'en ai pas la moindre idée, souffla Nell en se blottissant contre lui. Cette pauvre femme...

— Nous savons ce qui nous reste à faire. Mais je t'avoue que je ne suis pas impatient d'explorer tous les cachots du Dorset, et je me demande quel prétexte je vais bien pouvoir inventer pour convaincre mes amis, parents et connaissances de me laisser jeter un coup d'œil sous leur demeure. Tu es vraiment certaine que nous connaissons ce monstre ?

— Je n'ai aucun doute là-dessus.

— Eh bien, nous pouvons toujours espérer qu'il s'agit de cette canaille de Tynedale.

— Ce n'est pas lui. Tynedale est blond, tandis que l'Homme de l'ombre a des cheveux noirs, un peu comme les tiens…

15

Julian ne perdit pas de temps. Dès le lendemain matin, il s'installa dans la bibliothèque pour dresser la liste des domaines possédant des cachots médiévaux. Une fois cette liste établie, il cocha ceux dont sa femme avait rencontré les propriétaires. Que lui les connaisse n'avait aucune importance. Ce qui comptait, c'était Nell.

Il connaissait bien les différentes propriétés de la région, mais il fut néanmoins surpris de découvrir que la plupart avaient été érigées sur des restes de fortifications moyenâgeuses. Certains, comme Chadbourne, tiraient une grande fierté de leurs cachots gothiques ou même romans, et ils étaient toujours ravis de les faire visiter. D'autres, comme lui, avaient oublié leur existence, et il lui faudrait trouver une explication plausible pour justifier sa requête.

Il imaginait sans peine l'expression de Charles s'il exprimait le souhait d'inspecter les cachots de Stonegate. Le Dr Coleman ne serait certainement pas particulièrement enchanté d'ouvrir sa maison à des investigations dont il ne comprendrait pas l'objet. Son voisin, lord Beckworth, en revanche, était aussi fier que Chadbourne d'habiter sur les restes d'un château anglo-normand, et il lui ferait volontiers faire le tour du propriétaire.

Le dernier de la liste était John Hunter, le garde-chasse. La maison que lui avait léguée le vieux comte était un ancien rendez-vous de chasse construit sur le site d'un donjon saxon. Julian se souvenait très bien des cachots qu'il avait explorés, enfant, avec John, Charles et Marcus, et le petit Raoul, jusqu'à ce que le garde-chasse les surprenne. Celui-ci les en avait prestement chassés, leur infligeant la peur de leur vie quand il avait surgi de l'ombre, sa cravache à la main.

À cette liste, il fallait ajouter les restes d'une forteresse normande près de Dawlish et les ruines d'un monastère abandonné depuis le règne de Henri VIII. S'il y avait d'autres sites, il ne voyait pas lesquels pour le moment. Ayant achevé, autant que faire se peut, sa tâche, il partit à la recherche de sa femme. Et apprit de la bouche de Dibble qu'elle était à Dower House avec ces dames.

Le temps étant clément pour la mi-février, Julian décida de se rendre à pied à Dower House. Il ne s'était pas beaucoup intéressé à la rénovation jusqu'à maintenant et comme la gentilhommière était dissimulée dans les bois à l'écart de la route, il n'avait pas eu l'occasion de voir les changements.

En suivant le chemin parsemé de nids-de-poule, et dont la végétation était par endroits si dense que c'en était oppressant, il en conclut que les travaux dans le parc n'avaient pas commencé. Lorsque la maison se dressa devant lui au détour du chemin, il découvrit, en revanche, des changements spectaculaires. Les arbustes qui l'enserraient avaient été taillés, le lierre et la vigne vierge qui montaient à l'assaut des pignons et des balcons avaient été arrachés, révélant la beauté sobre de la brique et la blondeur des pierres. Une large allée sablée se divisait en deux au pied du perron, bifurquant d'un côté vers les écuries, de l'autre vers l'entrée de service et les communs.

Le manoir n'était plus habité depuis la mort de son arrière-grand-mère, et personne ne s'y était intéressé depuis. Seul le strict nécessaire avait été fait pour le maintenir en état, et Julian se sentait un peu honteux d'avoir négligé cette jolie gentilhommière.

L'intérieur se révéla un véritable capharnaüm. Des sacs de plâtre, des morceaux de bois, des échelles, des outils de toutes sortes, des meubles cachés sous des housses s'entassaient un peu partout. Un œil attentif pouvait cependant discerner les progrès accomplis. Le dallage du hall venait d'être refait, tout comme les moulures du plafond. Les marches de l'escalier, qu'il se rappelait vermoulues, avaient retrouvé une nouvelle jeunesse, et la rampe de fer forgé, autrefois branlante et piquetée de rouille, avait été réparée et repeinte.

L'écho d'une discussion animée lui parvenait de l'arrière du bâtiment, et il se laissa guider par ces voix féminines. Sa femme, sa belle-mère et Elizabeth polémiquaient sur les mérites respectifs d'une soie vieux rose et d'un brocart bleu myosotis.

— Mais enfin, Diana, clamait Nell, vous avez déjà tendu de rose pratiquement toutes les pièces du rez-de-chaussée ! Vous ne pensez pas qu'un changement serait le bienvenu ? Vous n'en avez pas assez du rose ?

— Mais j'aime le rose ! objecta lady Diana. C'est ma couleur préférée. En outre, c'est ma maison, pourquoi ne pourrais-je pas peindre en rose toutes les pièces si cela me chante ?

— Tu as parfaitement le droit de faire ce qui te plaît chez toi, maman, expliqua patiemment Elizabeth, mais tu ne crois pas que d'autres, tes amis et tes futurs invités par exemple, pourraient trouver cette profusion de rose un peu… étouffante ?

— Peut-être même un peu lassante et prévisible ? renchérit Nell. Ce n'est pas ce que vous cherchez, n'est-ce pas ?

L'argument avait visiblement ébranlé Diana, dont le regard hésitant allait d'un échantillon à l'autre.

— Cela ferait un changement rafraîchissant, j'en suis sûre, insista Nell. Un contrepoint, une annonce, en quelque sorte.

— Quel genre d'annonce ? s'enquit Diana, intriguée.

— L'annonce qu'ici vit une femme élégante et raffinée qui possède un goût exquis, intervint Julian.

Les trois femmes pivotèrent d'un même mouvement, et le sourire que lui adressa Nell le transporta directement au septième ciel.

— Oh, vous croyez ? demanda lady Diana.

— J'en suis convaincu, assura-t-il en tâtant l'échantillon de brocart bleu. Oui, ce bleu est tout simplement parfait. Je suis sûr que lord Brummell, l'arbitre des élégances, n'hésiterait pas une seconde. J'ai entendu dire qu'il n'aime pas le rose, de toute façon.

— Brummell fait et défait les réputations ! s'exclama sa belle-mère. Il peut ruiner celle d'une maîtresse de maison d'un simple froncement de sourcils. Vous avez raison, ce sera le bleu ! Peut-être devrais-je refaire les autres pièces du rez-de-chaussée ? s'inquiéta-t-elle. En faire disparaître toute trace de rose ?

— Non ! s'écrièrent en chœur les trois autres.

Si Diana commençait à défaire ce qui avait été si laborieusement achevé, ils en seraient au même point l'année prochaine.

— Les autres pièces sont parfaites, il ne faut surtout rien changer, déclara précipitamment Nell. Il ne manque qu'une petite touche d'une autre couleur ici et là, et ce sera parfait.

— Vous avez raison, mais je vais peut-être remplacer la tapisserie de la salle à manger par ce damas mordoré que je n'aimais pas quand je l'ai vu la première fois. Et pour les chaises, ce vert bronze dont je ne savais pas quoi faire serait parfait. Qu'en pensez-vous ? fit-elle en se tournant vers Julian.

— C'est une excellent idée ! acquiesça-t-il comme Nell hochait la tête avec conviction. Après tout, personne ne veut se voir accusé d'être insipide. Surtout par Brummell.

Comme il n'avait aucune envie de passer la journée à discuter décoration, Julian entraîna sa femme à sa suite et laissa sa belle-mère résoudre ses cruels dilemmes.

— Tu n'imagines pas à quel point je te suis reconnaissante de ton intervention, avoua Nell sur le chemin du retour. Diana a un goût très sûr la plupart du temps, mais dès qu'il s'agit de rose...

— Ç'a vraiment été une telle épreuve ? questionna-t-il en glissant la main de sa femme sous son bras.

— Oh, non, ce n'est pas ce que je voulais dire ! J'aime beaucoup ta belle-mère. Contrairement à ce que je pensais, elle est agréable, docile et elle a un bon fond. Elle paraît évaporée, mais elle me surprend parfois par la justesse de ses remarques. Je serai contente quand cet endroit sera dégagé ! ajouta-t-elle tandis qu'ils s'engageaient dans le chemin qui serpentait au milieu des bois. Il fait si sombre, ces arbres sont tellement oppressants qu'on s'attend presque à voir une bête sauvage surgir.

— Je les ferai élaguer dès demain, promit le comte. Ce sera ma contribution personnelle pour hâter le départ de ma belle-famille.

— Leur présence à Wyndham Manor te pèse ?

— Non, pas vraiment. J'aime beaucoup Diana et Elizabeth, et je continuerai à veiller sur elles après leur départ, mais je trouve préférable, pour le bien de tous, qu'elles habitent dans leur propre demeure. J'ai de nouvelles obligations familiales qui réclament tout mon temps et toute mon attention, et qui passent avant ma belle-mère et sa fille !

— C'est très joliment dit, milord, sourit Nell.

Julian lui assura qu'il le pensait, puis lui parla de la liste qu'il avait dressée. Ils envisagèrent différentes approches pour accéder aux cachots de leurs voisins. Aucune ne les satisfaisait vraiment, et ils en vinrent rapidement à leur seul point de désaccord.

— Je persiste à croire que je dois venir avec toi, déclara Nell. Je sais exactement quoi chercher, contrairement à toi !

— Ce sera déjà suffisamment compliqué d'accéder à ces cachots sans attirer l'attention si je suis seul, alors si tu m'accompagnes… Et puis, je ne tiens pas à ce que ton Homme de l'ombre ait le moindre soupçon quant à ton implication.

— Il faudra bien que je vienne voir ces cachots à un moment ou à un autre, s'obstina Nell.

— Oui, une fois que j'aurai éliminé ceux qui ne correspondent pas à tes descriptions. En attendant, je préfère que tu restes en sécurité au château, et que tu n'ailles pas fourrer ton joli nez dans ce sac de nœuds. Je ne veux pas que toi ou le bébé couriez le moindre danger.

— Je ne suis pas en sucre, tu sais !

S'immobilisant abruptement, il la prit dans ses bras.

— Mais tu portes notre enfant et je ne veux pas qu'il t'arrive quoi que ce soit. Jamais !

Le regard dont il l'enveloppait fit bondir le cœur de Nell. Il en aurait peut-être dit davantage si John Hunter, précédé de toute une meute, n'avait pas déboulé au trot, suivi de Marcus Sherbrooke qui montait un superbe étalon noir.

Nell n'avait pas un tempérament impressionnable, mais le spectacle de ces deux hommes imposants, si semblables dans leurs manteaux sombres, entourés de ces chiens, lui arracha un frisson. Elle ne put s'empêcher de s'accrocher au bras de son mari.

Les bêtes se mirent à aboyer frénétiquement en les voyant, et se ruèrent dans leur direction. Un ordre du garde-chasse les arrêta.

— Marcus ! Que fais-tu ici ? s'exclama Julian comme les cavaliers faisaient halte. C'est une excellente surprise ! Je ne pensais pas te voir avant des mois.

— C'était avant que j'apprenne que la famille allait s'agrandir, expliqua son cousin en mettant pied à terre. Toutes mes félicitations, milady ! J'espère que vous vous portez bien, l'héritier et vous ?

— Pourquoi tout le monde présume que je vais avoir un garçon ? riposta Nell avec un sourire. Il est fort possible que je donne le jour à une petite fille, vous savez !

— C'est effectivement possible, concéda Marcus. Mais une tradition solidement ancrée dans la famille veut que chez les Weston, le premier-né soit toujours de sexe masculin.

John Hunter descendit à son tour de cheval. Il salua Nell et Julian, puis :

— Excusez-moi de vous interrompre, milord, mais puis-je vous dire un mot en particulier ?

— Bien sûr, répondit Julian. Laissez-moi raccompagner ma femme et installer mon cousin, et nous nous verrons dans mon bureau d'ici une demi-heure.

Le garde-chasse faillit protester, puis son regard s'arrêta sur Nell et il se ravisa.

— Entendu, milord.

Il se remit en selle sans un mot et s'éloigna, sa meute dans son sillage.

— Il s'apprêtait à partir à ta recherche quand je suis arrivé, expliqua Marcus en le suivant du regard. Il semblait très perturbé de ne pas t'avoir trouvé à la maison. Cela a éveillé ma curiosité, mais je n'ai rien pu en tirer.

— Je suppose que tu aimerais assister à notre entretien ? fit Julian avec un sourire.

— Je n'osais pas espérer que tu me le proposerais.

— Pourquoi veut-il te voir, à ton avis ? questionna Nell.

— Je n'en ai pas la moindre idée. Une question d'intendance, sans doute.

— Votre mari a certainement raison, renchérit Marcus comme ils se mettaient en route. Ce cher Hunter prend ses devoirs très au sérieux, et je parie que nous allons apprendre qu'une maladie décime les perdrix, ou que quelqu'un braconne des lièvres – ce qui constitue à ses yeux un crime passible de la potence !

Mais une fois dans le bureau du comte, exactement vingt-neuf minutes plus tard, Hunter montra une curieuse réticence à expliquer l'objet de sa visite.

— Nous avons perdu suffisamment de temps, milord. Il faut que vous veniez voir par vous-même, et lui aussi, ajouta-t-il en jetant un regard dépourvu d'aménité à Marcus.

— Vous avez trouvé d'autres animaux massacrés ?

— Pire, milord !

Le garde-chasse refusa obstinément d'en dire plus et, aussi anxieux que curieux, Julian fit seller son cheval et une monture fraîche pour son cousin.

John Hunter allait bon train, et les deux cousins le talonnaient. Ils s'étaient enfoncés dans les bois et se dirigeaient plein nord, vers la partie la plus sauvage de la forêt, un endroit où le comte se rendait rarement.

Ils mirent pied à terre, attachèrent les bêtes à une branche et suivirent leur guide jusqu'à une petite clairière.

— Grand Dieu ! s'exclama Julian, livide devant le spectacle qui s'offrait à leurs yeux. Quelle sorte de bête a pu faire cela ?

Mais il connaissait déjà la réponse. Ce qu'il avait sous les yeux, c'étaient les restes de la femme que Nell avait vu torturer en rêve, il en était convaincu. Un flot de bile lui monta à la gorge. Sa douce Nell avait assisté à ce massacre !

— On dirait que notre homme ne se contente plus d'animaux pour satisfaire sa folie, commenta Marcus d'une voix blanche.

— Je vous avais averti, milord, dit Hunter. Je vous avais dit que si vous ne preniez pas des mesures drastiques, il se passerait des choses terribles.

— Je ne me souviens pas que vous m'ayez dit que si je ne vous laissais pas dresser des pièges et lancer vos chiens sur le premier intrus venu, nous découvririons une pauvre femme massacrée, rétorqua Julian d'une voix tranchante. Personne n'aurait pu imaginer ou empêcher une telle horreur. C'est l'œuvre d'un dément.

— Vous avez raison, milord. Pardonnez-moi, je me suis oublié.

Les restes de la malheureuse étaient tellement déchiquetés qu'il était difficile d'en dire grand-chose, sinon qu'il s'agissait d'une femme et qu'elle avait dû souffrir le martyre avant de mourir. Aucun des trois hommes ne fut en mesure de l'identifier.

Les deux cousins emboîtèrent le pas à Hunter, qui savait comme personne chercher des pistes ou des indices quelconques dans la nature. Ils passèrent la forêt au peigne fin, décrivant des cercles de plus en plus larges autour de la clairière, mais tout ce qu'ils trouvèrent, ce furent quelques branches brisées et un tas de crottin indiquant l'endroit où le meurtrier avait attaché son cheval. Épuisés et découragés, ils retournèrent à la clairière.

— Allez chercher le juge et le lieutenant de police, et prenez vos meilleurs chiens au passage, ordonna Julian à Hunter. Faites également prévenir le château que nous sommes sur la piste d'un cerf et que nous rentrerons tard. Pas un mot de ceci à quiconque ! Nous vous attendrons ici, mon cousin et moi. Et apportez aussi quelque chose pour envelopper cette malheureuse.

Il était très tard lorsque Marcus et Julian regagnèrent Wyndham Manor. Les représentants de l'ordre avaient promis le silence au comte et, laissant l'officier de police s'occuper du corps, les deux cousins, le magistrat et le garde-chasse étaient retournés à l'endroit où le meurtrier avait laissé sa monture. Ils lâchèrent la meute et se lancèrent sur les traces du monstre.

Ils les suivirent bien après le coucher du soleil. Le vent s'était levé, la pluie s'était mise à tomber, et quand la piste s'interrompit au bord de la rivière, ils décidèrent d'abandonner les recherches.

Ils ne pouvaient tenir secret cet assassinat, mais ils décidèrent de ne pas révéler la manière dont la victime avait été tuée.

— La comtesse a fait préparer un souper froid dans votre bureau, milord, les informa Dibble en les débarrassant de leurs manteaux trempés. Elle a pensé que vous préféreriez dîner là. Avez-vous tué votre cerf, milord ?

— Non, il nous a échappé, répondit Julian. Vous pouvez disposer, Dibble, nous n'aurons plus besoin de vos services.

Les deux hommes gagnèrent le bureau sans attendre.

— Si mon valet de chambre ne me donne pas son congé quand il verra mes bottes, je lui donnerai une bonne gratification, remarqua Marcus en ôtant ses souliers crottés.

Puis, tandis que Julian leur versait un cognac, il se laissa tomber dans un fauteuil et soupira :

— C'est une sale affaire.

— Je suis de ton avis, acquiesça le comte en lui tendant un verre avant de s'asseoir. Et je ne sais pas ce que je vais faire.

Il se trouvait une fois de plus devant un dilemme. Son cousin ne pouvait se faire une idée exacte de la situation s'il ne lui parlait pas des cauchemars de Nell, mais ce secret ne lui appartenait pas. Sa femme avait accepté de révéler le rôle qu'avait joué Tynedale dans leur rencontre et leur mariage, mais il n'était pas certain qu'elle soit prête à divulguer ses cauchemars à un homme qu'elle connaissait à peine. Lui qui vivait à ses côtés et qui l'aimait avait eu du mal à la croire. Comment Marcus pourrait-il accepter qu'elle voie en songe des meurtres bien réels, y compris celui de John ?

Tous deux étaient épuisés et ils touchèrent à peine au dîner. Ils firent, en revanche, honneur au bordeaux et, après quelques verres, l'horreur de ce qu'ils avaient vu commença à s'estomper.

Julian réfléchissait au moyen de guider son cousin dans la bonne direction sans lui révéler le rôle de Nell lorsque ce dernier demanda d'un air sombre :

— Qu'allons-nous faire ? Comment trouver un monstre pareil ? Par où commencer ? Si massacrer des animaux ne lui suffit plus et qu'il a commencé à s'attaquer à des êtres humains, il ne va certainement pas s'arrêter là.

— Je ne pense pas qu'il en soit à son premier assassinat, déclara Julian, saisissant la perche que son cousin lui tendait involontairement. Je crois que cette pauvre femme est simplement la première que nous ayons trouvée. À mon avis, dépecer du gibier n'était qu'une solution de substitution ou peut-être une diversion. Peut-être n'avait-il pas trouvé de victime et s'est-il rabattu sur des cerfs.

— C'est possible, admit Marcus d'un air pensif. J'y perds mon latin. Je peux comprendre l'homicide, par passion ou par intérêt, j'admets parfaitement qu'on tue un adversaire en duel ou un ennemi à la guerre, mais ce que nous avons vu tout à l'heure dépasse l'entendement. C'est l'œuvre d'un fou furieux !

— Je suis d'accord avec toi, mais nous devons à tout prix le retrouver et le mettre hors d'état de nuire. Il doit bien avoir un repaire, un endroit discret où il perpètre ses forfaits. Un endroit où on ne peut entendre les hurlements et les supplications de ses victimes. Un endroit secret où il se sent en sûreté…

— Je vois ce que tu veux dire, acquiesça Marcus après un temps de réflexion. Ce qui nous amène à la seule conclusion possible, à savoir que ces crimes ne sont pas le fait d'un paysan vivant dans une misérable chaumière. Il s'agit soit d'un notable qui est propriétaire de l'endroit où il torture ses victimes, soit d'un homme qui a accès à un tel endroit et ne craint pas d'être interrompu. Il s'agit de quelqu'un qui peut aller et venir à sa guise sans que quiconque se pose de question.

— Ce qui implique soit un gentilhomme, soit une personne dont l'emploi du temps lui permet de se déplacer comme elle veut sans éveiller l'attention, résuma Julian.

— Grand Dieu ! Tu te rends compte de ce que cela signifie ? Si nous poussons ce raisonnement, il pourrait très bien s'agir du Dr Coleman ou de John Hunter. Ou du pasteur, ou de Chadbourne…

— Exactement. Et tu ne trouves pas intéressant que tous, excepté peut-être le pasteur, habitent des maisons construites sur des restes médiévaux, avec des cryptes ou des cachots ?

Marcus le fixa longuement, puis :

— Tu y avais déjà réfléchi, n'est-ce pas ?

— En fait, cela fait un moment que je ne pense qu'à cela. Que dirais-tu de commencer dès demain à explorer les cachots des environs ?

— À supposer que je sois d'accord, comment comptes-tu t'y prendre pour ne pas éveiller les soupçons ?

— Il me semble qu'il y a des cachots sous Sherbrooke Hall, non ?

— Que j'ai fait combler il y a des années ! Dis-moi, j'espère que tu ne me ranges pas dans ta liste de suspects ?

— Bien sûr que non. Mais je pensais que tu pourrais avoir envie de les restaurer. Et que tu as besoin de voir les sous-sols de tes voisins pour t'en inspirer.

— Tu es complètement ivre, mon vieux.

— J'admets que j'ai pas mal bu, mais mon idée me paraît néanmoins parfaitement sensée.

— Tu es ivre *et* fou, marmonna Marcus.

— Possible, mais cela ne veut pas dire que mon idée ne marchera pas, répondit-il aimablement avant de se lever en vacillant un peu. Je vais me coucher. Nous avons des cachots à explorer tôt demain matin, conclut-il avec un sourire angélique.

16

Nell se précipita vers Julian dès qu'il entra dans sa chambre. En dépit de leur intimité et du fait qu'ils étaient mariés depuis plusieurs mois, elle ne s'était encore jamais aventurée dans la chambre de son mari.

En d'autres circonstances, elle aurait remarqué le goût avec lequel elle était décorée, mais ce soir, elle ne prêta aucune attention aux tapis persans, aux tentures bordeaux et aux meubles d'acajou tandis qu'elle arpentait la pièce d'un pas nerveux. Les deux cousins n'étaient pas partis chasser, elle en était convaincue. Elle ne connaissait pas encore parfaitement son époux, loin de là, mais elle savait qu'il n'était pas homme à disparaître de longues heures sur un coup de tête. S'il s'était absenté aussi brusquement, il avait sûrement une bonne raison, et le laconisme du message apporté par John Hunter n'avait fait que confirmer ses soupçons. Y avait-il un rapport avec son cauchemar de la nuit précédente ? C'était ce qu'elle voulait absolument savoir.

Quand Diana et sa fille revinrent, elle les informa d'un ton léger de l'arrivée de Marcus et de l'envie soudaine de ces messieurs d'aller courir le cervidé.

Ses compagnes, tout à leurs projets de décoration, acceptèrent sans s'en étonner cette excuse à l'absence des deux hommes.

Toute la soirée, Nell s'appliqua à bavarder comme si de rien n'était, mais tandis que les heures s'égrenaient avec une lenteur désespérante, elle ne cessait de tendre l'oreille pour guetter le retour de son époux. Sur le coup de 11 heures, lady Diana réprima poliment un bâillement et annonça son intention de monter se coucher.

— Je n'attendrais pas Julian, si j'étais vous, conseilla gentiment Elizabeth. D'après notre expérience, quand il est à la chasse avec M. Sherbrooke, ils perdent toute notion du temps !

— C'est vrai ! renchérit sa mère. Je me souviens qu'une fois, ils ont disparu pendant trois jours. Ils en avaient après un renard ou un lièvre, je ne sais plus, qui a, bien entendu, fini par leur échapper. Le cheval de Julian avait perdu un fer et ils ont dû s'arrêter dans un village pour chercher un forgeron. Cela avait beaucoup amusé mon mari, mais j'étais morte d'inquiétude ! Enfin, ils ont fini par rentrer, affamés et sales comme des porchers, mais en parfaite santé. Allez donc vous coucher, ma chère. Ils finiront bien par rentrer, cela ne sert à rien de les attendre.

La jeune femme se laissa convaincre et gagna ses appartements. Une fois prête pour la nuit, elle renvoya Becky et gagna d'un pas déterminé la chambre de son mari, bien décidée à avoir le fin mot de cette équipée.

Elle ne les avait pas entendus revenir, et l'entrée de Julian la fit sursauter. Il était aussi surpris qu'elle et, l'espace d'un instant, ils se regardèrent en chiens de faïence avant qu'elle coure se jeter dans ses bras.

— Dieu merci, te voilà ! J'étais si inquiète. Cela fait des heures que tu es parti, s'écria-t-elle en enfouissant le visage au creux de l'épaule de Julian.

Que c'était bon de tenir dans ses bras son corps souple et chaud après toutes ces horreurs ! songea-t-il. Comme son accueil plein de tendresse était différent de celui de Catherine ! Il se rappelait encore l'air ennuyé avec lequel elle l'accueillait quand il revenait de voyage. Sa première femme ne s'était certainement jamais inquiétée pour lui, tandis que Nell...

— Pourquoi te faire tant de souci ? Je t'avais fait prévenir par John Hunter que nous rentrerions tard. Tu ne vas pas me dire que j'ai épousé une mégère qui me refuse une petite partie de chasse de temps en temps ?

Nell avait remarqué l'odeur d'alcool, l'élocution quelque peu laborieuse et la mine faussement innocente de son mari. Elle avait grandi entourée d'hommes, et savait reconnaître les signes d'une légère ébriété.

— Non seulement tu pars à la chasse pendant des heures, mais le grand air t'a donné soif, apparemment. Tu as surtout chassé dans les vignes du Seigneur, il me semble ! fit-elle, feignant d'être fâchée.

— Un petit peu, admit-il avec un sourire qui la chavira. Nous avions besoin d'un remontant quand nous sommes rentrés, et nous avons peut-être fait un peu trop largement honneur au bordeaux. Cela me touche que tu t'inquiètes pour moi, ajouta-t-il en l'embrassant sur le bout du nez, mais tu vois, ce n'était pas la peine. Je suis revenu entier !

Dieu qu'il était séduisant avec sa chemise ouverte, ses cheveux en bataille et sa barbe naissante ! Nell le revoyait tel que lors de leur première rencontre, quand elle l'avait pris pour un bandit de grand chemin. Un bandit très attirant déjà…

— Tu as mangé quelque chose, au moins ? murmura-t-elle en caressant sa joue râpeuse. Je t'avais fait préparer un repas froid…

— Je te remercie de ta prévenance, madame ma femme, mais nous n'avions pas faim, répondit-il en se laissant tomber dans un fauteuil et en l'attirant sur ses genoux. Nous nous sommes contentés du vin…

Se lovant confortablement contre lui, elle demanda doucement :

— Julian, pourquoi John Hunter voulait-il te voir ? Et ne me mens pas, je t'en prie.

Il hésita. Il aurait préféré la tenir à l'écart de toutes ces horreurs, mais il se rendait compte que c'était impossible.

— Hunter a trouvé le cadavre de la femme que tu as vue se faire assassiner dans ton rêve. Ses restes étaient éparpillés dans une clairière, à l'extrémité nord du domaine.

— Mais c'est impossible ! se récria Nell. Il ne laisse jamais de corps là où on risque de le trouver. Il… il y a une fosse dans le cachot, et il y jette toujours le corps de ses victimes.

— Eh bien, cette fois-ci, il ne l'a pas fait. À moins qu'il y ait deux monstres dans la région, ce que je me refuse à croire. Il n'y a aucun doute, c'est son œuvre – cela ressemble par trop à ce que tu m'as raconté la nuit dernière. Je n'ai aucun moyen de le prouver, mais je suis persuadé qu'il s'agit de la femme que tu as vu martyriser.

— Mais il n'a jamais…

— Je sais que je te demande beaucoup, mais essaie de te souvenir. Est-ce que tu l'as vu jeter le cadavre dans cette fosse ?

— Mes cauchemars finissent toujours de la même façon, quand il jette les corps dans ce trou. Et la nuit dernière... Je ne l'ai pas vu la nuit dernière, admit-elle. La nuit dernière, ce qu'il a fait était tellement épouvantable que je me suis réveillée avant. Mais si les restes que vous avez découverts sont bien ceux de la femme que j'ai vue, pourquoi a-t-il changé ses habitudes ? S'il a pu commettre tous ces crimes sans être inquiété pendant des années, c'est parce qu'on n'a jamais découvert les cadavres de ces malheureuses. Pourquoi prend-il ce risque, tout à coup ?

— C'est la femme de ton rêve, crois-moi, murmura-t-il en la serrant contre lui. Quant à savoir ce qu'il avait en tête... Peut-être voulait-il qu'on la trouve. Ou peut-être a-t-il sous-estimé la connaissance que Hunter a du domaine, et a-t-il cru qu'on ne la retrouverait pas – du moins, pas avant des mois.

— Je ne comprends pas pourquoi il a laissé le corps sur tes terres, et comment Hunter a pu le trouver aussi vite.

— On voit que tu ne connais pas John ! Il ne vit que pour ce domaine, il en est littéralement amoureux. Il l'arpente en tous sens depuis des décennies, il en connaît chaque arbre, chaque brin d'herbe. Si je te disais que lorsqu'une feuille tombe d'un arbre, il le sait, ce serait à peine exagéré. Je ne lui ai pas demandé ce qu'il faisait dans ce coin de la forêt, mais il avait sûrement une bonne raison.

— Et maintenant, que va-t-il se passer ?

— Nous avons prévenu les autorités et le corps a été enlevé. Le juge a passé la plus grande partie de l'après-midi et de la soirée avec nous à suivre la piste du tueur, mais les chiens ont perdu sa trace au bord de la rivière.

— Et le corps, que va-t-il devenir ? Tu crois qu'il s'agit de quelqu'un de la région ?

— J'ai demandé que le Dr Coleman l'examine. Peut-être reconnaîtra-t-il cette femme. Il est le seul médecin à des lieues à la ronde et si elle est d'ici, il l'a peut-être déjà vue. Il va bien sûr y avoir une enquête sur d'éventuelles disparitions. Seigneur, Nell, c'est une abomination ! Et cela me terrifie de te savoir liée à cette affaire, avoua-t-il en resserrant son étreinte.

— Cela fait plus de dix ans que je connais l'existence de ce monstre tandis que toi... tu viens de le découvrir.

— Et je m'en serais bien passé ! Mais ce qui me tourmente le plus, c'est que tu aies été le témoin de ces atrocités.

— Je sais, dit-elle tristement. Mais cela nous permettra peut-être de le démasquer et de l'arrêter.

— C'est bien le seul avantage qu'on puisse y voir, soupira-t-il en étouffant un bâillement.

— Tu as l'air éreinté. Viens te coucher, intima-t-elle en quittant ses genoux et lui tendant la main.

— Cela me paraît une excellente idée... surtout si tu viens avec moi, commenta-t-il en se levant à son tour pour lui donner un long baiser ardent.

Sa fatigue envolée, il la souleva dans ses bras et la déposa sur le grand lit.

— Je ne sais pas comment cela se fait, mais nous n'avons encore jamais fait l'amour dans mon lit, dit-il d'une voix rauque. Il faut réparer cette omission sans tarder !

Ce qu'il fit très consciencieusement.

Julian, qui avait eu l'intention de commencer ses recherches dès le matin, vit ses plans contrariés par le mauvais temps. La pluie et le vent qui les avaient empêchés de poursuivre leurs recherches la veille faisaient maintenant rage et rendaient les routes impraticables.

Ils n'eurent donc aucun scrupule à s'attarder à la table du petit déjeuner, où Marcus déploya des trésors de charme à l'intention des dames et fit rougir Elizabeth plus d'une fois. Après quoi les deux cousins allèrent s'enfermer dans le bureau de Julian, sous le regard noir de Nell, furieuse de se voir cantonnée aux futilités féminines.

Comme tous les jours ces temps-ci, elles passèrent la matinée à feuilleter des carnets d'échantillons ou de croquis, tandis que la jeune femme piaffait d'impatience. Elle se doutait que les hommes discutaient des moyens d'identifier la victime et de retrouver le monstre qui l'avait tuée. Elle en savait plus que quiconque sur l'Homme de l'ombre, mais lui avaient-ils demandé son opinion ? Non, bien sûr ! Elle n'était qu'une femme ! Un petit animal de compagnie qu'on gâtait et qu'on gardait au chaud. À contrecœur, elle reconnut que Julian cherchait uniquement à la protéger. Mais c'était ridicule ! Elle baignait dans cette affaire depuis dix ans !

N'y tenant plus, elle trouva un prétexte pour abandonner ses compagnes et se mit en quête de son mari. Il était toujours claquemuré dans son bureau en compagnie de Marcus et, au silence qui l'accueillit quand elle y pénétra, elle comprit qu'ils parlaient bel et bien du meurtre.

— Pardonnez mon intrusion, mais il me semble que si quelqu'un peut aider à élucider ce crime abominable, c'est moi.

L'expression obstinée de son mari l'incita à ajouter :

— Vous savez fort bien, milord, que je dis vrai, et que j'ai des raisons personnelles de démasquer l'assassin de cette malheureuse.

— Tu lui as *dit* ? s'écria Marcus, ahuri.

— Pas exactement, éluda Julian, quelque peu embarrassé.

Il n'avait pas épousé une petite chose fragile, il l'avait toujours su, mais à voir l'expression résolue de sa femme, il comprit qu'il serait parfaitement inutile de chercher une échappatoire. Sa Nell était une femme de caractère, et si elle avait décidé de se jeter dans la bataille, ni lui ni personne ne pourrait l'arrêter.

— Comment ça, pas exactement ? Que diable veux-tu dire ? s'exclama son cousin, dont le regard incrédule allait de l'un à l'autre.

— Voulez-vous lui expliquer vous-même, ou préférez-vous que je m'en charge ? s'enquit Julian.

Nell savait en entrant dans la pièce qu'il lui faudrait partager le secret de ses cauchemars avec Marcus, mais elle ne s'était pas rendu compte sur le moment à quel point ce serait difficile de convaincre un étranger qu'elle n'était pas folle à lier. Heureusement, Julian la croyait et lui apportait son soutien…

Elle commença donc son récit, sans omettre un seul détail.

Marcus se demanda effectivement à plusieurs reprises si elle avait toute sa tête, mais les détails qu'elle lui révéla sur le meurtre de John Weston et la conviction que montrait son cousin emportèrent finalement son adhésion.

— Je n'en crois pas mes oreilles ! Vous avez été témoin de l'assassinat de John ?

Une fois cette idée admise, il lui fut apparemment plus facile de croire que les cauchemars de

Nell concernant les jeunes femmes étaient le reflet de tortures et de meurtres bien réels, et qu'ils étaient toujours le fait du même homme : celui qui avait tué son cousin.

— Et cela se passe toujours au même endroit ? Vous en êtes certaine ?

— Absolument certaine ! Mais je n'ai jamais vu son visage.

— Vous vous rendez compte, n'est-ce pas, que vous courez un grand danger ? articula-t-il lentement. Si ce monstre apprend que vous assistez à ses crimes, même en rêve, il ne reculera devant rien pour vous faire taire. Vous pourriez vous retrouver dans ces maudits cachots !

— Je ne le laisserai jamais toucher un cheveu de Nell, assura Julian avec une froide détermination. Je veillerai sur elle. *Nous* veillerons sur elle.

Marcus acquiesça d'un hochement de tête, et ajouta :

— Et le meilleur moyen pour ce faire, c'est de trouver l'endroit où ce dément perpétue ses forfaits.

— Je suis d'accord, mais avec ce temps, nous ne pouvons pas commencer nos recherches, maugréa le comte.

— Vous êtes absolument certaine de reconnaître ce cachot si nous le découvrons ? insista Marcus.

— Elle la reconnaîtra, assura le comte, agacé de voir qu'ils n'avaient pas entièrement convaincu son cousin.

Marcus et Julian avaient commencé une partie de billard lorsqu'on annonça le Dr Coleman.

— Apportez-nous un bol de punch dans mon bureau, ordonna lord Wyndham à Dibble. Nous en aurons besoin.

Ils attendirent que le majordome se soit retiré pour entrer dans le vif du sujet.

— De toute ma carrière, je n'ai jamais rien vu de pareil, commença le médecin, visiblement secoué. On dirait qu'un fauve l'a mise en pièces !

— Ce monstre est pire qu'un fauve, rétorqua Julian sombrement.

— C'est seulement après un examen minutieux que j'ai été certain que les blessures avaient bien une origine humaine. Les traits de la malheureuse étaient méconnaissables à première vue, mais une fois nettoyé, j'ai fini par reconnaître son visage. Elle s'appelle… s'appelait Anne Barnes et travaillait dans une petite auberge près de la côte, à une dizaine de lieues d'ici. La pauvre petite avait seulement dix-sept ans ! J'ai également découvert qu'elle était enceinte. De quatre mois environ d'après ce qu'il restait du fœtus.

Ils décidèrent d'un commun accord que le Dr Coleman se chargerait d'avertir la famille Barnes. Pour épargner à ces pauvres gens la vue des restes déchiquetés de leur enfant, et pour ne pas susciter de panique aux alentours, ils convinrent de faire transporter le corps dans un cercueil plombé, aux frais du comte.

— Il faudra tout de même que je trouve une explication à la mort de leur fille, objecta le médecin.

— Dites-leur qu'elle est tombée de la falaise, et que le comte a voulu leur éviter la vue des dommages causés par sa chute et un séjour prolongé dans l'eau, suggéra Marcus.

Julian regarda son cousin, se demandant s'il se rendait compte que cette histoire ressemblait fort à ce qui avait failli arriver à Nell lorsqu'elle avait frôlé la mort, une dizaine d'années plus tôt. Ces similitudes le mettaient mal à l'aise, mais il devait admettre que cette version était plausible et n'éveillerait pas les soupçons.

— Je vais immédiatement écrire au magistrat et au lieutenant de police pour leur faire savoir ce que nous proposons, en espérant qu'ils n'ont pas déjà répandu la nouvelle dans tout le pays, conclut-il.

— Je me suis entretenu avec eux la nuit dernière, et nous sommes convenus que moins on ferait de bruit sur cette affaire, mieux ce serait, expliqua le Dr Coleman. Ce sont des gens discrets, milord, vous n'avez rien à craindre, et ils ne tiennent pas non plus à susciter une vague de panique. Je dois les retrouver chez moi dans une heure. Si vous le souhaitez, je peux leur rapporter notre entrevue.

Le médecin ne s'attarda pas. Julian le regarda par la fenêtre s'éloigner sous une pluie battante. Il ne l'enviait décidément pas.

Ce n'est que le soir venu, dans l'intimité de leurs appartements, que le comte eut l'occasion de rapporter à sa femme les conclusions du praticien. En apprenant que la malheureuse attendait un enfant, Nell porta instinctivement la main à son ventre. La jeune victime et elle en étaient à peu près au même stade de leur grossesse, et cela la touchait profondément.

— Je sais, intervint Julian. J'y ai pensé moi aussi. La petite Anne et toi auriez accouché à quelques semaines d'intervalle.

— Nous devons à tout prix arrêter ce monstre, lâcha la jeune femme d'un ton farouche. Il faut absolument l'empêcher de faire de nouvelles victimes.

— N'aie crainte, où qu'il aille, où qu'il se terre, nous le trouverons et nous le mettrons hors d'état de nuire ! Marcus et moi allons fouiner un peu partout dès demain, et nous finirons bien par trouver un indice qui nous mettra sur sa piste.

Le mauvais temps dura plus de deux semaines encore et, puisque rien d'urgent ne l'appelait chez lui, Marcus accepta l'invitation de son cousin et décida de rester à Wyndham Manor. Lorsque la pluie et la tempête cessèrent enfin, les rivières et les ruisseaux en crue charriaient toute sorte de débris, les routes et les chemins n'étaient plus que des bourbiers détrempés, mais tout le monde appréciait que le soleil soit enfin de retour.

À cause de la tempête, il avait fallu interrompre les travaux extérieurs de Dower House, mais cela n'avait pas empêché de continuer la réfection de l'intérieur, et lady Diana était impatiente d'aller voir les progrès accomplis.

— À supposer qu'il y ait des progrès, soupira-t-elle tandis qu'ils étaient tous rassemblés pour le petit déjeuner. La seule fois où le temps m'a permis d'aller sur place depuis que ces orages ont commencé, le contremaître songeait à interrompre les travaux jusqu'à ce que le temps s'améliore. Les plâtres et les peintures ne séchaient pas à cause de l'humidité, et la fumée refluait des cheminées dans les pièces fraîchement refaites, ce qui allait l'obliger à recommencer. Je me demande parfois si cette maison sera habitable un jour. Les retards ne cessent de s'accumuler depuis le début des travaux !

Jusqu'à maintenant, le comte n'avait pas prêté grande attention aux récriminations de sa belle-mère, mais il devait admettre qu'elle avait quelques raisons de se plaindre. Les retards avaient déjà commencé avant que le temps se dégrade. Des rouleaux de papier peint avaient mystérieusement disparu, ainsi qu'un tapis, s'il se souvenait bien. Une conversation avec le contremaître s'imposait, décida-t-il en se levant de table.

Julian et Marcus accompagnèrent la mère et la fille jusqu'à la calèche qui les attendait. Ils avaient prévu de passer chez Chadbourne dans l'espoir d'inciter ce dernier à leur montrer les cachots de Chadbourne House.

— Cela m'ennuie de te laisser seule à la maison, murmura Julian en embrassant sa femme.

— Mais je ne suis pas seule ! La maison est pleine de domestiques. Et que me répondrais-tu si je demandais à t'accompagner ? sourit Nell. Je trouverai à m'occuper, ne t'inquiète pas. Je ne serai pas mécontente d'avoir quelques moments de tranquillité.

Ce n'était pas un mensonge. Après ces deux semaines passées confinée à la maison à écouter les doléances de Diana, elle avait envie de prendre l'air et de goûter un peu de calme. Bien emmitouflée dans une chaude pelisse, elle fit une longue promenade dans le parc où le printemps s'annonçait déjà.

Son ventre s'arrondissait, et s'il n'y avait eu le fantôme de lady Catherine et la menace que faisait planer l'Homme de l'ombre, elle aurait été parfaitement heureuse. Sa famille lui manquait, surtout son père, mais elle commençait à se sentir chez elle à Wyndham Manor. Elle adorait son mari, et dès qu'elle posait les yeux sur lui son cœur se mettait à battre. Et puis, il y avait cet enfant à naître. *Leur* enfant.

Elle avait eu beaucoup de chance, en définitive. Elle faillit rire en imaginant la mine de Tynedale si elle allait le remercier de l'avoir enlevée. Sans lui, elle n'aurait jamais rencontré Julian, elle ne l'aurait jamais épousé et ne serait jamais tombée amoureuse.

Le bouquet de fleurs fraîches devant le portrait de lady Catherine lui revint soudain en mémoire et sa joie s'envola d'un coup.

Elle aurait dû cesser de se torturer en montant tous les matins dans la galerie des portraits mais, tout comme son mari semblait incapable de mettre fin à ce rituel, elle ne pouvait résister à l'attraction malsaine qui la ramenait toujours devant l'effigie de sa rivale.

Elle regrettait maintenant de ne pas avoir accompagné lady Diana et Elizabeth. Elle tourna le regard dans la direction de Dower House et le cœur lui manqua. Une épaisse fumée noire s'élevait au-dessus des arbres, mais il lui fallut quelques secondes pour comprendre ce qui se passait.

Dower House était en flammes.

17

Glacée d'effroi, le cœur battant à tout rompre, Nell se rua vers le château. Que s'était-il passé ? Elle se retourna, mais elle n'avait pas été le jouet d'une hallucination. Le nuage noir semblait s'épaissir à chaque seconde.

Du perron, elle entendit l'agitation qui régnait à l'intérieur et les cris affolés des domestiques qui donnaient l'alerte. Déjà tous les adultes se préparaient à rallier le manoir pour combattre l'incendie.

— Milady ! Milady ! Je vous ai sellé un cheval !

Elle fit volte-face : c'était Hodges, le valet d'écurie, monté sur un grand alezan, qui lui amenait sa jument préférée. Elle le remercia d'un sourire et grimpa en selle sans plus de façons. Louvoyant pour éviter les volontaires qui affluaient de tous côtés, ils s'élancèrent au trot sur le chemin qui menait à Dower House.

Une fois sur place, ils découvrirent une sorte de chaos ordonné. Les véhicules et les chevaux étaient alignés le mieux possible à bonne distance de la maison en flammes. Lady Diana, la chevelure en désordre, les vêtements tachés de suie, dirigeait les nouveaux arrivants. Elle risquait de temps en temps un coup d'œil horrifié vers les immenses flammes qui s'élevaient de l'arrière de la maison, puis se ressaisissait et reprenait sa tâche avec une détermination renouvelée.

Elizabeth, le visage noirci par la suie, le bas de sa jupe déchiré, tentait d'étouffer les flammèches à l'aide d'une couverture mouillée. Une file se forma rapidement pour remplir les seaux apportés par les nouveaux venus. Nell y prit sa place et passa avec ardeur les lourds seaux remplis d'eau tirée du puits. Ils travaillèrent sans relâche, chacun ne voyant rien d'autre que les mains du voisin à qui il transmettait son fardeau.

La pluie des dernières semaines se révéla une bénédiction. Le toit, les murs, le sol, tout était encore empreint d'humidité, ce qui ralentissait la propagation de l'incendie.

Les nouveaux volontaires, qui ne cessaient d'arriver, formèrent une seconde chaîne qui s'activa avec la même énergie que la première. Les bras et les épaules de Nell la faisaient cruellement souffrir et les seaux lui paraissaient de plus en plus lourds lorsque deux mains masculines la tirèrent hors de la file.

— Charles ! Que faites-vous ici ?

— Je prends soin de l'héritier de mon cousin, et je vais prendre votre place dans la file. Allez donc rejoindre lady Diana et ma belle-mère. Raoul et moi allons apporter notre contribution à la bataille.

Nell vit Raoul remplacer Elizabeth dans l'autre file tandis que Mme Weston, en costume d'amazone bleu nuit, écoutait les explications de lady Diana.

Comme elle protestait, Charles l'interrompit :

— Nous pouvons rester ici à nous quereller – sachant que, de toute façon, vous perdrez la partie –, ou vous me laissez travailler. Que choisissez-vous, milady ?

Devinant que Charles était parfaitement capable de la soulever sans autre forme de procès et d'aller la déposer auprès des dames, Nell céda.

— Très bien, concéda-t-elle à regret. Je vais rejoindre Diana et votre belle-mère.

Elle s'exécuta sans enthousiasme, chaque pas lui coûtant.

— Oh, Nell, vous avez été tellement courageuse ! s'exclama Diana en l'étreignant. Et toi aussi, ma chérie, ajouta-t-elle en se tournant vers sa fille.

— Espérons que nous pourrons sauver le bâtiment principal, fit celle-ci.

— Maintenant que mon fils et mon beau-fils sont là, vous n'avez aucune crainte à avoir, déclara Sophie Weston avec une assurance agaçante. Ils vont rapidement venir à bout de cet incendie.

— Je suppose que tout ce que nous avons fait compte pour du beurre, murmura Nell entre ses dents, en échangeant un regard entendu avec Elizabeth qui réprima un sourire.

Sophie dévisagea Nell, et la jeune femme se demanda si elle avait entendu sa remarque.

— Nous avons eu une bonne idée en décidant de vous rendre visite ce matin, lança Mme Weston après un silence embarrassé.

— En effet, et nous vous sommes reconnaissantes de votre aide, assura Nell.

Les secours continuaient d'affluer et bientôt, grâce à une troisième, puis à une quatrième chaîne, tout danger de voir le feu se propager au reste de la maison par l'intérieur se trouva écarté. Seau après seau, la bataille de Dower House venait d'être gagnée.

Les sauveteurs continuèrent à déverser de l'eau sur les éléments consumés pour s'assurer qu'aucune braise ne couvait sous les cendres.

Les communs à l'arrière du manoir, qui englobaient la cuisine et l'arrière-cuisine, l'office, le garde-manger, le saloir et les resserres à bois et à charbon, étaient pratiquement détruits, mais le bâtiment principal qui communiquait avec les cuisines par un simple corridor avait très peu souffert. Comme beaucoup le firent remarquer, la resserre à charbon était fort heureusement vide de tout combustible, sinon l'incendie aurait été si violent qu'il se serait propagé à toute la maison sans qu'on puisse l'arrêter.

Enfin certain que tout danger était maintenant écarté, chacun retourna vaquer à ses occupations. Nell, Diana et Elizabeth prirent soin de remercier personnellement tous ceux qui leur étaient venus en aide, tandis que les Weston attendaient un peu à l'écart.

— Tout le personnel a été merveilleux. Pouvez-vous veiller à ce que chacun ait une demi-journée de congé avant la fin de la semaine ? demanda-t-elle à Dibble.

— Je m'en occuperai, milady, assura le majordome en s'inclinant avec une dignité que n'altérait en rien la suie qui maculait sa livrée d'ordinaire immaculée.

Une fois tous les volontaires partis, les trois femmes, accompagnées des Weston, allèrent évaluer l'étendue des dégâts. Le contremaître, le charpentier en chef et quelques ouvriers étaient encore sur place.

— Comment le feu a-t-il pris ? s'enquit Nell.

— Je ne sais pas au juste, expliqua Diana, visiblement perplexe. Elizabeth et moi examinions les derniers échantillons arrivés de Londres quand nous avons senti une odeur de brûlé. Un moment plus tard, des volutes de fumée passaient sous la porte. Nous avons quitté la pièce en hâte. Des ouvriers arrivaient de l'arrière de la maison en nous criant de sortir, qu'il y avait un incendie.

— Tout est arrivé si vite ! Nous n'avons pas eu le temps de nous poser de questions, renchérit Elizabeth. Nous avons couru, mais c'est une fois dehors, quand nous avons vu les flammes, que nous avons compris à quoi nous venions d'échapper. Heureusement que nous avons pu arrêter l'incendie avant qu'il gagne le reste du manoir !

— Tout est gâché, se lamenta lady Diana tandis qu'une larme roulait sur sa joue. Toutes mes jolies pièces. Je ne pourrai jamais m'installer ici.

— Allons, allons, murmura Nell d'une voix apaisante en lui tapotant affectueusement le bras. Le retard sera effectivement considérable, mais vous aurez des cuisines toutes neuves !

— Mais je ne vais jamais aux cuisines !

— Mais réfléchissez, intervint Charles qui venait de les rejoindre. Avec des communs flambant neuf, votre cuisinier vous mitonnera des repas dont tous ceux qui auront la chance d'être invités à votre table chanteront les louanges.

— Je sais que c'est une énorme déception pour vous, ajouta Nell devant la mine sceptique de sa belle-mère, mais vous aviez quelques regrets et cet incendie va vous offrir l'occasion de revenir dessus.

— Mais cela va coûter des sommes folles, objecta Diana, ses grands yeux bruns pleins de larmes. Et vous savez bien que nous avions acheté le dernier lot de soie crème avec les petits boutons de rose. Ce tissu est impossible à remplacer. Julian va être tellement furieux ! Il pourrait bien nous jeter dehors, Elizabeth et moi ! Et qu'allons-nous devenir alors ?

— Oh, Seigneur, épargnez-nous les mélodrames ! s'impatienta Charles.

Nell lui jeta un regard impérieux et il rejoignit le contremaître en haussant les épaules. La jeune femme contempla lady Diana avec affection. Au beau milieu de la tourmente, elle avait fait preuve d'un courage et d'un sens pratique dignes des meilleurs généraux, mais maintenant que tout danger était écarté, elle redevenait la frivole écervelée à laquelle elle les avait habitués.

— Vous savez parfaitement que jamais Julian ne vous mettra à la rue, assura-t-elle. Du reste, si jamais il lui en prenait l'envie, je ne le laisserais pas faire ! Quant aux dépenses supplémentaires, ne vous inquiétez pas. Je suis certaine que c'est le cadet de ses soucis, et qu'il sera heureux de vous faire plaisir. Tout ce qui lui importe, c'est qu'il ne vous soit rien arrivé, à Elizabeth et à vous. C'était un accident, vous n'y êtes pour rien, même s'il aura quelques questions à poser aux ouvriers, j'en suis certaine !

— J'en suis sûre, moi aussi, renchérit Sophie Weston. Mon neveu n'aime pas qu'on essaie de lui faire prendre des vessies pour des lanternes. Je n'aimerais pas être à la place de ces ouvriers.

Nell, Diana et Elizabeth, accompagnées des Weston, regagnèrent enfin Wyndham Manor. Elles s'excusèrent auprès de leurs hôtes et les laissèrent aux bons soins de Dibble le temps d'aller se laver et se changer.

Quand elle redescendit au salon, Nell apprit que lady Diana, épuisée, s'était excusée, et que sa fille était restée auprès d'elle.

— Après cette matinée agitée, vous avez sans doute envie de nous envoyer au diable, remarqua Charles en servant une tasse de thé à la jeune femme.

— Mais pas du tout, protesta-t-elle. Je vous suis tellement reconnaissante de votre aide. Je commençais à me fatiguer, je l'avoue.

— Et je parie que cela vous coûte de l'admettre, sourit-il, amusé.

— Pourquoi cela ? intervint Sophie d'un ton aigre. S'agiter au milieu de ses domestiques n'avait certainement rien de plaisant.

— Vous êtes arrivés à point nommé, assura Nell en s'efforçant de ne pas se départir de son air aimable.

— Et heureusement que Raoul avait eu la bonne idée de laisser lord Tynedale vaquer à ses occupations pour se joindre à nous, observa Charles en jetant un coup d'œil à son frère.

— Il est notre invité, objecta celui-ci en rougissant.

— Mais cela ne veut pas dire que vous devez être inséparables, rétorqua Charles.

Raoul était visiblement tenté de poursuivre la discussion, mais il jugea apparemment plus prudent de garder pour lui ses remarques. Cependant, le regard qu'il adressa à Charles était tout sauf affectueux.

— Nous étions venus vous inviter à une promenade à cheval, reprit Charles. Il fait tellement beau ! Mais puisque le sort en a décidé autrement, nous allons vous laisser. J'ai moi aussi besoin de faire un brin de toilette, conclut-il en baissant les yeux sur ses vêtements souillés.

Nell ne les encouragea pas à s'attarder et les raccompagna jusqu'au perron avec soulagement.

Julian ne revint qu'en fin d'après-midi, après des recherches infructueuses. Quand il apprit qu'un incendie avait ravagé Dower House, son premier souci fut, bien entendu, pour sa femme. Il fallut toute la diplomatie et l'éloquence de Nell pour le persuader que le bébé et elle étaient indemnes, et le dissuader de mettre en pièces le contremaître.

Une fois rassuré, il ne cilla pas lorsque la jeune femme l'informa qu'elle avait promis à lady Diana l'imposant budget nécessaire à la remise en état du manoir et à l'édification de nouveaux communs. Grâce à ses explications, il endura sans broncher les larmes de sa belle-mère et l'assura qu'il n'avait aucune intention de la jeter à la rue.

Et puisque les dames allaient bien et qu'il faisait encore jour, il repartit avec Marcus évaluer les dégâts et, comme Nell l'avait deviné, dire deux mots aux ouvriers.

Les hommes avaient déjà commencé à dégager et à trier les débris. Laissant son cousin inspecter les ruines, le comte prit à part le contremaître.

— Pouvez-vous m'expliquer ce qui a provoqué cet incendie ?

Jenkins, un grand gaillard à la tignasse rousse semée de quelques fils argentés, était connu dans la région pour son ardeur au travail et son honnêteté, et c'était ce qui avait conduit Julian à lui confier la responsabilité des travaux plutôt qu'à l'un de ses régisseurs.

— Il n'y a pas à chercher bien loin, milord. Quelqu'un a laissé une bougie allumée dans la cuisine, juste à côté d'un tas de chiffons imbibés de cire que nous avions utilisés pour lustrer les boiseries du hall.

— Vous êtes sûr de ce que vous avancez ?

— Dès que j'ai senti la fumée, j'ai essayé d'en trouver l'origine. Quand je suis entré dans la cuisine, le feu était déjà bien parti, mais la bougie et les chiffons étaient encore au milieu de la pièce. J'ai appelé pour avoir de l'aide, j'ai repoussé les chiffons le plus loin possible et j'ai essayé d'étouffer les flammes. Deux de mes gars sont arrivés tout de suite, mais il était déjà trop tard. La fumée était tellement épaisse qu'on ne voyait plus rien et qu'on pouvait à peine respirer. Quand les flammes ont atteint le mur nord, j'ai compris qu'il n'y avait rien à faire sauf veiller à ce que tout le monde sorte rapidement.

— Vos ouvriers sont vraiment peu soigneux, observa froidement le comte, furieux qu'une telle légèreté ait failli mettre en danger Elizabeth, lady Diana et surtout Nell.

— Mes ouvriers sont très soigneux, milord, répliqua calmement Jenkins. Je les connais tous, ils travaillent pour moi depuis des années et je réponds de chacun d'eux. Je les ai interrogés, en particulier celui qui a rangé la cire et les chiffons. Hier soir, il a entassé les chiffons au milieu de la pièce pour qu'on les emporte au lavoir aujourd'hui, et il m'a juré qu'il n'y avait pas de bougie dans la cuisine, ni dans l'arrière-cuisine.

— Cette bougie n'est pas venue toute seule ! Si ce n'est pas l'un de vos ouvriers qui l'a laissée, comment s'est-elle retrouvée dans les cuisines, comme par hasard à côté d'une pile de chiffons ?

Vous vous rendez compte que la comtesse, qui attend un enfant, a risqué sa vie pour combattre l'incendie ?

— Je suis désolé que Mme la comtesse ait été en danger, mais je vous assure que mes hommes ne sont pour rien dans cet incendie, s'entêta Jenkins. Ils n'ont jamais laissé de bougie allumée.

— Qui l'a laissée, dans ce cas ?

— Je l'ignore, milord. Il y a des gitans dans la région en ce moment, reprit Jenkins après réflexion. Ils campent sur les terres de lord Beckworth. Ce sont les pires voleurs qu'il m'ait jamais été donné de voir. Ils ont peut-être allumé l'incendie pour nous occuper pendant qu'ils volaient ce qu'ils voulaient.

C'était une hypothèse plausible, et qui avait l'avantage d'expliquer les larcins précédents. Comme il n'y avait apparemment plus grand-chose à tirer du contremaître, Julian le congédia et se mit en quête de son cousin, qu'il trouva en train d'examiner les murs fumants.

— Tu as appris du nouveau ? s'enquit ce dernier.

En quelques mots, Julian lui rapporta les explications et l'hypothèse de Jenkins.

— C'est une possibilité, admit Marcus. Ils ont une réputation de maraudeurs et de chapardeurs bien établie. Pendant que tout le monde combattait l'incendie dans les communs, ils pouvaient effectivement voler tout ce qu'ils voulaient dans les écuries, dans l'orangerie, ou dans le manoir lui-même.

— Tu as peut-être raison. J'en parlerai demain à Farley et je lui demanderai d'enquêter.

— Cela va coûter une fortune de tout reconstruire, remarqua Marcus, sans parler de tout ce qui est à refaire à cause de la fumée.

— Ma femme a déjà assuré à Diana que je me ferai un plaisir de satisfaire toutes ses demandes pour réparer les dégâts de l'incendie et faire reconstruire des communs plus spacieux. Et tout cela dans les meilleurs délais, bien entendu ! Elle vient tout juste de m'en informer. Enfin, pour assurer la paix domestique, il ne faut pas regarder à la dépense, conclut Julian avec un sourire entendu.

— Je t'avais bien dit que tu te jetais dans la gueule du loup !

— Oui, mais le loup est tellement adorable que je n'en sortirais pour rien au monde !

— Tu ne vas pas me dire que tu es tombé amoureux de ta femme ? se récria Marcus.

Julian se contenta de sourire. Une fois rentré au château, il passa le reste de l'après-midi en conférence avec son régisseur, son palefrenier en chef et son majordome, et ce qu'il apprit n'avait rien de réjouissant.

Il était déjà tard lorsque le comte alla retrouver sa femme dans ses appartements. Apparemment, elle s'apprêtait à faire de même.

— Tu allais me rejoindre ? sourit-il tandis que son pouls s'accélérait au spectacle de ses boucles cuivrées qui tombaient en cascade sur ses épaules, et du corps gracieux dont il devinait les courbes sous le déshabillé de soie vert d'eau.

— Tu ne croyais tout de même pas que j'allais t'épargner le récit de tes découvertes de la journée ? le taquina-t-elle.

— Il ne me serait pas venu à l'idée de te les cacher. Viens, allons dans ma chambre, suggéra-t-il.

Il l'installa dans un fauteuil près de la cheminée, remplit un verre de liqueur pour elle et un cognac pour lui avant de s'installer près d'elle.

— Quelle journée ! lâcha-t-il. Quand je pense à cet incendie et à ce qui aurait pu vous arriver...

— J'ai eu une peur bleue quand j'ai compris que cet énorme nuage de fumée noire venait de Dower House, admit Nell. Mais une fois sur place, j'ai vu que Diana et Elizabeth étaient indemnes. Et ensuite, je n'ai plus eu le temps d'avoir peur.

— Seigneur, quand je pense à toi en train de combattre cet incendie... murmura-t-il en s'emparant de sa main. S'il vous était arrivé quelque chose, au bébé et à toi, je ne l'aurais pas supporté.

Le cœur de Nell se gonfla de bonheur. L'emprise de Catherine devait commencer à s'estomper, sinon comment expliquer cette flamme qui dansait au fond de ses yeux et cette émotion qui faisait trembler sa voix ?

— Ne t'inquiète pas pour moi, lança-t-elle avec une allégresse qu'elle n'avait pas éprouvée depuis longtemps. Je suis tombée du haut d'une falaise et j'en suis revenue ! Transporter quelques seaux d'eau ne suffira pas à nous abattre, le bébé et moi ! Et toi ? Vous avez pu voir les cachots de Chadbourne, Marcus et toi ?

— Oh, que oui ! Il a été trop heureux de nous les faire visiter de fond en comble. Pierce, en revanche, nous a regardés comme si nous étions bons pour l'asile.

— Et... cela ressemble à mes cauchemars ?

— Non. Ils sont aussi propres et en ordre que notre grand salon. Il n'y a pas la moindre fosse, mais Chadbourne m'a montré une citerne qui servait en cas de sécheresse. Tout était parfaitement net, pas trace de fumée ni de sang. Les voûtes en arc brisé sont très belles, c'est tout ce qu'on peut en dire.

— Tu as perdu ton temps, si je comprends bien.

— Pas complètement. Chadbourne était tellement content de l'intérêt que Marcus a montré pour ses cachots qu'il nous a conseillé de visiter ceux de lord Beckworth. Il a même proposé de lui en parler.

— C'est parfait. Cela t'évitera de le lui demander toi-même.

— Je ne le connais effectivement pas très bien, et je me creusais la cervelle pour trouver une raison de lui rendre visite, mais les soupçons de Jenkins envers les gitans m'ont fourni un excellent prétexte pour aller le voir.

— Tu penses que ces gitans pourraient être à l'origine de l'incendie ?

— Je ne vois pas d'autres possibilités, à moins de croire aux fantômes. J'ai eu des conversations très instructives avec Dibble et Farley. Ils ont constaté un certain nombre de petits larcins depuis quelque temps, et Hunter m'a confirmé qu'il en avait chassé plusieurs de nos terres. Il y a donc des chances pour que ce soient eux qui aient mis le feu. Je vais aller en parler à lord Beckworth dès demain matin, puisqu'ils campent sur son domaine.

— Et tu en profiteras pour visiter ses cachots ?

— Non, je vais laisser Chadbourne arranger cela. Je les visiterai, ne t'inquiète pas, et en attendant, nous allons inspecter les cachots du monastère et de la vieille forteresse normande. Ainsi que ceux qui sont sous la maison de Hunter. Je ne manque pas d'oubliettes à me mettre sous la dent, crois-moi, mais pour le moment, une question beaucoup plus importante réclame toute mon attention, murmura-t-il.

Il se leva, la fit se lever à son tour et l'embrassa dans le cou. Quand ses mains se refermèrent sur sa croupe et qu'elle sentit contre elle son sexe rigide, le souffle de Nell se fit plus court et une vague de feu monta du plus profond de ses entrailles. Une simple caresse de son mari allumait en elle un désir brûlant, et il suffisait qu'il l'effleure pour que tout son corps le réclame.

— Vous n'y voyez pas d'inconvénient, milady ? chuchota-t-il d'une voix rauque.

La jeune femme frissonna lorsqu'il lui mordilla le lobe de l'oreille. Elle imaginait déjà sa bouche lui agaçant le bout des seins, descendant le long de son ventre…

— Pas le moindre, milord, haleta-t-elle en nouant les bras autour de son cou.

Avec un sourire de loup, il la souleva comme une plume et la déposa sur son lit.

— Voyons, où en étais-je ? Ah oui, je me souviens. Je voulais t'examiner…

Il procéda effectivement à un examen complet. Et même à deux.

Lady Diana et Elizabeth dormirent tard le lendemain matin, mais Nell se leva à l'heure habituelle. Pendant que Becky lui préparait ses vêtements, elle examina son profil devant la psyché et constata avec plaisir que son ventre commençait à s'arrondir.

Après avoir arrêté son choix sur une robe de lainage abricot qui mettait en valeur sa chevelure, elle descendit rejoindre les messieurs qui finissaient leur petit déjeuner. Ils s'attardèrent pour lui tenir compagnie, et la conversation roula sur l'incendie, la culpabilité des gitans et la visite que Julian projetait de faire à lord Beckworth. Lorsque Marcus refusa de l'accompagner, Nell devina que les cousins s'étaient entendus pour que l'un d'eux reste toujours au château.

— Vous craignez que ces gitans lancent une attaque sur Wyndham Manor, ou que l'Homme de l'ombre sorte de derrière un tableau et m'emporte dans ses oubliettes ?

— Non, répliqua Julian, mais ce n'est pas une raison pour courir le risque.

Elle ne trouva rien à objecter et, comme il faisait beau, une fois son mari parti, elle emmena Marcus faire une grande promenade dans le parc. Bien qu'il n'en montrât rien, elle le soupçonnait de s'ennuyer, et prétexta un peu de fatigue pour regagner ses appartements et le libérer.

Elle avait mille choses à faire, mais aucune ne lui faisait envie, et elle arpenta nerveusement ses appartements en pensant à Julian et à leurs relations. Elle rougit en se remémorant avec quelle passion contenue il lui avait fait l'amour la nuit passée.

Il devait tout de même l'aimer un petit peu, se dit-elle pour la millième fois, éprouver pour elle un peu plus que du respect et de la tendresse. Sans cesse son expression anxieuse lui revenait à l'esprit, ainsi que ses paroles : « S'il vous était arrivé quelque chose, au bébé et à toi, je ne l'aurais pas supporté. »

C'était bien la preuve d'un sentiment plus profond, non ?

Pouvait-elle espérer que l'emprise de Catherine s'affaiblissait ? Ou chérissait-il simplement en elle la mère de son enfant à naître ? À cette pensée, son cœur sombra. Plutôt mourir que de n'être appréciée que pour ses capacités de reproductrice.

Et l'affection, le respect, la gentillesse, la tendresse même ne lui suffisaient pas. Ce qu'elle voulait, c'était son amour.

Elle soupira. Elle avait eu beau essayer à maintes reprises de connaître ses véritables sentiments envers Catherine, elle n'avait essuyé que des rebuffades. Mais enfin, qu'est-ce que cette maudite blonde possédait de plus qu'elle ?

Elle devait en avoir le cœur net !

Elle se glissa dans le couloir et se dirigea furtivement vers la galerie des portraits. Elle ne voulait surtout pas qu'on remarque la fréquence de ses visites, et encore moins le temps qu'elle passait à contempler le portrait de la première comtesse.

Quelqu'un pourtant avait remarqué ses airs de conspirateur. Perplexe, Marcus lui emboîta discrètement le pas.

Comme à son habitude, Nell se planta devant le portrait de sa rivale. Rien n'avait changé depuis sa dernière visite. Lady Catherine était toujours aussi blonde, aussi délicate, aussi ravissante. Son regard s'arrêta sur le somptueux bouquet de roses rouges posé devant le tableau. Elle ne pouvait s'empêcher d'espérer qu'un jour elle ne trouverait plus de fleurs mais à chaque visite, son espoir était déçu.

Elle lança un regard mauvais au portrait. Catherine avait été très belle, sans aucun doute, mais le pouvoir de sa beauté était-il si puissant qu'il perdure par-delà la tombe ? Comment combattre contre une morte ? Pourquoi Julian ne pouvait-il l'aimer, elle ?

Elle au moins était *vivante* !

Elle bouillait de rage et, oubliant une fois de plus ses sages résolutions, elle saisit le vase de cristal et le jeta sur le sol. Sans un regard pour les débris qui jonchaient le parquet, elle s'éloigna au pas de charge, sans éprouver la moindre honte, cette fois-ci.

Dissimulé dans l'ombre, Marcus n'avait rien perdu de la scène. Une fois Nell partie, il sortit de sa cachette et alla à son tour scruter le ravissant visage de lady Catherine.

« Quel mauvais coup médites-tu encore, ma jolie petite peste ? » l'interrogea-t-il en silence.

18

Quand Julian arriva chez lord Beckworth, il n'avait pas encore décidé comment il lui présenterait la situation. Il le connaissait mal, et cela l'ennuyait un peu. Il se souvenait d'un grand gaillard taciturne, qui devait avoir à peu près le même âge que son père. Les hommes de cette génération n'étaient pas toujours commodes et n'aimaient pas beaucoup qu'on vienne se mêler de leurs affaires. Et soupçonner de vol et d'incendie criminel les gitans qu'il hébergeait sur ses terres pouvait lui apparaître comme une critique voilée.

Il décida, lorsque le majordome l'introduisit dans une très belle bibliothèque ornée de boiseries, que la meilleure stratégie était souvent la plus simple, et qu'il valait mieux jouer cartes sur table.

— Il y a eu un incendie hier à Dower House, le manoir que je fais restaurer pour ma belle-mère et sa fille, attaqua-t-il une fois les politesses d'usage expédiées, et j'ai de bonnes raisons de soupçonner les gitans qui se sont établis dans le voisinage.

— Vous voulez dire les gitans qui campent sur mon domaine ? demanda son hôte d'un ton bourru.

— À moins que vous en connaissiez d'autres dans les environs ?

— Non, je crains que non. Bon Dieu ! Je me doutais bien qu'ils allaient m'attirer des ennuis quand je les ai autorisés à séjourner sur mes terres, mais ces pauvres bougres étaient si misérables qu'ils m'ont fait pitié. Ces deux dernières années, ils ont passé le printemps et l'été dans les prés près de la rivière sans aucun incident, mais j'aurais dû me douter que tôt ou tard… Je me laisse attendrir trop facilement en vieillissant. Je vais les chasser aujourd'hui même !

Julian hésita. Les gitans avaient la réputation de voler tout ce qui leur tombait sous la main, aussi bien le bétail et la nourriture que les bijoux, et même les enfants. Leur arrivée n'était jamais bien accueillie par la population locale qui n'avait qu'une hâte, les chasser, et qui finissait généralement par y parvenir. Le comte voulait protéger ses métayers, mais il se rendait compte qu'en faisant chasser les nomades, il jetait sur les routes des femmes et des enfants sans ressources ; en outre, il n'avait aucune preuve de leur responsabilité dans l'incendie ou dans les vols.

— Je n'ai aucune certitude sur leur culpabilité. Il serait peut-être bon que j'aille les interroger d'abord ? Je ne voudrais surtout pas être responsable d'une injustice, ni vous causer du tracas.

— Je vous remercie, milord. Je ne tiens pas à protéger des menteurs et des voleurs, mais je ne peux pas reprocher à ces pauvres diables de nourrir leurs familles. Comme je vous le disais, leur tribu est déjà venue ces deux dernières années et même s'ils chapardent quelques pommes ou une poule de temps en temps, ce sont de braves bougres. J'aime bien leur chef, un dénommé César. Je lui confie quelquefois de menus travaux, et j'ai toujours été content de lui et de ses hommes. Il sait s'y prendre comme personne avec les chevaux !

Julian ne fit aucun commentaire, mais il était extrêmement surpris que Beckworth ait autorisé les gitans à camper dans ses prés. Les propriétaires qui voyaient arriver chez eux leurs roulottes colorées n'avaient en général aucun scrupule à les chasser, violemment au besoin.

Son hôte était décidément un original, et il accepta avec reconnaissance son offre de l'accompagner au campement des nomades.

Les nomades stationnaient dans une grande prairie au bord de la rivière, à côté d'un verger abandonné. Une quinzaine de solides percherons, deux vaches et quelques chèvres paissaient aux alentours d'une dizaine de roulottes vertes, jaunes ou bleues disposées en cercle. Une douzaine de poules et trois oies en quête de leur pitance grattaient le sol entre les roulottes. Un petit groupe d'hommes chantonnaient autour d'un feu de camp tandis que les femmes s'activaient à la lessive ou à la cuisine et qu'une bande d'enfants s'ébattaient joyeusement.

Une paire de chiens faméliques se mit à aboyer furieusement à l'approche des nouveaux venus et les femmes, ramassant en hâte leur lessive ou abandonnant leurs casseroles, saisirent les enfants par la main pour courir se réfugier dans leurs roulottes. Les hommes quant à eux se levèrent et attendirent d'un air méfiant les deux cavaliers.

Leur petite troupe paraissait plutôt misérable et Julian, pris de pitié, se demanda comment il réagirait s'il devait se trouver quotidiennement en butte au mépris et à l'hostilité partout où il allait, et s'il était condamné à une errance perpétuelle. Le spectacle de ces enfants en haillons le remuait tout particulièrement.

— Que puis-je pour vous, messeigneurs ? questionna leur chef, un homme de haute taille aux tempes argentées, un grand anneau d'or brillant à l'oreille.

Julian étudia avec attention le nez aquilin, le menton volontaire, les yeux de jade et l'abondante chevelure de jais en maudissant intérieurement son grand-père. Il éprouvait toujours une certaine gêne en présence de ses oncles ou de ses cousins illégitimes quand il s'agissait de gens du monde, et voilà qu'il découvrait que le vieux comte avait également eu des faiblesses pour une jolie gitane !

Comment allait-il annoncer à Charles et à Marcus qu'ils avaient un oncle romanichel ?

Il soupira. Que faire maintenant ? Il ne pouvait décemment pas faire expulser un parent, même s'il s'agissait d'un parent de la main gauche. Surtout s'il s'agissait d'un parent de la main gauche.

À la façon dont l'homme l'étudiait, les yeux plissés, leur ressemblance ne lui avait pas échappé, et il en avait tiré les mêmes conclusions.

— Je m'appelle César, et vous êtes certainement le comte de Wyndham, fit-il avec un sourire madré. Il me semble que ma mère et votre père ont dû se rencontrer autrefois.

— Mon grand-père, corrigea sèchement Julian.

Il regretta immédiatement ses paroles. Jamais il n'aurait dû relever l'impertinence de cet homme. Que dire à présent ? Enchanté de faire votre connaissance… mon oncle ?

Beckworth, remarquant leur air de famille pour la première fois, fut un instant déconcerté. Puis choisit de l'ignorer. Mieux valait ne pas se mêler d'une affaire de famille embarrassante.

— Hier, le feu a ravagé une maison appartenant au comte, claironna-t-il donc après s'être raclé la gorge. Vous êtes au courant ?

— Non, milord. Nous avons passé toute la journée à la foire de Lympstone. Nous sommes partis avant l'aube et il faisait déjà nuit quand nous sommes revenus. C'est pour ça qu'aujourd'hui, nous prenions un peu de repos, expliqua-t-il en désignant ses compagnons rassemblés autour du feu.

Julian avait toujours entendu dire que les gitans apprenaient à mentir en tétant le lait de leur mère, pourtant, il lui semblait, à la façon dont César le regardait, qu'il disait la vérité.

— Nous nous sommes aperçus qu'un certain nombre de choses ont disparu de mes propriétés, commença-t-il prudemment, des tissus de prix en particulier. Auriez-vous une idée de ce qu'ils sont devenus, vous ou vos compagnons ?

— Comment voulez-vous, milord ? rétorqua le nomade d'un air innocent. Nous ne sommes que de pauvres gitans. Vous pouvez faire fouiller nos maigres possessions si vous le désirez, vous ne trouverez rien qui vous appartienne, je vous assure !

Le comte dut combattre son envie de rire. S'ils avaient volé ces rouleaux de tissu et de papier peint, ils les avaient certainement vendus la veille à la foire de Lympstone. César était assurément un monument d'impudence, et il devait se montrer dur en affaires, mais il ne pouvait s'empêcher d'éprouver pour lui une certaine sympathie.

— Ne perdons pas notre temps, dans ce cas, déclara Julian en verrouillant son regard au sien.

J'étais venu demander à lord Beckworth de vous chasser, mais si vous me donnez l'assurance que ces… mystérieuses disparitions ne se reproduiront plus, j'intercéderai en votre faveur.

L'autre l'étudia une longue minute, puis hocha la tête.

— Vous n'avez rien à craindre de la part de ma tribu, je vous le promets.

Les deux hommes se jaugèrent du regard puis, après un bref signe de tête, Julian fit volter son cheval.

— Nous y allons, milord ? lança-t-il à Beckworth. Il me semble que cette affaire est réglée… à moins que vous soyez d'un avis différent.

— Non, non, je partage votre avis, mon cher, assura Beckworth. J'espère que je n'aurai plus aucune plainte de mes voisins, ajouta-t-il en jetant un coup d'œil sévère à César.

— Je vous promets, milord, qu'aucun personnage important ne viendra plus se plaindre auprès de vous, assura le gitan avec un sourire impudent.

Beckworth eut un rire qui ressemblait à un aboiement.

— Faites attention, je ne voudrais pas être obligé de vous chasser de mes terres.

— Je veillerai à ne pas vous contraindre à de telles extrémités, milord, s'inclina César.

Les deux cavaliers quittèrent le campement et chevauchèrent un moment en silence.

— Je ne voudrais pas me montrer indiscret, mais saviez-vous, pour César ?

— Non, soupira le comte. Mon grand-père ne nous a pas laissé la liste de toutes les dames qui ont… attiré son attention.

— Ce n'est pas une situation facile, compatit lord Beckworth.

— Vous n'imaginez pas à quel point, marmonna Julian.

Comme lady Diana et sa fille étaient toujours dans leurs appartements quand il rentra en début d'après-midi, le comte demanda à sa femme et à son cousin de le rejoindre dans son bureau. Il leur raconta rapidement en deux mots ce qu'il avait appris, y compris le fait que le cercle de famille venait encore de s'agrandir.

— Un gitan ! s'écria Marcus. Il ne manquait plus que ça ! Existe-t-il une seule personne portant jupon que notre grand-père n'ait pas approchée ?

— D'autres surprises nous attendent peut-être encore, mais, à ma connaissance, il n'a jamais fréquenté de nonnes.

— Dieu soit loué !

— Cela vous ennuie d'avoir un oncle gitan ? s'étonna Nell. Moi, je trouverais cela très excitant. Et tellement romantique !

— Vous n'y verriez rien de romantique s'il s'agissait de votre famille, rétorqua Marcus. Attendez que Julian soit obligé d'intervenir pour éviter la potence à notre cher oncle, nous verrons si vous trouvez cela romantique ! Ce qui me dérange, ce n'est pas le fait qu'il soit gitan. Je crains le jour où ils viendront établir leur campement sur vos pelouses et où ils demanderont à leur cher cousin de les nourrir, au nom de la solidarité familiale.

— Ils pourraient aussi venir s'installer chez toi, suggéra le comte, une lueur amusée dans les yeux.

— Oh, il n'y a pas de danger ! C'est toi qui as hérité du titre et du bon cœur familial. Et c'est toi le plus riche.

— Tu as peut-être raison, mais si j'ai bien jugé César, je doute qu'il vienne quémander ici, commenta Julian. Chaparder une poule ou quelques œufs, je ne dis pas. Et je ne lui en voudrai pas.

Le temps changea de nouveau le lendemain, et le mois de mars s'avéra aussi gris et humide que celui de février. Les travaux ne pouvaient pas avancer bien vite à Dower House, et il n'était pas question de commencer la reconstruction des communs avant que le temps s'améliore. Les intempéries empêchaient également Julian et Marcus de reprendre leurs explorations des cachots des environs, même s'ils profitèrent d'une éclaircie pour visiter les ruines du château fort normand, et les rayer de leur liste. S'il y avait jamais eu des cachots, les murs s'étaient écroulés dessus et en avaient bouché l'accès depuis longtemps.

Nell soupira en contemplant la pluie par la fenêtre. On était maintenant mi-mars, et ils n'avaient jamais eu plus d'une journée de beau temps. Elle préférait encore les tempêtes de février que ce perpétuel crachin qui ne leur laissait aucun répit, même pour une petite promenade.

Que faire ? Lady Diana et Elizabeth n'avaient que Dower House à l'esprit et à la bouche, et elle finissait par trouver cela lassant. Quant aux messieurs, toute activité de plein air étant impossible, ils allaient s'enfermer dans le bureau de Julian ou dans la salle de billard jusqu'à l'heure du thé. Elle ne pouvait donc compter que sur elle-même.

— Qu'allons-nous faire ? demanda-t-elle à voix haute en caressant l'arrondi de son ventre. Rejoindre les autres dames ? Faire l'inventaire du linge de maison avec la gouvernante ou inspecter l'argenterie avec Dibble ? Lire ?

Tout ce dont elle avait envie, c'était d'une bonne promenade à cheval. Elle s'ennuyait à mourir et en avait assez d'être cloîtrée. Elle soupira de nouveau. Le seul point positif, c'était qu'elle n'avait pas fait de nouveau cauchemar. Le corps d'Anne Barnes avait été rendu à sa famille. Personne n'avait mis en doute l'histoire de la chute de la falaise et les obsèques avaient eu lieu sans susciter de commérages.

L'arrivée du courrier n'avait pas amélioré le moral de Nell. Son père lui écrivait qu'il devait reporter sa visite à Wyndham Manor. Il s'était cassé la jambe en tombant de cheval et ne pourrait donc pas lui rendre visite avant l'été. Elle avait beau se dire que ce n'était que partie remise, elle était terriblement déçue.

Sa famille lui manquait, même si elle aimait beaucoup Diana, Elizabeth et Marcus, qui était devenu un véritable ami et un très agréable compagnon. Quant à Julian... Elle l'aimait plus que la vie même, et si elle avait pu lui faire oublier cette maudite Catherine, elle aurait été parfaitement heureuse. Elle était tellement découragée qu'elle ne demandait même plus l'amour de Julian.

Qu'il cesse d'aimer Catherine lui suffirait !

Comme souvent lorsque la première lady Wyndham traversait ses pensées, elle se dirigea vers la galerie des portraits et contempla sombrement le bouquet de lys blancs qui embaumaient. Elle n'éprouvait même plus de colère, juste une profonde lassitude. Après un dernier regard au ravissant visage, elle regagna ses appartements.

Après qu'il l'avait surprise en train de casser le vase, Marcus avait décidé de tirer cette affaire au clair. Il voulait savoir si Nell était venue regarder ce portrait par hasard ou s'il s'agissait d'une habitude, il avait donc discrètement surveillé ses allées et venues. C'était une habitude bien établie, avait-il découvert, et il la trouvait particulièrement malsaine.

Son premier mouvement fut d'aller en parler à son cousin, puis il se ravisa. Intervenir dans les relations entre époux n'avait rien de plaisant, et il avait préféré attendre d'en savoir plus. Peut-être finirait-il par comprendre cette étrange fascination qu'éprouvait la jeune femme pour Catherine.

Cependant, quand il vit Nell se faufiler hors de la galerie, il décida qu'il ne servait à rien d'attendre plus longtemps. Cette obsession était par trop dangereuse, et il se demanda pourquoi Julian n'y avait pas mis un terme lui-même. Était-il seulement au courant, du reste ? Et pourquoi diable offrait-il des fleurs à une femme morte et enterrée depuis des années ? Une femme qui avait fait de sa vie un enfer ?

Ce soir-là, quand les dames se retirèrent au salon et qu'il resta en tête à tête avec son cousin, Marcus décida d'en avoir le cœur net.

— Je ne voudrais pas être indiscret, mais peux-tu m'expliquer pourquoi tu fais mettre tous les jours un bouquet de fleurs fraîches devant le portrait de Catherine ?

Julian sursauta.

— De quoi diable parles-tu ?

— Tu n'as pas demandé qu'on fleurisse son portrait ? répliqua Marcus en haussant un sourcil.

— Mais bon Dieu, pourquoi veux-tu que je fasse une chose pareille ? s'emporta le comte. Elle est morte depuis des années !

— Pour honorer sa mémoire, peut-être ? Ou parce qu'elle te manque ?

Marcus n'avait jamais eu peur de son cousin, mais le regard qu'il lui adressa lui fit froid dans le dos.

— Quand elle est morte, cela faisait longtemps qu'il n'y avait plus rien à honorer entre nous, tu le sais parfaitement, articula-t-il.

— Il y a pourtant tous les jours un bouquet de fleurs fraîches dans la galerie, juste devant son portrait, insista Marcus.

Julian sortit de la pièce au pas de charge et grimpa l'escalier quatre à quatre, son cousin sur les talons. Dans la galerie, il alluma un candélabre, fonça vers le portrait de sa première femme et s'arrêta net, stupéfait, en découvrant le bouquet de lys.

— Je n'ai jamais demandé qu'on fleurisse ce portrait, et quand j'aurai mis la main sur l'imbécile qui a fait ça... gronda-t-il.

Ravalant un juron, il tira sur le cordon de la sonnette avec tant de violence qu'il faillit l'arracher. Dibble fit son apparition quelques minutes plus tard, son impassibilité habituelle pour une fois légèrement entamée.

— Quelque chose ne va pas, milord ?

Le comte désigna les fleurs.

— Auriez-vous l'amabilité de m'expliquer ce que cela signifie ?

— Euh... c'est un bouquet de lys sous le portrait de lady Catherine, milord.

— Je le vois bien, merci ! fit sèchement son maître. Et qui a donné l'ordre de fleurir ce tableau ?

— Mais vous, milord, répondit le majordome, stupéfait. Depuis le décès de lady Catherine, j'ai toujours veillé à ce que des fleurs fraîches soient placées tous les jours devant son portrait, je peux vous l'assurer.

— C'est curieux, mais je ne me souviens pas d'avoir *jamais* donné de telles instructions ! rétorqua Julian.

Dibble réfléchit un moment, visiblement perplexe.

— Je vous demande pardon, milord, en fait, c'est votre père qui en a donné l'ordre à l'origine. Il m'a fait appeler le lendemain des obsèques de lady Catherine et m'a dit que vous aimeriez qu'elle ait chaque jour des fleurs fraîches. Ai-je mal agi, milord ? s'inquiéta-t-il devant le regard fixe de son maître. J'aurais peut-être dû vous consulter après la mort de votre père, mais j'ai supposé que si vous aviez souhaité que j'agisse différemment, vous me l'auriez dit. Ai-je fait une erreur ?

— Non… c'est moi, concéda Julian. J'aurais dû vous expliquer ce que je voulais. Il ne m'était jamais venu à l'idée que vous fleurissiez encore ce portrait.

— Vous souhaitez que je cesse d'apporter des bouquets, milord ?

— Oui. Plus de bouquet, désormais. Et, s'il vous plaît, emportez celui-ci.

Dibble s'inclina et emporta l'énorme brassée de lys.

— Tu n'étais pas au courant de la requête de ton père ? hasarda Marcus une fois qu'ils furent seuls.

— À ton avis ? Si je l'avais été, j'aurais immédiatement donné des instructions contraires. Mon père n'a jamais voulu voir la véritable nature de Catherine. Il tenait à ce que mon mariage soit heureux, et il a toujours refusé de regarder la vérité en face. De mon côté, je n'ai jamais rien fait pour le détromper. Je lui ai laissé croire que j'adorais ma femme et que c'était réciproque. Je suis sûr qu'il croyait encore sur son lit de mort qu'une partie de moi était morte avec Catherine.

Marcus fronça les sourcils.

— Tu ne crois pas qu'il aurait pu dire quelque chose en ce sens à lady Diana ?

— C'est probable. Il a dû lui rebattre les oreilles de mon amour éternel pour Catherine. Pourquoi ?

— Parce que je pense que ta femme le croit aussi.

— Ne dis pas de bêtises ! s'énerva Julian. Qu'est-ce qui aurait pu lui mettre une idée pareille en tête ? Nell est peut-être venue dans cette galerie une fois, brièvement, mais je doute qu'elle sache où se trouve le portrait de Catherine.

— Détrompe-toi ! Ta femme connaît parfaitement la place de ce tableau. Je l'ai souvent surprise en train de l'examiner.

— Et pourquoi diable ferait-elle cela ?

— Oh, je suppose que ta belle-mère ou Elizabeth ont dû lui faire visiter la galerie. Elles se sont peut-être arrêtées pour admirer ce portrait et lamentées sur la fin tragique de Catherine…

— Et Diana lui a certainement chanté le couplet que mon père lui avait appris, l'interrompit Julian d'une voix sans timbre. Et ce maudit bouquet est venu confirmer ses dires !

— Retournons dans ton bureau, suggéra gentiment son cousin, que je te raconte ce que j'ai vu. À toi de décider ensuite quoi faire.

Nell lisait dans son lit quand la porte s'ouvrit si violemment qu'elle cogna contre le mur. Elle se redressa tandis que Julian, l'air bouleversé, se ruait vers elle. Il l'attrapa par les bras et l'attira contre lui.

— Petite folle, comment peux-tu imaginer que je suis encore amoureux de Catherine alors que le son même de ta voix me transporte au septième ciel ! Tu ne comprends donc pas ? s'écria-t-il en la secouant. Nell, mon amour, je t'aime. Tu es tout pour moi !

— Tu n'aimes plus Catherine ? interrogea-t-elle en scrutant son beau visage ténébreux. Mais tout le monde dit le contraire !

— Je ne sais pas qui est tout le monde, mais, crois-moi, ma chérie, tout le monde se trompe ! Je n'aime pas Catherine. Je ne l'ai jamais aimée !

— Et les fleurs ? Un beau bouquet de fleurs fraîches devant son portrait chaque jour !

— C'est un malentendu. Il n'y aura plus jamais un seul bouquet dans la galerie des portraits !

— Et tu m'aimes ? souffla Nell, des étoiles dans les yeux.

— Je t'adore ! Je ne saurais dire à quel moment j'ai commencé à t'aimer, mais tu m'as attiré à l'instant où j'ai posé les yeux sur toi. Comment as-tu pu penser que j'étais amoureux de Catherine ? Mes baisers, mes caresses, le plaisir que nous partageons, tout cela ne comptait donc pas ?

— Je me suis dit que tu voulais tirer le meilleur parti de notre mariage, et être gentil avec moi, murmura-t-elle en se blottissant contre sa poitrine.

— Mon amour, tu es ce qui m'est arrivé de mieux dans la vie ! Et quand je suis avec toi, la « gentillesse » est vraiment le cadet de mes soucis !

— Ça pourrait n'être que du désir, contra-t-elle, mais un flot de joie la submergeait déjà.

Il l'aimait ! Elle et *non* cette maudite Catherine !

— Je te désire effectivement, madame ma femme, mais surtout, je t'adore ! assura-t-il en cherchant sa bouche.

Il l'embrassa avec passion, révélant enfin, sans retenue, la profondeur de ses sentiments.

— Et toi, tu n'as rien à me dire ? demanda-t-il quand il la relâcha enfin. Je viens de déposer mon cœur à tes pieds, j'espère que tu ne vas pas le piétiner.

Nell laissa échapper un rire joyeux et, couvrant son visage de baisers, murmura :

— Je t'aime ! Je t'aime ! Je t'aime ! Cela fait des mois que je suis malade d'amour pour toi.

Que pouvait-il faire après cela à part l'embrasser de nouveau ?

Ils demeurèrent un long moment allongés dans les bras l'un de l'autre, à échanger ces mots magiques que seuls connaissent les amants. Tous les doutes, les appréhensions, les incertitudes qui les avaient hantés s'envolèrent entre deux baisers.

— Je n'en reviens pas que tu aies pu imaginer que j'étais toujours amoureux de Catherine, avoua Julian après ce qui leur parut de longues heures.

— Qu'aurais-tu pensé à ma place ? Chaque fois que je prononçais son nom, tu te fermais comme une huître et tu refusais de me répondre. Et Diana m'avait expliqué à quel point tu l'avais aimée et comment sa mort t'avait laissé inconsolable.

Julian eut un ricanement qui en disait long sur ce qu'il pensait de l'opinion de sa belle-mère.

— Et les bouquets ! poursuivit Nell. Que voulais-tu que je croie en voyant chaque jour un nouveau bouquet devant son portrait ?

— Mais n'importe qui d'un peu sensé aurait compris que j'étais fou de toi, observa-t-il avec un sourire paresseux.

— Tu l'es vraiment ? demanda Nell presque timidement.

— À en devenir idiot ! Tu m'as ensorcelé, chuchota-t-il contre sa bouche. Je t'aime et je t'aimerai jusqu'à mon dernier souffle, et même au-delà. N'en doute jamais, conclut-il en l'embrassant encore une fois.

Il n'échappa à personne à Wyndham Manor qu'il s'était passé quelque chose de capital cette nuit-là. À première vue, il n'y avait rien de changé entre Julian et Nell, mais tout était pourtant différent. Chacun de leurs gestes, chacun de leurs regards irradiait d'une telle joie, d'un tel bonheur tranquille, que tous en étaient touchés. Il émanait d'eux quelque chose de si léger, une telle allégresse que l'atmosphère de la maison s'en trouva complètement transformée.

— Il souffle comme un vent de printemps dans cette maison, remarqua Marcus lorsque les dames les laissèrent seuls après le dîner. J'en déduis que tout va bien entre ta femme et toi ?

— Tu peux le dire, répondit Julian. Elle m'aime, ajouta-t-il avec un sourire que son cousin ne lui avait encore jamais vu. Autant que je l'aime.

— Eh bien, voilà qui mérite un toast ! À votre bonheur ! conclut Marcus en levant son verre.

Il plut pratiquement tout le mois de mars. Marcus, qui rongeait son frein, enfermé à longueur de journée, sans rien d'autre à faire que regarder la pluie tomber et se perdre en conjectures à propos de l'Homme de l'ombre, commençait à envisager de rentrer chez lui.

— Tu m'abandonnerais au milieu de toutes ces femmes ? lui reprocha Julian un soir qu'il lui faisait part de cette possibilité.

— Qui sont toutes à tes pieds et t'ont donné la fâcheuse impression que tu étais le centre du monde.

— C'est bien pour ça que tu dois rester ! Si tu n'es plus là pour me rappeler que je ne suis qu'un simple être humain, je vais devenir absolument insupportable.

Marcus éclata de rire et ne parla plus de repartir.

Avril apporta enfin un espoir de printemps. Dès que le soleil fit son apparition, les habitants de Wyndham Manor s'égaillèrent de tous côtés.

Lady Diana et Elizabeth allèrent immédiatement à Dower House, tandis que les hommes décidaient d'aller explorer les ruines du monastère. Comme la visite ne présentait aucun danger, Julian proposa à Nell de les accompagner. Ils revinrent bredouilles, mais ravis de la promenade.

À son retour, la jeune femme trouva une invitation de Sophie Weston pour la semaine suivante. S'il s'était agi de n'importe lequel de leurs voisins, elle aurait été enchantée de cette sortie, mais, même si Charles et Julian s'étaient réconciliés, la présence de Tynedale à Stonegate compliquait sérieusement la situation.

Nell dénicha Julian dans son bureau, où il lisait une lettre qui paraissait le contrarier. Pourtant, dès qu'il croisa son regard, son visage s'éclaira.

— Mme Weston donne une soirée la semaine prochaine, et nous sommes invités, expliqua-t-elle. Tout le voisinage y sera, apparemment, et cela m'ennuie de refuser, mais si Tynedale est encore là-bas…

— Il y est. Charles vient justement de m'envoyer un mot pour me mettre en garde.

— Pourquoi prend-il cette peine ? Tu crois qu'il connaît le rôle que ce misérable a joué dans notre mariage ?

— Non, s'il me prévient, c'est à cause du rôle que Tynedale a joué dans le suicide de Daniel. Il sait ce que je pense de cette canaille.

— Et lui, il ne le déteste pas ? s'étonna Nell. Il n'aimait donc pas son neveu ?

— Il l'aimait beaucoup, et il s'en veut de ce qui est arrivé. Il me l'a avoué il y a quelque temps, mais il n'a jamais voulu me dire pourquoi il tolérait chez lui la présence de ce gredin. Il a ses raisons d'accueillir Tynedale à Stonegate, mais je ne les connais pas.

— Alors, que dois-je répondre à cette invitation ?

Julian se leva, contourna son bureau et l'enlaça.

— Ne te tracasse pas, murmura-t-il. Il y aura d'autres réceptions, sans ce maudit Tynedale pour nous les gâcher.

— Que dirais-tu si j'acceptais l'invitation ? hasarda-t-elle.

— Et pourquoi l'accepterais-tu ?

— Pour montrer à cette fripouille qu'il n'a pas barre sur nous. En fait, reprit-elle en déposant un baiser sur son menton, nous devrions lui être reconnaissants. Sans lui, nous ne nous serions jamais rencontrés. Nous ne nous serions jamais mariés et…

— Nous ne serions jamais tombés amoureux l'un de l'autre, acheva Julian à sa place. Tu sais, je crois que tu as raison, et que nous allons assister à cette soirée. Et au diable Tynedale !

19

Le printemps parut vouloir s'installer pour de bon et il faisait délicieusement doux le soir de la réception chez les Weston. Après cette longue période de semi-réclusion, les dames de Wyndham Manor avaient hâte de retrouver quelques amis et connaissances. Elles avaient pris soin de commander de nouvelles robes, et lorsqu'elles quittèrent le château, toutes trois étaient très en beauté et le savaient.

Dans sa robe de satin bleu pervenche ornée de dentelle, Nell n'avait jamais été aussi ravissante. Une parure de perles et de diamants mettait en valeur son teint éblouissant et l'éclat de son regard d'émeraude. Les signes de sa grossesse n'étaient pas encore suffisamment évidents pour altérer la grâce de sa silhouette. Julian trouvait du reste que cela ne faisait qu'ajouter à son charme mais, comme il l'admettait lui-même, peut-être faisait-il montre d'une certaine partialité.

Mme Weston avait invité pratiquement tout le voisinage, la famille Chadbourne au grand complet, lord Beckworth, le Dr Coleman, le juge et son épouse ainsi qu'un certain nombre de notables que Nell ne connaissait pas, dont M. Blakesley, le plus gros propriétaire terrien du comté, accompagné de sa femme, de son fils aîné et de sa fille unique. Une nièce de Mme Chadbourne, qui avait le même âge qu'Elizabeth, formait avec les deux filles aînées du pasteur un charmant quatuor.

Stonegate brillait de tous ses feux. On dansa dans la salle de bal au son d'un orchestre venu d'Exmouth tandis qu'une nuée de valets en livrées de cérémonie s'affairaient entre les buffets ornés de fleurs rares pour offrir aux invités coupes de champagne ou bols de punch accompagnés de friandises salées.

Quand il commença à faire trop chaud, on ouvrit les grandes portes-fenêtres pour permettre aux danseurs de prendre le frais dans les jardins éclairés de lanternes colorées. Après plusieurs danses, Julian y entraîna Nell.

— Tynedale paraît s'être acheté une conduite, murmura-t-il dès qu'ils furent hors de portée de voix. Du moins, il garde ses distances. Nous allons peut-être passer cette soirée sans scandale ni bagarre, finalement.

— Tu ne crois tout de même pas qu'il aurait l'audace de créer un scandale ? s'inquiéta Nell.

— Pour le moment, il semble décidé à se tenir correctement. Il ne s'est approché d'aucun de nous deux et, surtout, il n'a pas eu la hardiesse ou la bêtise de te demander une danse.

— Heureusement ! Il a fait mine de se diriger vers moi à un moment donné, mais il s'est ravisé et a invité la sœur du pasteur.

— Tant mieux ! Je ne voudrais pas être obligé de le provoquer en duel, murmura Julian en lui caressant la joue avant de lui voler un baiser. Tynedale mis à part, tu passes une bonne soirée ?

— Excellente ! Charles est un danseur hors pair et il connaît quantité d'histoires étonnantes. Tu as vraiment mis un poisson mort dans le panier de la quête quand tu avais neuf ans ?

— Coupable ! Seigneur, j'avais complètement oublié. Heureusement que mon cousin est là pour me le rappeler.

— Tu es content d'avoir aplani vos différends, j'imagine ?

— Je ne sais pas si nous les avons aplanis, mais en tout cas, nous sommes en bons termes, ce qui ne nous était pas arrivé depuis des années, et j'en suis effectivement très content, ma douce.

Tout le monde passa dans la salle à manger pour un succulent souper qui se révéla très gai. Placée à la droite de Charles, à côté du neveu de lord Beckworth, un jeune diplomate plein d'esprit, Nell passa un moment délicieux.

Lorsque les dames abandonnèrent les messieurs pour passer au salon, elle s'aperçut que la fatigue commençait à se faire sentir. Même si elle s'amusait, elle était restée constamment sur ses gardes depuis leur arrivée. Éviter Tynedale sans en avoir l'air et veiller à ce que Julian et lui ne se trouvent jamais trop près l'un de l'autre était pesant. Elle était assez grande pour remettre ce gredin à sa place s'il osait l'approcher, mais elle se méfiait des réactions de son époux.

Maintenant qu'elle était assurée de l'amour de Julian, le scandale que cette canaille pouvait provoquer en révélant les événements qui avaient précédé leur mariage ne lui faisait plus peur. Il ne pouvait de toute façon pas dire grand-chose sans s'exposer lui-même à l'opprobre, mais s'il prétendait qu'elle était consentante quand il l'avait enlevée, cela susciterait des ragots déplaisants.

Cela dit, elle ne s'en inquiétait pas outre mesure. Ensemble, Julian et elle étaient de taille à affronter n'importe quelles médisances. Ce qu'elle redoutait, c'était que ce gredin provoque son mari. L'alcool allait couler avec libéralité et qui sait ce qui pouvait arriver si le ton montait un peu trop ?

Les appréhensions de Nell étaient justifiées. Depuis le début de la soirée, Tynedale cachait sa haine et sa rancœur sous des manières exquises et un sourire de commande. Il n'avait pas manqué de remarquer la complicité entre les deux époux, l'expression tendre du comte quand son regard se posait sur sa femme, ni le sourire radieux de Nell quand elle dansait avec lui. Il aurait fallu être aveugle pour ne pas se rendre compte qu'ils étaient profondément amoureux l'un de l'autre...

La grossesse de la jeune femme avait encore ajouté à sa fureur. Cet enfant aurait dû être le sien, et non celui de Wyndham. Il haïssait Julian qui, non content d'être scandaleusement riche, lui avait volé l'héritière sur laquelle il avait jeté son dévolu. La fortune de Nell et cet enfant à naître auraient dû lui appartenir, à lui, Tynedale ! Le comte les lui avait volés après l'avoir acculé à la ruine. Tous ses biens étaient gagés, il croulait sous les dettes et son rival pouvait en exiger le paiement à tout moment s'il lui en prenait envie.

S'il n'avait pas extorqué cette invitation à Raoul, il n'aurait pas su où aller. Il n'osait plus se montrer sur ses terres, qui étaient assiégées par les créanciers et où le personnel n'était plus payé depuis des mois. Il lui aurait suffi d'épouser la riche Eleanor Anslowe pour se tirer de ce mauvais pas, et voilà que ce maudit Wyndham était, encore une fois, venu se mettre en travers de sa route !

Après que les dames eurent quitté la pièce, il avait continué de remâcher sa rancœur. Non content de lui avoir tout pris, le comte l'avait aussi défiguré. Machinalement, il toucha la cicatrice qui lui barrait le visage.

Le geste n'échappa pas à Julian qui sourit derrière son verre de porto. Il avait au moins fait cela pour Daniel, songea-t-il. En toute autre circonstance, il aurait peut-être été disposé à oublier le passé. Après tout, c'était grâce à Tynedale qu'il avait rencontré la femme de sa vie. Pour cette raison, il aurait pu beaucoup pardonner, même à cette canaille, mais pas la mort d'un gamin innocent.

— Du calme, intima doucement Marcus en voyant se contracter les mâchoires de son cousin. Le sort de ce gredin ne te concerne plus, à présent.

— Même si j'ai du mal à l'admettre, tu as sans doute raison. En tout cas, il est moins agréable à regarder désormais.

— C'est certain, intervint Charles derrière eux. Mais je regrette que tu n'aies pas terminé le travail.

En hôte accompli, il avait bavardé avec chacun de ses invités et terminait par ses cousins.

— Et d'où te vient cette soudaine envie de meurtre ? s'enquit Julian en arquant un sourcil.

— Daniel n'est pas le seul jeune écervelé à succomber au charme de Tynedale, expliqua Charles, les yeux rivés sur son demi-frère.

— Tu veux dire que Raoul aussi est tombé entre ses griffes ?

— Je ne vois qu'une seule explication à cet engouement soudain pour cet insupportable gandin. Raoul n'a jamais joué aussi gros que moi, et sa mère l'a prévenu qu'elle ne tolérerait pas de grosses dettes, mais si l'on me demandait pourquoi mon petit frère s'est à ce point entiché de Tynedale, je répondrais que c'est parce qu'il lui doit de l'argent. Et j'ai dans l'idée qu'il retarde le moment d'aller voir ma chère belle-mère pour lui demander de passer à la caisse.

— C'est pour ça que tu m'as interrogé sur les reconnaissances de dettes que je détiens ? Tu les voulais pour avoir barre sur lui ?

— C'est une idée qui m'a effleuré.

— Mais enfin, tu ne pouvais pas me le dire ? s'écria Julian. Tu sais bien que, dans ces conditions, je te les aurais données volontiers.

— J'avais peut-être envie que tu me fasses confiance, tout simplement.

— Dieu du ciel, tu es toujours aussi arrogant ! s'emporta Marcus.

— Et toi toujours aussi content de toi, rétorqua Charles avec le plus suave de ses sourires.

Le comte soupira. Ces deux-là se chamaillaient depuis qu'ils savaient parler.

— Messieurs, auriez-vous l'obligeance de cesser ces querelles infantiles ?

Marcus et Charles se dévisagèrent, sans que l'un ou l'autre paraisse disposé à céder d'un pouce. Finalement, Marcus grimaça, puis se mit à rire.

— D'accord, mais à condition qu'il en fasse autant, concéda-t-il.

— Tu as ma parole, déclara Charles en s'inclinant

— Alors, qu'allons-nous faire au sujet de cette canaille ? s'enquit Julian.

— Tue-le, suggéra Charles.

— Ce serait avec le plus grand plaisir, murmura son cousin, mais à part le meurtre, je ne vois pas comment faire.

— Je pourrais le provoquer en duel, je suppose, proposa Marcus.

Tynedale avait dû sentir sur lui les regards des trois cousins. Il se tourna dans leur direction, et lorsqu'il comprit qu'il était l'objet de leur conversation, son sourire de commande se figea sur ses lèvres. Se ressaisissant en hâte, il poursuivit sa conversation avec Pierce Chadbourne en prenant soin de se dissimuler derrière un grand surtout d'argent.

Pourquoi diable le regardaient-ils ainsi ? s'interrogea-t-il. Il savait parfaitement qu'ils ne l'aimaient pas et qu'aucun des trois cousins ne verserait de larmes s'il lui arrivait malheur, mais que pouvaient-ils bien comploter ? Il n'avait rien contre Marcus Sherbrooke ou Charles Weston, mais s'il trouvait un prétexte pour affronter de nouveau Wyndham, il serait heureux de le tuer.

Cette pensée le grisait plus encore que le vieil armagnac dont il faisait tourner le verre entre ses doigts. Si le comte venait à mourir... Et si Nell faisait une fausse couche, ou si son enfant était mort-né, ce qui n'était pas difficile à arranger... Charles deviendrait comte de Wyndham et entrerait en possession de tous les biens de son cousin. Et Raoul serait alors le seul héritier du titre et de l'immense fortune qui allait avec.

Et il serait ravi de l'aider à la dilapider.

Et puis, la jeune femme serait veuve et toujours riche. Sa première tentative pour la forcer à l'épouser avait échoué, mais il s'y prendrait mieux cette fois-ci... Il n'avait pas de temps à perdre, se dit-il soudain. Plus vite Julian passerait de vie à trépas, plus vite il débarrasserait la belle comtesse de Wyndham du marmot qu'elle portait et l'épouserait...

Il vida son verre d'un trait. Il avait eu la bonne idée d'apporter ses pistolets – des pistolets un peu particuliers, dont l'un tirait légèrement à droite, et l'autre légèrement à gauche. Mais lui seul savait lequel faisait quoi, et pouvait donc rectifier le tir, tandis que ce pauvre Wyndham... Il faillit rire en imaginant l'expression du comte quand la balle de son adversaire l'atteindrait en pleine poitrine, tandis que la sienne passerait loin du but.

Une lueur fébrile au fond de son regard d'azur, il se dirigea vers le trio.

— Quelle plaisante soirée ! Votre belle-mère est une hôtesse accomplie, observa-t-il aimablement à l'adresse de Charles. Je n'ai pas encore eu l'occasion de vous féliciter de votre récent mariage, enchaîna-t-il en se tournant vers Julian. Cela fait déjà... six mois, si je ne m'abuse. Et voilà qu'un héritier est en route... Félicitations ! La comtesse est une si jolie femme... vous êtes un homme heureux. Très heureux... Elle aurait pu vous glisser entre les doigts et, hélas, en épouser un autre.

Les mâchoires du comte se contractèrent dangereusement, et Marcus lui agrippa le bras.

— Si vous attachez un peu de prix à votre vie, je vous conseille d'éloigner de moi votre méprisable personne, suggéra Julian d'un ton neutre.

— Seriez-vous en train de m'insulter ? s'exclama Tynedale en écarquillant les yeux d'un air faussement innocent.

Il ne voulait à aucun prix provoquer Julian en duel. Pour qu'il ait le choix des armes, il fallait qu'il soit l'offensé.

— Parce que vous pouvez être insulté ? ironisa le comte.

Ils parlaient à haute et intelligible voix, et quelques regards se tournèrent vers eux.

— Seulement si j'y consens, répliqua Tynedale. Mais, voyez-vous, il n'est pas dans mes habitudes de prêter attention aux insinuations du vulgaire.

Charles devint livide, et Marcus aurait bondi si Julian ne l'avait retenu par le bras d'une main de fer.

— Je vous félicite, répondit le comte d'un ton trompeusement désinvolte. Moi aussi, voyez-vous, je suis imperméable aux insultes, surtout quand elles sont proférées par une ordure de votre espèce.

Un silence pesant régnait maintenant dans la salle à manger. Chadbourne, suivi du pasteur et de lord Beckworth, intervint :

— Voyons, messieurs, vous allez trop loin.

— Seigneur ! Essayez-vous de me pousser à me battre ? riposta Tynedale, le regard brûlant de haine. J'ai bien peur que la blessure qu'il m'a infligée ne suffise pas à ce pauvre Wyndham ! lança-t-il à la cantonade. Il aimerait m'en faire une autre, apparemment.

— Vous vous trompez, rétorqua Julian. Ce que j'aimerais, c'est vous tuer, pour que vous ne puissiez plus abuser de la naïveté de jeunes gens inexpérimentés et les dépouiller.

Tynedale blêmit, mais il ne tomba pas dans le piège qu'on lui tendait et parvint à garder un semblant de calme.

— Grand Dieu ! J'avais espéré que vous auriez surmonté le chagrin que vous ont causé les sottises de votre pupille, mais il n'en est rien visiblement, et vous m'en gardez rancune. Ce n'est pas très élégant de votre part, milord.

Le comte jeta le contenu de son verre à la figure de Tynedale.

— Et vous, monsieur l'escroc, répliqua-t-il posément, vous n'êtes qu'une canaille et un lâche, une vermine tout juste bonne à écraser.

— Espèce d'ordure, gronda Tynedale qui, oubliant son plan, ajouta : Choisissez vos témoins !

— Avec plaisir. Marcus ? Charles ? interrogea Julian sans quitter des yeux son futur adversaire. Puisque le choix des armes me revient, enchaîna-t-il sans attendre l'accord de ses cousins, je choisis l'épée. Quant au lieu et à l'heure, ici et maintenant.

— Ce n'est pas possible ! protesta Chadbourne, affolé par le tour que prenaient les événements. Lord Tynedale n'a pas même choisi ses témoins.

— M. Raoul Weston et M. Pierce Chadbourne m'assisteront, déclara l'intéressé. Et je suis à la disposition de lord Wyndham quand il lui plaira.

Raoul et Pierce ne paraissaient pas enchantés, mais ils pouvaient difficilement refuser. Ils acquiescèrent donc d'un signe et vinrent se placer aux côtés de Tynedale.

— C'est complètement irrégulier ! protesta à son tour lord Beckworth. Vous devez laisser à vos témoins le temps de se consulter et de rechercher une médiation.

— C'est peut-être irrégulier, mais le protocole a été respecté. Nous avons un médecin sous la main, et suffisamment de témoins honorables en plus de nos seconds. Je ne vois rien qui nous empêche de nous affronter sur-le-champ, remarqua Julian avec le calme d'un fauve guettant sa proie.

— C'est aussi mon avis. Nos témoins n'ont rien à discuter, renchérit Tynedale.

Julian se tourna vers son cousin.

— Charles, tu as une très belle paire d'épées, si je me souviens bien, nous pouvons les utiliser, si Tynedale ou ses seconds n'y voient pas d'objection.

— Je n'y vois aucune objection, répondit ce dernier, furieux d'avoir perdu l'avantage.

— Dans ce cas préparons-nous pendant que mon cousin va chercher les armes, proposa le comte.

Il n'y avait plus rien à faire. Le duel aurait bien lieu. Ici et maintenant.

Tandis que Charles partait chercher les épées, les autres messieurs se chargèrent de faire de la place, en proie à des sentiments mitigés. La première surprise passée, certains ne cachaient pas leur déplaisir ou leur inquiétude, tandis que d'autres n'hésitaient pas à prendre des paris.

Une fois la table repoussée à un bout de la grande pièce, les chaises alignées le long des murs et les candélabres mis hors de portée, l'espace dégagé était suffisant pour un combat à l'épée. Le maître de maison revint avec les armes, que les témoins examinèrent soigneusement avant de les déclarer acceptables.

Les duellistes et leurs seconds prirent place à chaque extrémité de la salle, tandis que les spectateurs se massaient sur un côté.

— Tu es fou ? chuchota Marcus une fois seul avec Charles et Julian.

— Nous sommes du même avis, tous les trois, non ? répliqua le comte en se débarrassant de sa veste. Nous voudrions le voir mort.

— Certes. Mais qui a dit que c'était à toi de t'en charger ? Charles ou moi pouvions aussi bien faire l'affaire. Tu as des responsabilités... À moins que tu n'aies oublié que tu avais une femme et un enfant à naître ?

— Je ne les ai pas oubliés, et s'il devait m'arriver malheur, je suis sûr que Charles et toi prendriez soin d'eux.

Le visage de Julian s'assombrit lorsqu'il songea à Nell et à sa douleur s'il mourait. Mais il n'était plus temps de se demander s'il avait agi sagement. Il devait garder la tête froide s'il voulait avoir le dessus. Pourtant, il ne se voyait pas quitter sa femme sans un dernier mot.

— Si je devais mourir, dis à Nell que je l'aime, qu'elle m'a apporté un bonheur sans mélange et que mes dernières pensées auront été pour elle et notre enfant.

— Oh, nom de Dieu ! Mais enfin, fais quelque chose ! s'emporta Marcus en se tournant vers Charles.

— Moi ? Et pourquoi donc ? Si mon estimé cousin avait la malchance de mourir ce soir, ce serait moi qui hériterais. Tu peux être sûr, ajouta-t-il avec un sourire en coin à l'intention de Julian, que j'en serais profondément affecté, et que je m'occuperais de ta femme et veillerais sur elle.

— Je ne m'en étais encore jamais rendu compte, mais tu es capable de faire preuve de la plus remarquable désinvolture au moment le moins opportun, s'émerveilla le comte.

— Cela vaut mieux que de jouer les pleureuses comme ce vieux Marcus.

Ce dernier fit mine de sauter à la gorge de Charles, mais Julian l'en empêcha d'un mouvement preste.

— C'est moi qui me bats en duel ce soir, lui rappela-t-il. Vous aurez tout le temps de vous mettre en pièces après, mais pour l'heure, vous êtes mes témoins.

Il se détournait quand Charles lui attrapa le bras.

— Tu sais, bien sûr, dit-il d'une voix sourde, que si tu n'avais pas le dessus, Tynedale ne te survivrait pas longtemps.

— Je n'en ai jamais douté, sourit Julian en posant son gilet brodé sur le dossier d'une chaise.

Après avoir roulé les manches de sa chemise de batiste, il testa la souplesse de la lame que lui tendait Marcus. Sa mémoire ne l'avait pas trahi, c'était une arme de premier ordre. Trop belle pour ce gredin de Tynedale…

Les adversaires, accompagnés de leurs témoins, s'avancèrent jusqu'au milieu de la pièce. On aurait entendu voler une mouche. Toutes les personnes présentes avaient deviné que le duel ne s'arrêterait pas au premier sang, et beaucoup s'attendaient à voir mourir un homme avant la fin de la nuit.

Julian et Tynedale croisèrent le fer avec une rage tempérée de prudence. Les deux hommes s'étaient déjà affrontés, mais chacun prenait la mesure de l'autre, cherchant le point faible, une faille dans laquelle s'engouffrer.

Seul le cliquetis métallique des épées résonnait dans le silence. Le comte n'avait aucun mal à contrer les attaques de son adversaire, et pendant de longues minutes, ils multiplièrent les assauts et les feintes, avant de rompre pour mieux repartir à l'attaque ensuite. Et soudain, la lame de Tynedale esquiva la parade de Julian, dont le bras se colora d'une longue traînée écarlate.

— Cela suffit ! intervint Chadbourne. Vous avez vaincu votre adversaire.

— Mais je n'ai pas obtenu réparation, gronda Tynedale en plongeant sur Julian.

Ce dernier n'esquivait, avec une agilité diabolique, les attaques de son adversaire que pour revenir sur lui sans lui laisser le temps de reprendre haleine. Impitoyablement, il le contraignait à reculer avant de frapper à la vitesse de l'éclair. La chemise de Tynedale était en lambeaux et son torse saignait d'une douzaine d'égratignures, mais le gredin était une fine lame, et le comte n'arrivait pas à trouver la faille qui lui aurait permis de porter le coup fatal.

Le visage ruisselant de sueur, Tynedale restait sur la défensive. Il était épuisé, son bras lui semblait de plomb, ses plaies le faisaient souffrir, et il savait qu'il ne pourrait tenir bien longtemps. Il avait abandonné tout espoir de tuer son rival et se battait maintenant pour sauver sa vie.

La peur et la fatigue accomplissaient leur travail de sape, et ses défenses faiblissaient. Il baissa la garde et, vif comme l'éclair, Julian s'engouffra dans la brèche. À la dernière seconde, Tynedale se déplaça et la lame de son assaillant, au lieu de le transpercer en pleine poitrine, se ficha dans l'épaule.

Il poussa un cri avant de s'affaisser sur le sol. Écœuré, Julian contempla son adversaire recroquevillé à ses pieds. Nom de nom ! Continuer le duel reviendrait à commettre un meurtre de sang-froid. Le combat était terminé. Bon sang, il avait échoué de nouveau !

— Une fois de plus, vous avez une chance de tous les diables, remarqua-t-il sombrement.

— La chance n'a rien à voir, haleta Tynedale tandis que Pierce et Raoul l'aidaient à se relever. C'est une question d'habileté.

— Si cela peut vous faire plaisir, lâcha Julian. Lord Tynedale est hors de combat, le duel est terminé, lança-t-il à la cantonade.

Tournant le dos au vaincu, il se dirigea vers l'endroit où il avait laissé ses vêtements, mais

Tynedale n'était pas prêt à voir s'écrouler tous ses rêves.

— Non ! hurla-t-il. Ce n'est pas terminé.

Repoussant ses seconds, il se tint, vacillant, au milieu de la salle.

Julian lui jeta un coup d'œil par-dessus son épaule.

— Même le désir de débarrasser le monde d'une vermine telle que vous ne m'amènera pas à commettre un meurtre, déclara-t-il froidement avant de poursuivre son chemin.

Avec un cri étranglé, Tynedale chargea, l'épée à la main, déterminé à l'enfoncer dans le dos de son adversaire.

— Julian, derrière toi ! crièrent d'une seule voix Charles et Marcus en plongeant en avant.

Le comte fit volte-face, mit un genou à terre et, contrant l'attaque, planta sa lame droit dans le cœur de Tynedale. La lame encore fichée dans la poitrine, ce dernier vacilla, incrédule, avant de lâcher son épée et de s'effondrer sur le sol, mortellement touché.

Julian se redressa et contempla le corps de son ennemi qui gisait à ses pieds. Il s'était imaginé que tuer cette canaille soulagerait le chagrin et la culpabilité causés par le suicide de Daniel, et s'apercevait qu'il n'en était rien. Même la pensée qu'en mettant ce misérable hors d'état de nuire il avait protégé la réputation de sa femme ne lui apportait aucun réconfort. Il n'éprouvait aucun sentiment de victoire, ni même de soulagement ; juste une immense lassitude et le besoin lancinant de voir Nell, de la prendre dans ses bras et de sentir son corps souple contre le sien.

Après la stupéfaction provoquée par le dénouement brutal du duel, la tension retomba soudain, et tout le monde se mit à parler en même temps. Certains venaient féliciter Julian, d'autres marmonnaient entre leurs dents des remarques peu amènes sur le manque de style de la jeune génération et les traditions qui se perdaient. Le silence retomba quand on emporta le corps de Tynedale.

Il ne faisait aucun doute que le comte avait agi en état de légitime défense et il n'avait à craindre aucune suite judiciaire, mais tant de témoins avaient assisté à ce duel qu'il ne pourrait rester secret bien longtemps. Il susciterait certainement beaucoup de commérages et de supputations quant aux véritables raisons qui avaient poussé les deux hommes à s'affronter avec tant de rage. Julian ne se faisait aucune illusion à ce sujet.

Il fallut un moment pour que la salle à manger retrouve son aspect habituel, mais une fois la table et les chaises remises en place, personne ne se serait douté qu'un duel mortel venait d'avoir lieu. Tout en lui faisant quelques remontrances à voix basse, le Dr Coleman pansa la blessure de Julian. Marcus l'aida à enfiler son gilet et sa veste tandis que Charles lui nouait sa cravate avec une dextérité que lui aurait enviée un valet de chambre accompli.

— C'est une affaire déplaisante, très déplaisante, commenta M. Chadbourne, autour de qui s'était rassemblé un petit groupe.

— Je ne le nie pas, et je ne tire aucune fierté du rôle que j'y ai joué, reconnut Julian.

— Mais vous aviez l'intention de le tuer, n'est-ce pas ? observa lord Beckworth.

— Si le sort me l'accordait.

— Eh bien, vous avez de la chance de vous en tirer avec une simple égratignure, intervint le Dr Coleman. J'espère que vous suivrez mes recommandations et que vous ne vous servirez pas trop de votre bras pendant plusieurs jours. Et tâchez d'éviter les duels pendant quelque temps !

— N'ayez crainte, je n'ai pas une passion pour les duels, rétorqua Julian avec flegme. Mais j'avais mes raisons.

— On en a toujours, fit remarquer lord Beckworth. Enfin, quelles qu'elles soient, j'espère que les vôtres valaient une vie humaine.

— Elles les valaient, assura Charles.

— Sans aucun doute, renchérit Marcus.

— À ce point ? fit Beckworth en observant les trois cousins.

— À ce point, dit Julian.

— Tout s'est bien passé, non ? commenta Charles, dès que Julian, Marcus et lui se retrouvèrent seuls.

— J'aurais préféré que Julian ne soit pas blessé, objecta Marcus.

Il était grand temps de rejoindre les dames, qui allaient finir par s'étonner de la durée inhabituelle de leurs libations. Le comte appréhendait la demi-heure qui allait suivre. En principe, les messieurs n'évoquaient jamais les duels en présence du beau sexe, mais en pratique, il en allait différemment...

Si l'un des témoins était allé raconter aux dames ce qui venait de se passer, Nell devait être aux cent coups. À quoi diable avait-il pensé ? Se battre en duel dans la salle à manger de sa tante ! Il n'avait pourtant rien d'une tête brûlée !

— Quoi ? aboya-t-il en surprenant le sourire ironique de Charles.

— Pour une fois tu agis sans te préoccuper des conséquences et tu le regrettes déjà.

— Tu as des regrets ? questionna Marcus.

— Pas d'avoir tué Tynedale, mais j'aurais pu trouver un endroit plus... convenable.

— La salle à manger de ma belle-mère n'est pas assez convenable pour toi ? s'amusa son cousin.

— Tu sais très bien ce que je veux dire, répliqua Julian, irrité. C'est toi le mauvais sujet de la famille, et c'est toi qui te conduis mal… pas moi !

— C'est exact, admit Charles, mais je dois reconnaître que je n'aurais pas fait mieux !

20

Les craintes de Julian de voir la nouvelle du duel se répandre au salon comme une traînée de poudre se révélèrent infondées. Apparemment, les messieurs avaient respecté la loi du silence, pour le moment du moins. Mais personne n'avait plus envie de s'éterniser et la soirée, au grand dam de Mme Weston, s'acheva assez abruptement. Quant à Julian, il était ravi de laisser à Charles ou à Raoul le soin d'annoncer la nouvelle à sa tante.

Son bras le faisait souffrir, mais il parvint à le cacher le temps de faire leurs adieux et de rentrer à Wyndham Manor. Il n'avait cependant d'autre choix que de révéler la vérité à Nell, à moins d'éviter toute intimité jusqu'à complète cicatrisation, ce qu'il n'avait évidemment aucune envie de faire.

Sa femme fut horrifiée quand il lui raconta les événements de la soirée. Elle contempla un long moment le bandage qui lui enserrait le bras, incapable d'articuler un mot.

— Mais tu aurais pu mourir ! s'exclama-t-elle finalement Tu aurais pu te faire tuer pendant que je buvais tranquillement mon thé au salon ! Comment oses-tu risquer ta vie de cette façon ?

— Mais tu devrais être contente, mon ange, cette canaille n'est plus une menace, se défendit-il.

— Contente ? Contente d'apprendre que tu as failli mourir ? Oh, Julian, s'écria-t-elle en l'étreignant, sa colère envolée. Je t'aime ! Ma vie aurait été finie s'il t'était arrivé malheur. Promets-moi que tu ne feras plus jamais une telle folie. Promets-le-moi !

— Je te le promets, mon amour, acquiesça-t-il en déposant un baiser dans ses cheveux.

— Cela te fait très mal ? s'inquiéta-t-elle en désignant sa blessure.

Il allait la rassurer quand il eut une idée.

— Un peu… Je devrais peut-être m'allonger un moment.

Pleine de sollicitude, Nell l'aida à enlever sa robe de chambre et à se mettre au lit, avant de s'allonger à ses côtés en prenant soin de ne pas heurter son bras blessé.

— Tu te sens mieux ?

— Beaucoup mieux, assura-t-il en glissant sa main valide sous la chemise de nuit.

— Et ta blessure ? questionna-t-elle d'une voix frémissante de désir tandis que ses doigts se nichaient entre ses cuisses.

— Si tu m'aides un peu, nous devrions nous débrouiller.

Il se pencha pour lui mordiller doucement la lèvre tandis que ses doigts s'insinuaient dans sa fente humide. Nell se cambra pour mieux l'accueillir et referma la main sur le sexe rigide qui se tendait vers elle.

Fou de désir, il l'attira sur lui. Elle l'enfourcha, le guida en elle, après quoi, comme il l'avait deviné, ils se débrouillèrent parfaitement malgré sa blessure.

La nouvelle de ce duel hors du commun et de la mort de Tynedale se répandit rapidement et fit sensation non seulement dans le comté mais aussi dans tout le pays. La mort d'un pair du royaume en pareilles circonstances n'était pas inédite, en revanche, les causes de la querelle donnèrent lieu à diverses spéculations. Heureusement, la saison venait à peine de commencer et une grande partie de la bonne société était encore à la campagne, occupée à préparer la grande migration annuelle, si bien que la nouvelle voyagea avec des fortunes diverses.

Si les habitants de Wyndham Manor n'avaient pas déjà décidé de ne pas se rendre à Londres cette année, le duel et les commérages qu'il suscita les en auraient certainement dissuadés. L'opportunité de changer ses plans et de passer quelque temps en ville pour montrer à la face du monde que ni Julian ni personne de sa famille n'avait de raisons de se cacher, fut cependant âprement discutée. Nell n'avait jamais eu beaucoup de goût pour les mondanités et puisque son état lui fournissait un excellent prétexte pour rester à la campagne, elle tint bon. Les autres pouvaient faire comme bon leur semblait, elle resterait à Wyndham Manor.

Diana et Elizabeth, qui d'ordinaire auraient été ravies de regagner Londres, étaient trop absorbées par la rénovation de Dower House et ne montraient aucune envie d'affronter les ragots que leur venue ne manquerait pas de faire naître.

Comme l'avait déclaré lady Diana pour mettre fin au débat : « C'est une chose que d'être invitée aux soirées les plus courues à cause de sa position dans le monde, mais c'en est une tout autre d'être priée à dîner pour fournir les détails les plus sordides d'un duel répugnant. »

Que sa belle-mère puisse avoir d'autres raisons de rester à la campagne ne devint évident pour Julian que trois semaines plus tard, lorsqu'il se rendit compte que lord Beckworth rendait de fréquentes visites à Wyndham Manor… et à Dower House.

Le rencontrer arpentant le chantier, lady Diana pendue à son bras, ne lui avait pas mis la puce à l'oreille. Mais retrouver le même Beckworth à dîner trois ou quatre soirs par semaine finit par l'intriguer et il décida de s'en ouvrir à Nell.

— Est-ce un effet de mon imagination, ou est-ce que lord Beckworth a pratiquement élu domicile dans les jupons de ma belle-mère ?

— Non, ce n'est pas un effet de ton imagination, gloussa Nell. Elizabeth et moi espérons qu'il va se déclarer et qu'il y aura un mariage avant l'hiver. Ce serait merveilleux, tu ne trouves pas ?

— Que Diana épouse ce vieil homme ?

— Il est plus jeune que ton père !

— Oui, peut-être, mais c'était…

— Différent ? suggéra la jeune femme. En quoi ? ajouta-t-elle comme il hochait la tête.

— Je ne sais pas. J'ai toujours pensé que si elle se remariait un jour, elle choisirait un homme de son âge.

— Et cela te déplairait qu'elle épouse lord Beckworth ?

— Bien sûr que non… si c'est ce qu'elle désire.

— Je crois que c'est exactement ce qu'elle désire, même si elle ne m'a fait aucune confidence et si elle n'aime pas beaucoup qu'Elizabeth et moi la taquinions sur son nouvel amoureux. Elle prétend qu'il n'y a rien entre eux, mais à voir comme ses yeux brillent… Je suis certaine qu'il la rendra heureuse.

— Et comment en es-tu arrivée à cette conclusion ? s'enquit Julian en haussant un sourcil.

— D'après ce que j'ai compris, elle était très jeune quand elle a rencontré son premier mari – qui avait son âge – et leur union n'a pas été une réussite. Visiblement, elle adorait ton père et elle a été très heureuse avec lui. Il est donc tout à fait normal qu'elle accueille favorablement les hommages d'un homme mûr et parfaitement respectable. En fait, je suis convaincue qu'elle repousserait les avances d'un homme de son âge.

— Tu crois que je dois me préparer à recevoir une demande en bonne et due forme de la part de Beckworth ?

— Cela me paraît probable, sourit Nell.

Maintenant qu'on lui avait ouvert les yeux sur la romance qui se déroulait sous son nez, Julian remarqua aussi que lord Beckworth n'était pas le seul à leur rendre visite de manière assidue. Charles semblait avoir élu domicile à Wyndham, tandis que Raoul et Pierce s'étaient pris d'un goût immodéré pour son hospitalité. La responsable ne pouvait être qu'Elizabeth. Il n'y avait là rien de surprenant en soi, mais il éprouvait des sentiments mitigés.

La seule pensée de Charles convolant en justes noces, surtout avec une jeune fille à peine sortie de

pension, le laissait pantois. Quant à Raoul… La
réputation bien établie de joueur et de séducteur
du plus jeune de ses cousins ne lui disait rien qu
vaille. Pierce Chadbourne lui semblait un meilleur
parti, mais il les trouvait tous les trois un peu âgés
pour sa sœur adoptive.

Il profita d'une promenade à cheval avec Charles
pour aborder le sujet. Marcus et Raoul s'étaien
excusés, et ils étaient partis seuls. On était presque
au mois de mai, et la matinée était superbe. Il hésita
longuement, cherchant comment s'y prendre, puis
finit par demander sans détour, alors qu'ils rega
gnaient la maison :

— Est-ce que tu fais la cour à Elizabeth ?

Charles arrêta son cheval et regarda son cousin
sans mot dire.

— Que penserais-tu à ma place ? reprit Julian
mal à l'aise. D'habitude, à cette époque de l'année
tu as retrouvé depuis belle lurette tes habitudes
londoniennes, et voilà que tu t'attardes à la cam
pagne et que, si je ne m'abuse, tu tournes autour
de ma sœur. Je sais que d'autres jeunes gens lu
rendent visite, mais Raoul, Pierce Chadbourne e
toi me paraissez les plus assidus.

— Hmm, je l'ai remarqué, moi aussi, admi
Charles en se remettant en route. Mais je les trouve
trop âgés pour elle, pas toi ? Elle a, quoi, dix-sep
ans ? À moins qu'elle ne marche sur les traces de
sa mère et qu'elle préfère les hommes plus âgés
Au fait, tu crois que Diana va devenir lady Beck
worth ?

Ignorer les questions gênantes et parler d'autre
chose était typique de Charles, songea Julian mi
agacé, mi-amusé.

— D'après Nell, il est probable qu'ils se marieront à l'automne, répondit Julian, qui savait pertinemment qu'il ne tirerait rien de plus de son cousin.

— C'est bien ce que je pensais. Il la poursuit de ses assiduités, et elle n'a pas l'air de le repousser. Tu es content ?

Oui, il l'était, maintenant qu'il s'était fait à cette idée. Beckworth était un homme bien, solide et fiable, et il était visiblement très épris de Diana. Quant à celle-ci, elle rayonnait littéralement. Il ne l'avait pas vue aussi gaie depuis longtemps. Depuis la mort de son père, en fait.

Oui, Julian était heureux. Tout lui souriait, ces temps-ci. Il était marié à une femme qu'il adorait et qui le lui rendait bien. D'ici quelques mois, il serait le plus heureux des pères et, s'il n'avait plus à veiller sur sa belle-famille, il aurait tout son temps pour s'occuper de sa femme et de son enfant.

Il n'y avait qu'un seul point noir : l'Homme de l'ombre. Depuis la mort de Tynedale, il avait exploré avec Marcus à peu près tous les cachots de la région, ce qui les avait fait passer pour de parfaits excentriques.

Accéder à ceux de Stonegate s'était révélé le plus compliqué. Il savait pertinemment que si Charles s'était comporté en hôte attentif et ne leur avait posé aucune question, il n'avait pas cru une seconde aux explications qu'on lui avait fournies. Quant à Mme Weston, elle les avait accueillis avec une certaine froideur et n'était visiblement pas près de lui pardonner de s'être battu en duel au cours d'une de ses soirées. Raoul enfin les avait sans aucun doute pris pour des fous et s'était excusé dès qu'il en avait eu la possibilité.

Bien entendu, les cachots de Stonegate ne ressemblaient en aucune façon à ceux qui hantaien
les rêves de Nell. Quant à l'Homme de l'ombre, ils
ne possédaient pas un seul indice et n'avaient pas
avancé d'un pouce. Le seul réconfort de Julian
c'était que sa femme n'avait pas fait de nouveaux
cauchemars, et que John Hunter n'était pas venu
lui annoncer d'autres découvertes macabres.

— Que vas-tu faire de Dower House si Diana
épouse Beckworth ? demanda Charles, interrom-
pant ses pensées. Ce serait dommage de laisser
cette maison tomber en ruine.

— Il n'en est pas question. Je m'en veux d'avoir
été aussi négligent et de l'avoir laissé se détériorer
et je ferai en sorte que cela ne se reproduise pas.

— Et les communs ? Comment avancent les travaux ? Aucun contretemps ? Plus de vandales ou de
larcins ? Pas de mystérieux visiteur nocturne ?

— Pourquoi ces questions ?

— L'autre soir, en rentrant de chez toi, j'ai vu un
cheval attaché à un arbre près de Dower House
Je suis allé voir ça d'un peu plus près, mais je n'a
trouvé personne. Cela m'intrigue.

— Depuis l'incendie, nous n'avons eu aucun problème. Je suis allé voir les gitans, et cela a apparemment été efficace.

— Ceux qui campent sur les terres de Beckworth

— Leur chef s'appelle César et il m'a juré que je
n'aurais aucun ennui avec eux. Je ne sais pas pourquoi, mais je l'ai cru.

— Il faut dire qu'il est de la famille !

— Comment… ? Marcus te l'a dit, j'imagine.

— Il a pensé que je devais être au courant, au
cas où ce César essaierait de s'engraisser sur ton
dos et où il ne serait pas là pour l'empêcher de te
faire les poches.

— Je trouve que Marcus a tendance à s'inquiéer pour un rien.

— Ce n'est pas nouveau. Est-ce qu'il compte reser encore longtemps à Wyndham ? J'aurais cru que entretien de ses terres ou les délices de Londres le éclameraient bien plus tôt.

— Il a un régisseur de confiance pour s'occuper le Sherbrooke Hall, et les charmes de la ville ont oujours eu plus d'attrait pour toi que pour lui. Il e plaît à la campagne.

— Je ne déteste pas la campagne, répliqua Charles, mais tu oublies ma belle-mère. Elle me upporte l'hiver, mais dès que le printemps arrive, 'est une autre histoire… Si je suis indésirable dans na propre maison, où veux-tu que j'aille, sinon ans les tripots de Londres ?

Julian fut tellement surpris par l'amertume de on cousin qu'il arrêta son cheval. Si le comportenent de Charles l'avait souvent intrigué, il venait 'en trouver la clef.

— Mais tu es chez toi à Stonegate, lui rappela-il.

— Va donc le lui expliquer ! ricana Charles. Non, rois-moi, je suis beaucoup mieux à Londres. Làas au moins je ne risque pas de lui tordre le cou.

Marcus répondit de lui-même à la question e Charles le soir même. Un peu avant le dîner, frappa à la porte du bureau où Julian étudiait es livres de comptes que son intendant lui avait issés.

— Cela m'ennuie de t'abandonner alors que nous 'avons pas identifié l'Homme de l'ombre, mais je ois m'absenter quelques semaines.

— Tu as des ennuis ?

— Ma mère, tout simplement. Elle retourne
Londres pour la saison et elle veut que je l'accon
pagne.

— Je comprends.

Barbara Sherbrooke, même si elle était la plac
dité et la bonne humeur incarnées, n'avait qu'ur
exigence envers son fils. Elle refusait absolumer
de voyager seule et insistait pour qu'il l'accon
pagne dès qu'elle se déplaçait à plus de quelqu
lieues. Un voyage dans la capitale constituait, à s
yeux, un véritable périple et depuis la mort de so
père, Marcus l'avait toujours fidèlement escorté

— Je ne serai pas absent plus longtemps qu
nécessaire, assura Marcus. Enfin, depuis que nou
avons retrouvé cette malheureuse, ce fou n'a plu
donné signe de vie. Il a peut-être changé de terrai
de chasse.

— J'aimerais le croire, mais j'en doute. Héla
nous n'avons aucun moyen de savoir où et quar
il va frapper, ni même s'il va frapper. Nell dit qu
l'intervalle entre ses crises de folie meurtrière e
de plus en plus court. L'assassinat d'Anne Barn
date de plus de trois mois et elle redoute un ca
chemar à tout moment.

Marcus paraissait ennuyé, et il hésitait visibl
ment encore.

— Tu as tes obligations et tu ne peux pas rest
attaché ici comme un forçat à sa chaîne, repr
Julian. Ne te fais pas de souci et emmène ta mè
à Londres.

— Je pourrais peut-être lui écrire que je me su
cassé la jambe et que je ne suis pas en état de voy
ger, suggéra-t-il sans grande conviction.

— Et elle serait ici le soir même pour mesur
l'étendue des dégâts, sourit Julian. Tant que l'Homn
de l'ombre ne frappe pas, à supposer qu'il frap

ncore, tu ne peux rien faire. Pars tranquille, et eviens-nous le plus rapidement possible.
— Compte sur moi, fit Marcus en se levant. J'es-ère qu'il ne se manifestera pas pendant mon bsence.
— Je l'espère aussi.

Le jeune homme quitta Wyndham Manor le len-emain matin et, à son grand étonnement, Nell rouva la maison bien vide sans lui, comme elle le onfia à son mari alors qu'ils faisaient une petite romenade avant la nuit.
— Il serait flatté s'il t'entendait, sourit Julian.
— Je les trouve très différents, Charles et lui.
— Comme le jour et la nuit ! Marcus est calme t raisonnable en tout, tandis que Charles ne tient as en place et joue toujours les risque-tout. Mar-us a toujours mené une vie tranquille et rangée, andis que Charles rebondit d'une catastrophe à autre, et en sort toujours indemne. Il a une chance e tous les diables. L'année dernière, il a failli se oyer. Marcus était affolé, mais Charles a trouvé ela très amusant. Ils n'ont qu'un seul point com-nun, je peux compter sur eux en toute circons-ance. Nous étions encore fâchés, sinon il aurait été non deuxième témoin à notre mariage.
— Cela me semble si loin maintenant.
— Tu n'as pas de regrets, au moins ? s'amusa-t-il.
— Pas le moindre, maintenant que je sais que tu n'aimes, assura-t-elle en posant la tête au creux de on épaule.
— De tout mon cœur et de toute mon âme, onfirma-t-il en la prenant dans ses bras.

Cette histoire de cheval attaché près de Dow
House dont Charles lui avait parlé avait éveillé
curiosité de Julian. Depuis plusieurs nuits, dès q
Nell s'était endormie, il se rhabillait en hâte et
glissait discrètement dehors pour aller monter
garde aux abords de la gentilhommière. Cette nui
là, se sentant un peu ridicule, il décida de mett
un terme à ces équipées s'il revenait bredouil
encore une fois.

La lune était pleine et il n'avait aucun mal
trouver son chemin. Il ralentit le pas et commen
à tendre l'oreille quand il arriva aux abords de
maison. Tapi sous la ramure d'un lilas, il inspec
soigneusement les abords, et ne trouva rien d'ano
mal. Il attendit plus de deux heures, sans tr
savoir quoi, et s'apprêtait à regagner le châte
quand un mouvement furtif près de la porte d
communs attira son regard.

De longues minutes passèrent, mais il ne voy
toujours rien d'extraordinaire. Avait-il été le jou
de son imagination ? Ou était-ce un effet de
fatigue ou de l'ennui ? Il se figea subitement. Cet
fois-ci, aucun doute, quelqu'un se dirigeait ve
l'entrée du manoir. Là, juste au coin, il distingu
nettement la silhouette sombre d'un homme. Pe
dant une seconde, juste avant de disparaître da
la pénombre du chantier, l'inconnu passa dans
endroit éclairé par la lune. Cette haute statu
avait quelque chose de familier, et l'anneau d'or
son oreille lui suffit pour identifier César.

Le comte se faufila silencieusement jusqu
l'endroit où le gitan avait disparu. Il hésita. Se jet
tête baissée dans l'inconnu ne l'enthousiasm
pas outre mesure. Il ferait noir comme dans
four à l'intérieur, et il ignorait si César était seul
s'il rejoignait des complices. S'il se contentait

ttendre, il ne saurait pas ce qu'il était venu faire, il n'avait aucune garantie qu'il ne sortirait pas ar un autre chemin.

Tapi dans l'ombre, il attendit un moment, se audissant de ne pas avoir emporté d'autre arme ie son poignard. De longues minutes passèrent, il s'apprêtait à pénétrer dans la maison lors-i'un glissement furtif derrière lui l'avertit d'un anger. Avant qu'il ait eu le temps de réagir, un bras i enserra la gorge.

Il rejeta la tête en arrière le plus violemment ossible et, à sa grande satisfaction, son agres-eur desserra sa prise en gémissant de douleur. e comte se pencha alors vivement en avant et envoya bouler par-dessus sa tête. La seconde après il était sur lui.

La lame de son couteau était déjà sur la gorge e son assaillant lorsqu'un rayon de lune éclaira n visage. Avec un juron, Julian se redressa et ngaina son arme.

— J'avais toujours entendu dire que tu étais un omme dangereux, mais jusqu'à ce soir, je n'avais as encore mesuré à quel point, remarqua non-ialamment Charles.

— J'aurais pu te tuer, espèce d'idiot !

— Mais tu ne l'as pas fait, et c'est tout ce qui 'importe pour le moment, rétorqua son cousin se relevant.

D'un même mouvement, les deux hommes se ncognèrent dans l'ombre des arbustes.

— Tu l'as vu ? souffla Charles.

— Oui, et je l'ai même reconnu. C'est le chef des tans qui campent chez Beckworth, César.

— Comme c'est décevant ! J'espérais démasquer horrible criminel, et je ne trouve qu'un roma-chel en maraude.

— Comment savais-tu qu'il viendrait ce soir?

— Je n'en savais rien. Cela fait une semai que je monte la garde derrière cette satanée ha et c'est bien la première fois que je vois quelq chose.

— Nous ne sommes pas plus doués l'un q l'autre pour ce genre d'exercices. Cela fait à p près aussi longtemps que je guette depuis ce ma sif de lilas, avoua Julian.

— Ne dis pas ça! Nous sommes assez dou pour ne pas nous être découverts l'un l'autre.

— Jusqu'à ce soir. Qu'est-ce qui m'a trahi?

— Rien. Je t'ai aperçu tout à fait par hasa en venant me poster un peu plus près. Ça m'a f un choc, tu peux me croire! Et maintenant, q faisons-nous?

— On se sépare, décréta Julian, soulagé constater qu'il n'avait pas complètement per ses qualités d'espion. Tu restes ici pendant que vais surveiller la grande porte. Et nous sauto sur tout ce qui sort de la maison.

Avant qu'ils aient le temps de mettre leur pla exécution, ils virent César se faufiler hors de maison. Ils s'approchèrent sans bruit, puis, soup comme des tigres, bondirent sur leur proie c s'abattit sur le sol avec un grognement.

Après lui avoir ligoté les mains et fourré bâillon dans la bouche, ils le traînèrent jusq l'endroit où Charles avait attaché son cheval et jetèrent comme un paquet en travers de la se avant de prendre la route de Wyndham Manor.

— Je préfère interroger ce gaillard dans endroit discret, et je n'ai aucune envie de l'int duire chez moi, même si nous sommes paren expliqua Julian en se dirigeant vers les écuries.

Ils poussèrent le gitan qui se débattait comme
n beau diable jusqu'à un petit bureau et, quand
ılian eut allumé les bougies, César découvrit le
isage de ses assaillants.

– J'attends vos explications, lâcha le comte en
ıi enlevant son bâillon. Vous m'aviez juré que je
'avais rien à craindre de vous.

— Et je disais vrai. Comme vous l'avez remar-
ué, je ne vous ai rien volé !

— Que faisiez-vous dans cette maison, dans ce
ıs ? Une promenade d'agrément ? ironisa Charles.

— Si vous voulez bien avoir l'amabilité de me
étacher, nous pourrons peut-être en discuter
omme des hommes raisonnables, riposta César.

— Et je suppose que vous allez ensuite suggérer
ue nous partagions un verre de vin, ricana Charles.

— Ce serait effectivement une excellente idée. Je
rois qu'il y a dans le tiroir de droite de ce bureau
n flacon d'excellent cognac avec tout le nécessaire
our le déguster.

Le comte ne put s'empêcher de rire. Le gitan lui
ppelait Charles ! Il était aussi impudent.

— Vous connaissez déjà la maison, à ce que
vois, dit-il. Je me demande ce que vous savez
autre.

— Quand vous m'aurez détaché et servi une
etite fine, je me ferai un plaisir de vous le dire,
ourit César.

— C'est curieux, mais il me fait penser à quel-
ı'un… observa innocemment Julian avant de
étacher leur prisonnier.

Il sortit du tiroir le flacon de cognac et trois
erres en cristal et les posa sur le bureau. Combien
fois, après une partie de chasse, ne s'était-il pas
tardé dans ce bureau pour boire un verre avec
es amis ?

— Quand êtes-vous venu… explorer mes écurie

— Avant notre rencontre chez lord Beckwor Quand je vous ai assuré que vous n'aviez rien craindre de moi et des miens, je ne vous ai p menti.

— Alors expliquez-moi ce que vous faisiez ch moi au beau milieu de la nuit.

— Je ne nierai pas que certains jeunes gens peu turbulents de ma tribu ont pu se servir prendre des choses qui traînaient ici ou là, d rouleaux de tissu en particulier, mais c'était ava notre entrevue, et je vous jure sur le sang que no partageons, que ce n'était pas l'un des miens qu mis le feu à votre maison.

— Ces précisions sont fort intéressantes, ma cela n'explique pas ce que vous faisiez cette nu à Dower House, s'impatienta Charles.

— Je pensais que c'était évident, s'étonna Cés Je suivais l'homme à la cape noire. Vous ne l'av pas vu ?

21

Julian allait le traiter de menteur quand il se rappela le mouvement qu'il avait perçu devant la porte de service. Il fit un effort pour se souvenir de ce qu'il avait vu, ou cru voir. Pouvait-il s'agir de la cape d'un homme pénétrant dans les communs ?

— Il ment, déclara Charles.

— Non, je ne pense pas, murmura Julian. Quelques minutes avant de repérer César, il m'a semblé voir quelque chose bouger près de la porte de service.

— Qu'est-ce que c'était ?

— C'était très fugitif, et je me suis demandé si ce n'était pas une illusion, mais plus j'y pense, plus je crois qu'il pourrait s'agir d'un homme avec une cape qui entrait dans les cuisines. À supposer que vous disiez la vérité, pourriez-vous reconnaître l'homme au manteau ? ajouta Julian à l'adresse du gitan.

— Non. Le bas de son visage était couvert d'une écharpe sombre, et il portait un grand chapeau sombre qui cachait le reste de son visage.

— Même si vous avez vu ce type, cela ne nous dit pas ce que veniez-vous faire à Dower House, s'entêta Charles.

— Les gitans gagnent leur vie en révélant des demi-vérités, ou parfois des mensonges purs et simples, et notre réputation de chapardeurs n'est pas entièrement fausse, reconnut César, mais nous avons le sens de l'honneur, et mentir à un parent est une chose grave chez nous. Quand je vous ai dit que vous n'aviez rien à craindre de nous, j'étais sincère. Nous sommes peut-être des voleurs, mais pas des assassins, et nous n'irions pas mettre des vies en danger en allumant un incendie. Je voulais trouver le coupable pour qu'on ne nous accuse plus, je suis donc allé faire le guet près de votre maison.

— Toute cette histoire me paraît bien embrouillée, grommela Charles. Il n'y a pas que cela qui m'intrigue, du reste. Pour un gitan illettré, vous parlez sacrément bien notre langue, dites-moi.

— Mon… géniteur a tenu à ce que je reçoive une éducation convenable. Je n'ai peut-être pas étudié dans vos écoles prestigieuses, mais j'ai reçu une instruction correcte.

— Pardonnez-moi, fit Charles, embarrassé. Ma remarque était déplacée, surtout envers… euh… un parent.

— C'est la première fois que vous apercevez cet homme en noir ? s'enquit Julian.

— Oui. Et une fois que je l'ai eu repéré, il n'était pas question ne le perdre de vue. Je l'ai suivi à l'intérieur, histoire de voir ce qu'il y faisait, mais j'ai raté mon coup. Il faisait trop sombre pour voir quoi que ce soit, et il a disparu dès qu'il est entré. Je suis resté embusqué un moment, l'oreille tendue, mais je n'ai pas entendu le moindre bruit. Je ne voulais pas lui révéler ma présence, ni qu'il me tombe dessus par surprise, et j'ai battu en retraite. Je comptais l'attendre dehors, mais votre intervention m'en a empêché, acheva-t-il en adressant un regard ironique à Julian.

— Si je comprends bien, pendant que nous perdions notre temps avec vous, notre homme en profitait pour s'échapper ? fulmina Charles.

— C'est possible. Tout ce que je peux dire, c'est qu'il a disparu comme par enchantement dès qu'il a mis le pied dans la maison.

— Cela ne sert à rien d'y retourner cette nuit, observa Julian pensivement. Il nous a probablement entendus quand nous vous avons capturé et cela fait belle lurette qu'il a dû prendre la poudre d'escampette. Enfin, nous sommes au moins certains que quelqu'un utilise bel et bien Dower House à des fins personnelles. Et j'en arrive à me demander si l'incendie n'était pas destiné à nous faire abandonner les travaux, ou du moins à les ralentir, car il y a toutes les chances pour que notre homme de ce soir soit bien l'incendiaire.

Le comte arpentait le petit bureau tel un fauve en cage. Il s'en voulait de ne pouvoir révéler la vérité à ses compagnons. Car dans son esprit, il n'y avait aucun doute, le rôdeur de cette nuit et l'Homme de l'ombre n'étaient qu'une seule et même personne.

Il hésitait aussi quant au parti à prendre vis-à-vis de César. Son premier mouvement avait été de le remercier et de le renvoyer chez lui, mais il se rendait compte que les agissements de l'Homme de l'ombre lui avaient fait du tort, et il comprenait parfaitement qu'il veuille se laver des soupçons qui pesaient sur ses compagnons et lui.

Après en avoir débattu, ils décidèrent que Charles et César retourneraient à Dower House chercher le cheval de ce dernier et que, désormais, ils uniraient leurs forces au lieu de travailler chacun de leur côté. Après le départ de Marcus, leur aide lui serait extrêmement utile, et le comte pensait qu'il le leur devait bien, même s'il se heurtait toujours au même dilemme, à savoir : pouvait-il les envoyer traquer un monstre tel que l'Homme de l'ombre sans leur dire à quel danger ils s'exposaient ? Et leur faisait-il suffisamment confiance pour leur raconter le secret de Nell ?

Plongé dans ses pensées, Julian regagna le château. Il s'efforça de voir le côté positif de la situation. Jusqu'à ce soir, ils s'étaient perdus en conjectures, se battant contre des fantômes, tandis que maintenant, ils savaient avec certitude qu'il se tramait quelque chose au plus profond de la nuit. Et, selon lui, le mystérieux rôdeur ne pouvait être que l'Homme de l'ombre.

La pensée que le monstre qui hantait les cauchemars de sa femme était si près de Wyndham Manor lui fit courir un frisson d'effroi le long de l'échine. Et en songeant au nombre de fois où Nell, Diana et Elizabeth étaient allées seules à Dower House, alors que ce fou sanguinaire les attendait peut-être tapi dans l'ombre, il grommela un juron.

Mais pourquoi diable se glissait-il dans le manoir la nuit ? s'interrogea-t-il en poussant la porte de sa chambre. La réponse le frappa de plein fouet presque simultanément. Les cachots ! Marcus et lui avaient visité tous les cachots médiévaux et les cryptes des environs, celles du moins dont ils connaissaient l'existence, mais il pouvait parfaitement s'en trouver d'autres oubliées de tous aux alentours.

Le lendemain à la première heure, il examinerait de *très* près tous les plans et documents concernant la gentilhommière, se jura-t-il. La possibilité que les cachots qui servaient de repère à l'Homme de l'ombre puissent se trouver sous Dower House lui apparut terrifiante. Pendant qu'il dormait paisiblement aux côtés de sa femme, d'innocentes jeunes filles étaient sauvagement torturées à moins d'une lieue…

Cette idée l'horrifiait.

Un instant plus tard, il se glissait sans bruit auprès de Nell et l'attirait contre lui. Il avait besoin de sentir la chaleur et la douceur de son corps pour combattre l'angoisse qui lui glaçait le cœur. Elle dormait paisiblement et frémit à peine quand il déposa un baiser dans ses cheveux. Il caressa doucement l'arrondi de son ventre et, sa femme et son enfant en sécurité dans ses bras, il finit par sombrer à son tour dans le sommeil.

Recroquevillée contre le corps athlétique de son mari, Nell gémissait et luttait contre le pouvoir insidieux d'un cauchemar dans lequel il lui semblait être piégée depuis des heures. Contrairement aux autres rêves, elle se trouvait plongée dans une obscurité complète, et n'avait pas la moindre idée de l'endroit où elle était. Des murs épais se refermaient sur elle et elle avait la sensation d'être dans une espèce d'étroit boyau. L'Homme de l'ombre était *là*, tapi dans les ténèbres. Elle ne le voyait pas, mais elle sentait sa présence, elle l'entendait respirer comme s'il se tenait juste devant elle.

Il attendait. Il l'attendait *elle* ?

Sa prochaine proie, c'était elle ! Un hurlement monta du fond de sa gorge, mais l'emprise du rêve était trop forte, aucun son ne sortit de ses lèvres. Savoir que le monstre était à quelques pas dans les ténèbres, à l'écoute, calculateur, la terrifiait.

Elle était paralysée, tel le pauvre écureuil devant le serpent qui s'apprête à l'engloutir.

Après une attente interminable, elle entendit comme un froissement et, un instant plus tard, à la lueur tremblotante d'une torche, elle vit l'Homme de l'ombre en haut d'un escalier étroit. Elle reconnut les murs maculés de suie de ses précédents cauchemars et comprit qu'ils étaient dans un corridor menant aux cachots qu'elle ne connaissait que trop bien.

Il dévala les marches d'un pas assuré et poussa la grille qui fermait les oubliettes. Nell rassembla son courage, s'attendant à voir une nouvelle victime. Mais à son grand soulagement, elle découvrit que l'endroit était vide. Sa grande cape noire virevoltant autour de sa haute silhouette, l'homme alluma une seconde torche fixée au mur et, l'espace de quelques secondes, elle distingua son profil. Malheureusement, une écharpe sombre masquait le bas de son visage et, avec son chapeau à large bord rabattu sur les yeux, elle était incapable de discerner ses traits.

Révulsée d'horreur, elle le vit s'approcher de la longue table de pierre où il avait l'habitude de torturer ses proies et caresser les traces sanglantes qui la maculaient.

Elle s'efforça de l'étudier, de graver dans sa mémoire tout ce qui pourrait l'aider à l'identifier. Qu'avait-il de particulier ? Quel détail pourrait l'aider à le reconnaître ?

Comme s'il se sentait observé, l'Homme de l'ombre se figea soudain. Lentement, il tourna la tête et regarda par-dessus son épaule. L'écharpe et le chapeau ne laissaient voir que ses yeux, et ces yeux, ces yeux sombres et malveillants, ces yeux de fou vinrent se planter dans les siens. Une terreur sans nom glaça les sangs de Nell. *Il la voyait, lui aussi !* Elle lut la surprise et l'incrédulité sur son visage quand il la reconnut, puis, tout à coup, comme si on soufflait brusquement une chandelle, l'image s'évanouit et le cauchemar relâcha son emprise.

Mais l'indicible horreur qu'elle venait d'éprouver était trop puissante pour qu'elle s'en libère aisément. Elle sentait son souffle sur son visage, sa main sur son épaule, sa voix… et elle se réveilla en hurlant d'épouvante.

Julian s'éveilla dès que sa femme fit un mouvement. Il comprit immédiatement qu'elle était de nouveau en proie à ses horribles cauchemars. Il lui toucha l'épaule et lui parla doucement quand, tout à coup, elle se mit à hurler.

Il fallut un moment à Nell pour se rendre compte que la main sur son épaule était celle de son mari, que la voix qu'elle entendait était celle de Julian, et non celle de l'Homme de l'ombre.

— Nell, mon cœur, réveille-toi, chuchota-t-il en lui caressant le bras. Tout va bien. Tu es à la maison, avec moi. En sécurité.

Ravalant un sanglot, elle se lova contre lui. Elle tremblait comme une feuille et tenta de lui parler, mais elle était trop terrorisée pour articuler un mot.

— C'était tellement affreux ? demanda-t-il pour l'aider.

— Allume, parvint-elle à murmurer. S'il te plaît, allume une chandelle. Je ne supporte pas de rester dans le noir.

Il alluma le bougeoir près du lit avant de la reprendre dans ses bras et de murmurer :

— Tout va bien, maintenant. Tu es en sécurité, mon ange. Je ne le laisserai pas te faire de mal.

— Tu ne pourras pas l'en empêcher, soufflat-elle en regardant son mari, les yeux agrandis d'horreur. Il m'a vue, Julian. Il sait qui je suis !

— Qu'est-ce que tu veux dire ?

— Tu ne comprends donc pas ? hurla-t-elle, saisie d'une folle angoisse. *Il m'a vue !* Il m'a dévisagée, et je sais qu'il m'a reconnue. Il sait qui je suis ! Et il va venir me chercher, sanglota-t-elle en parcourant la chambre d'un regard affolé, comme si l'Homme de l'ombre était tapi derrière les rideaux et pouvait surgir à tout moment. Il n'a pas le choix. Il sait que je vois ce qu'il fait, il ne peut pas me laisser en vie !

— Chut, ma chérie, calme-toi, fit Julian d'une voix apaisante. Tu ne sais plus ce que tu dis. Comment veux-tu qu'il t'ait vue ?

— Je ne sais pas, gémit-elle. Je sais juste qu'il m'a vue. Nos regards se sont croisés, et j'ai compris… qu'il me reconnaissait.

— Mais s'il t'a regardée, tu as vu son visage, toi aussi. Tu ne l'as pas reconnu ?

— Non, une écharpe cachait le bas de sa figure, et il avait un grand chapeau enfoncé bas sur le front. Je ne distinguais que ses yeux. Ses yeux *affreux* ! Crois-moi, Julian ! Il faut me croire !

Il hocha la tête. La description de Nell correspondait trait pour trait à celle que César leur avait faite de l'homme qu'il avait suivi à Dower House. Aussi incroyable que cela paraisse, elle se trouvait *là-bas* avec l'Homme de l'ombre.

— Je vais aller te chercher un cognac, proposa-t-il. Ensuite nous nous installerons près du feu, dans ma chambre, pour parler de toute cette histoire. Tu n'es pas la seule à avoir rencontré l'Homme de l'ombre ce soir, figure-toi.

— Ne me laisse pas seule… même une seconde ! implora-t-elle comme il se levait.

— Viens avec moi, alors, proposa-t-il en lui tendant la main.

Une fois dans sa chambre, il alluma plusieurs chandelles, ranima le feu, installa dans un fauteuil sa femme enveloppée d'une couverture, et remplit deux verres de cognac avant de prendre place à ses côtés.

— Qui commence ?

— Toi, répondit vivement Nell, qui préférait repousser le moment de revivre cette affreuse expérience.

Comprenant ses réticences, Julian lui rapporta par le menu les événements de la soirée.

— Quand je pense que vous avez été à deux doigts de l'attraper ! s'écria-t-elle.

— Si seulement j'avais su ce que César mijotait ! Et si nous avions travaillé ensemble dès le début… Enfin, nous avons au moins appris quelque chose cette nuit. Il utilise Dower House.

— Tu crois que les cachots que je vois dans mes rêves pourraient se trouver sous le manoir ?

— Oui. Je ne vois pas d'autre explication. Et j'ai bien l'intention de les chercher dès demain.

— Il doit y avoir une entrée dans la maison. Quand mon cauchemar a commencé, il était dans un passage très étroit, une sorte de boyau. D'après ce que tu m'as raconté, je comprends maintenant qu'il se cachait et écoutait César. Il est resté là longtemps. Je pense qu'il voulait s'assurer qu'il n'y avait plus de danger avant de descendre dans les cachots.

— Tu te sens la force de me raconter ton rêve, à présent ? s'enquit Julian, plein de sollicitude.

— Oui, déclara-t-elle d'une voix plus assurée après avoir repris une gorgée de cognac.

Elle lui détailla son rêve sans rien omettre, mais sa voix se fêla lorsqu'elle évoqua le moment où son regard avait croisé celui de l'Homme de l'ombre.

— Ne va surtout pas croire que je mets en doute ton récit, mon cœur, mais es-tu certaine qu'il t'a *vraiment* vue ?

— Oui, il m'a vue, j'en suis sûre. Je ne saurais pas te l'expliquer, mais je sais qu'il m'a vue comme moi je le voyais. Et j'ai remarqué sa surprise quand il m'a reconnue.

— Je n'y comprends rien, mais il semblerait que le lien mystérieux qui allait de lui à toi est maintenant réciproque.

Il regretta immédiatement ses paroles lorsque Nell blêmit. D'un bond, il fut près d'elle.

— Je ne le laisserai jamais te faire le moindre mal, mon amour ! assura-t-il en s'agenouillant pour l'enlacer. Je te le jure.

— À moins de me mettre sous clef ou de me faire surveiller jour et nuit, je ne vois pas comment tu pourrais me protéger, objecta-t-elle en enfouissant le visage au creux de son épaule.

— Ne sois pas ridicule ! répliqua-t-il d'un ton que l'inquiétude rendait plus tranchant qu'il ne l'aurait voulu. Il ne va tout de même pas essayer de t'enlever dans ta propre maison. Tu ne risques rien ici.

— Je l'espère, soupira-t-elle. Mais n'oublie pas que moi, je ne l'ai pas reconnu. J'ai eu beau le dévisager, je ne distinguais que ses yeux. Tout ce que nous savons de lui, c'est qu'il est grand, jeune et bien bâti. Il y a des centaines d'hommes qui répondent à cette description.

Julian ne trouva rien à lui objecter et, pour la première fois depuis le début de cette affaire, il dut s'avouer qu'il avait peur. Ce fou pouvait venir lui arracher la femme qu'il aimait !

Resserrant son étreinte, il se jura qu'il ne le laisserait pas la lui prendre.

La semaine qui suivit fut éprouvante pour tout le monde. Le comte se levait avec le jour pour se plonger dans les archives de la famille et en exhumer tout ce qui se rapportait à la gentilhommière. Il fut heureux de découvrir que son arrière-grand-père avait été un bibliographe aussi méticuleux que passionné et qu'il avait conservé tout ce qui avait trait à ses propriétés.

Lorsqu'il tomba sur une liasse de plans marquée *Dower House*, il fut sur le point de crier victoire, certain que l'accès au mystérieux passage secret devait y figurer. Malheureusement, les plans en question concernaient la construction du passage couvert entre les communs et le bâtiment principal, et il ne trouva aucune indication prouvant que la maison avait été érigée sur les ruines d'une construction plus ancienne.

Déçu, mais certainement pas découragé, il se mit en route pour le manoir, bien décidé à trouver l'entrée de ces cachots, puisqu'il savait qu'elle existait. Il expliqua aux ouvriers que les travaux étaient suspendus *sine die* et les renvoya sans leur donner d'explication. Une fois seul, il tâta, sonda et explora chaque mur, chaque recoin, chaque escalier qui aurait pu dissimuler un passage secret. Le cauchemar de sa femme l'avait convaincu que l'entrée de ce passage se trouvait à l'intérieur de la maison ou des communs. Jour après jour, il fouilla méticuleusement le manoir. Sans succès.

L'angoisse de Nell n'était pas moindre. La jeune femme, qui n'avait pourtant aucune disposition à l'hystérie, sursautait au moindre bruit, et quand Julian n'était pas à ses côtés, elle s'aventurait rarement hors des pièces principales du château. La peur était une compagne de tous les instants, et elle ne parvenait pas à oublier que l'Homme de l'ombre n'était pas loin, qu'il l'observait peut-être, attendant le moment propice…

Malgré ses craintes, elle essaya de convaincre son mari de la laisser participer avec lui aux recherches dans Dower House, mais il refusa catégoriquement.

— Il n'est pas question que tu t'approches de cette maudite maison ! s'emporta-t-il. Où qu'elle soit, l'entrée des cachots est bien cachée, je te le garantis, et je ne vais pas prendre le risque qu'il t'enlève pendant que j'ai le dos tourné.

Nell fit la grimace, mais elle n'avait pas envie de se disputer avec lui. Et puis, elle n'était plus seule en cause. Elle devait penser à son enfant.

La décision de son beau-fils de suspendre les travaux avait étonné lady Diana, mais elle s'était contentée d'observer presque timidement :

— Puisqu'il apparaît que je n'habiterai peut-être pas cette maison finalement, vous avez sans doute raison.

— Faites ce que votre cœur vous dicte, ma chère, conseilla Julian. C'est ce que mon père aurait voulu.

— Bien entendu, reprit-elle en rougissant, rien n'est encore décidé. N'allez surtout pas vous faire des idées.

— Bien sûr que non !

Elizabeth était autrement difficile à abuser. Elle surprit Julian un matin où, à genoux, il sondait le fond d'une étagère dans la bibliothèque de Dower House.

— Mais enfin, qu'est-ce que tu fais à quatre pattes ?

— Je... euh... je regardais s'il n'y avait pas de termites, expliqua-t-il en se redressant.

— Tu ne penses pas que s'il y en avait, les ouvriers s'en seraient aperçus depuis longtemps ?

— Cela ne fait pas de mal de vérifier, rétorqua le comte avec toute la dignité dont il était capable.

— Je trouve ta conduite bien étrange depuis quelque temps, avoua-t-elle en l'étudiant, les mains sur les hanches. Nell ne peut pas faire un pas sans que tu la suives comme un petit chien, et chaque fois que maman ou moi voulons mettre le nez dehors, tu insistes pour qu'un valet nous accompagne. Même lorsqu'il s'agit d'une simple promenade dans le parc. Tu nous couves comme si un monstre s'apprêtait à nous sauter dessus. Que se passe-t-il, Julian ?

— Mais rien ! assura-t-il avec un sourire forcé, regrettant pour une fois qu'Elizabeth soit aussi intelligente. Je ne m'étais pas aperçu que je vous « couvais ». Mets cela sur le compte de la nervosité du futur père que je suis.

— Toi, nerveux ?

— Je me suis aperçu que la perspective d'être père me rendait très protecteur.

— Comme si tu ne l'étais pas avant !

Comme il ne répliquait pas, elle se hissa sur la pointe des pieds et l'embrassa sur la joue.

— Je ne vais pas te taquiner plus longtemps, mais tâche de refréner tes... instincts protecteurs.

Elle n'était sans doute pas dupe, mais elle avait décidé de ne pas insister, et Julian lui en fut reconnaissant. Veiller sur Nell n'était déjà pas facile, s'il devait lutter contre deux femmes déterminées…

— Est-ce que tu trouveras mes instincts protecteurs trop envahissants si je te raccompagne jusqu'au château ?

Elle lui tira la langue, mais ne refusa pas.

Julian, Charles et César se relayèrent pour monter la garde toutes les nuits à Dower House, mais l'Homme de l'ombre ne donna pas signe de vie. À mesure que les jours passaient, Charles était de plus en plus mécontent.

Un jour qu'il était en visite à Wyndham Manor avec son frère et sa belle-mère, on lui expliqua que Julian se trouvait à Dower House. Comme écouter Sophie Weston discuter sans fin de Raoul quand il était enfant et regarder ledit Raoul badiner avec Elizabeth ne le passionnait pas outre mesure, il s'excusa et décida d'aller rejoindre son cousin.

Il le trouva occupé à sonder les fondations des anciens communs qui avaient été incorporés dans la nouvelle construction.

— À quoi joues-tu ?

— Tu es vraiment obligé d'arriver à pas de loup ? s'irrita le comte, que l'entrée inopinée de son cousin avait fait sursauter.

— Je n'avais pas conscience d'être « arrivé à pas de loup », rétorqua Charles en haussant un sourcil.

— Ce doit être notre Homme en noir qui me rend nerveux. Pardonne-moi.

— Je t'en prie. Qu'est-ce que tu cherches ?

Julian hésita. Garder le secret de Nell les empêchait de prendre la mesure du danger qu'ils couraient, et cela le perturbait. Il cherchait comment mettre Charles sur la voie quand une idée lui traversa l'esprit.

— J'ai beaucoup pensé à ce que César nous a raconté sur la façon dont notre homme a disparu comme par magie. Et j'en suis arrivé à me demander s'il n'y avait pas un passage dérobé ou une pièce secrète.

— Tu as lu trop de romans gothiques, si tu veux mon avis, répliqua son cousin.

— Réfléchis. Cela pourrait expliquer sa disparition soudaine.

— Possible, concéda Charles, visiblement peu convaincu. Et où as-tu cherché jusqu'à présent ?

— Partout. J'ai passé la semaine à sonder les murs et à inspecter le moindre recoin de cette maison. J'en suis réduit à explorer les fondations.

— C'est que tu l'as manqué, à supposer que ce passage existe.

— Il existe, insista Julian. Forcément.

Regarder Raoul faire le joli cœur auprès d'Elizabeth n'était pas non plus le passe-temps favori de Nell. Depuis une dizaine de jours, il leur avait rendu visite presque quotidiennement, et sa cour devenait évidente, pour ne pas dire pressante.

Le voir tourner autour de la jeune fille ne lui plaisait qu'à moitié. Elle plaignait de tout son cœur la malheureuse qui aurait Mme Weston pour belle-mère et elle aurait préféré pour Elizabeth un meilleur parti. Raoul était beau garçon, c'était indéniable, mais il n'avait pas de biens propres. Sa mère lui versait une généreuse pension, et il hériterait d'elle une fortune considérable, mais Nell aurait préféré un soupirant qui possède déjà des terres et, pourquoi pas, un titre… Voilà qu'elle raisonnait comme son père, maintenant, s'amusa-t-elle en son for intérieur.

Sourire et bavarder comme si de rien n'était lui pesait et elle fut soulagée quand les Weston s'en allèrent. Peu après leur départ, lady Diana et Elizabeth décidèrent de rendre visite aux Chadbourne, et Nell se retrouva seule, autant qu'on peut l'être, du moins, dans une maison remplie de domestiques.

Les frayeurs qui avaient suivi son cauchemar s'étaient considérablement atténuées, mais elle demeurait nerveuse. Cette journée n'était pas différente de celles qui l'avaient précédée, et elle regretta soudain que Julian ne soit pas rentré, ou de ne pas avoir accompagné Elizabeth et Diana. Ce qui était ridicule, décréta-t-elle en carrant les épaules. Elle était parfaitement en sécurité à Wyndham Manor, et elle n'avait pas l'intention de faire quoi que ce soit de stupide. Se reprochant ses réactions puériles, elle décida d'aller faire quelques pas dans les jardins. Après tout, il y avait toujours une douzaine de personnes à portée de voix.

C'était une belle journée de printemps. Empruntant un sentier à droite du château, Nell se promena au hasard dans le parc soigneusement entretenu. Elle découvrit un banc de pierre à l'ombre des saules, face à un petit étang, et s'y assit. Bercée par la brise et le bourdonnement des abeilles, elle ne tarda pas à s'assoupir.

Elle se réveilla en sursaut, et faillit crier en découvrant Sophie Weston assise près d'elle.

— Je suis désolée de vous avoir fait peur, mon petit, dit celle-ci en lui tapotant la main.

— J'ai dû m'assoupir un instant, balbutia Nell en se redressant. Vous avez oublié quelque chose ?

— Justement, oui ! sourit Mme Weston. Par chance, je vous ai repérée sur ce banc ; cela m'évite d'avoir à me faire annoncer par votre irréprochable Dibble.

Son sourire s'effaça et, son regard sombre fixé sur Sophie, elle ajouta :

— À présent, ma chère, vous allez me suivre avant qu'on découvre ma présence. Nous n'avons que trop attendu. Dix ans déjà ! Dix ans de trop.

— C'était *vous* ! souffla Nell, glacée d'horreur, tandis que la vérité se faisait jour dans son esprit. C'était vous qui m'avez assommée ce jour-là. Ce qui signifie que…

Sa voix s'étrangla dans sa gorge.

— Nous aurons tout le temps de discuter plus tard, fit Mme Weston en se levant. Pour le moment, vous allez me suivre sans faire d'histoires, si vous ne voulez pas recevoir une balle.

Nell se leva lentement, sans quitter des yeux le petit pistolet qui était apparu dans la main de Sophie. Elle était au moins sûre d'une chose : il n'était pas question de suivre cette vipère où que ce soit. Pas tant qu'il lui resterait un souffle de vie.

Il fallait gagner du temps, la faire parler…

— Pourquoi ? murmura-t-elle. Pourquoi avez-vous tué John ?

— Parce que c'était un imbécile et qu'il avait décidé que mon fils épouserait une fille de fermier mal lavée ! Cette traînée s'était fait faire un enfant et espérait piéger mon Raoul. Vous imaginez mon fils, mon fils unique, marié à la fille d'un fermier ?

— Et c'est pour *cela* qu'il a tué son frère ? demanda Nell, incrédule.

— Qu'importe ! rétorqua Sophie. Cela suffit. Maintenant, dirigez-vous vers le fond du jardin sans faire d'histoires. Raoul nous attend avec la voiture.

— Non, répliqua Nell, que la peur et une détermination farouche clouaient au sol. Pas avant que vous ayez répondu à mes questions.

Les doigts de Mme Weston se crispèrent sur le pistolet, mais la jeune femme préférait mourir sur place plutôt qu'être mise en pièces par le poignard de Raoul.

Par le poignard de l'Homme de l'ombre…

Sophie Weston ne s'attendait visiblement pas à pareille résistance, et elle hésita, ne sachant quel parti adopter devant la détermination de Nell.

— Raoul n'avait pas l'intention de tuer John. Il voulait simplement lui parler, lui faire comprendre qu'il poussait le sens de l'honneur à un point qui en devenait ridicule, mais l'autre donneur de leçon ne voulait rien entendre. Il lui a fait un véritable sermon pour lui expliquer qu'il ne voulait pas d'un coureur comme le vieux comte dans la famille. Il a menacé Raoul de tout raconter à leur père s'il n'épousait pas cette fille de ferme. Ils en sont venus aux mains, et John… a eu le dessous.

— Et moi ? Vous avez voulu me tuer, moi aussi Et vous avez bien failli réussir…

— Nous ne pouvions pas nous permettre de vous laisser en vie. Vous aviez surpris ce qui ne vous regardait pas, et il n'était pas question de vous laisser aller le raconter sur tous les toits. Je ne sais par quel miracle vous avez survécu, siffla Sophie d'un ton haineux, mais vous voir réapparaître dans notre vie dix ans plus tard, mariée à mon neveu, a été un choc inimaginable. Nous avons souffert mille morts, Raoul et moi, à la pensée que vous pourriez vous rappeler quelque chose et le reconnaître. Vous devriez être morte depuis des années et cette fois-ci, nous n'allons pas vous manquer

Assez bavardé, à présent. Je vous laisse le choix. Soit vous vous dirigez gentiment vers le fond du parc, soit je vous abats ici même !

Avoir été élevée au milieu de garçons avait quelques avantages. Le poing de Nell décrivit un magnifique crochet avant de cueillir Sophie Weston à la mâchoire. Celle-ci oscilla, puis s'effondra lourdement à terre.

Bien que rendue un peu gauche par sa grossesse, Nell se jeta sur elle comme une tigresse et lui arracha son arme.

Elle parvint à se relever, le pistolet à la main, et constata qu'elle avait assommé son adversaire. Elle pivotait sur ses talons pour courir vers le château lorsque le monde explosa dans sa tête.

Raoul, pensa-t-elle avant de sombrer dans l'inconscience. Elle l'avait oublié…

22

Lorsque Nell se réveilla, l'obscurité était totale et une douleur lancinante lui martelait le crâne. Au prix d'un effort surhumain, elle tenta de se remémorer ce qui lui était arrivé. Elle était allongée, et tandis qu'elle luttait pour se redresser, elle s'aperçut qu'elle avait les mains liées… et que le sol sous elle était en pierre. C'est alors qu'elle comprit.

Elle se trouvait dans le cachot, dans le domaine de l'Homme de l'ombre. Une peur atroce lui noua la gorge et acheva de lui rendre sa lucidité. Elle parvint à s'asseoir et recula jusqu'à s'adosser contre un mur.

Elle n'était pas bâillonnée, et en devina vite la raison. Elle pourrait hurler à se casser les cordes vocales, comme toutes les malheureuses qui étaient passées ici avant elle, personne ne pouvait l'entendre.

Elle s'efforça de ne pas laisser la terreur prendre le dessus. Il fallait qu'elle garde son sang-froid, qu'elle se concentre pour trouver comment se libérer. Une fois les mains libres, elle pourrait au moins se défendre. Contre deux personnes ? Dans ses rêves, l'Homme de l'ombre était toujours seul.

Dieu fasse que son infernale mère n'accompagne pas Raoul cette fois-ci !

Tout en essayant de dénouer les cordes qui lui liaient les mains, elle était à l'affût du moindre bruit. Quelle heure pouvait-il être ? Depuis combien de temps les Weston l'avaient-ils déposée ici ? Et où se trouvait-elle exactement ?

Les nœuds étaient si étroitement serrés qu'elle finit par jeter l'éponge. La tête appuyée contre le mur, elle scruta l'obscurité et s'interrogea de nouveau : où était-elle précisément ?

Elle parvint à se mettre debout et, collée à la muraille, tenta de prendre la mesure de sa prison. Elle se rappelait vaguement avoir vu dans ses cauchemars deux cellules qui faisaient face à l'espace principal. Quand elle rencontra les barreaux de fer elle comprit qu'elle se trouvait dans l'une d'entre elles. Elle poursuivit avec précaution son exploration et évalua la surface à moins de huit mètres carrés avec trois murs de pierre et une grille. L'endroit était vide ; il n'y avait donc rien qu'elle aurait pu utiliser comme arme.

Découragée, elle se laissa glisser le long du mur et s'attaqua de nouveau à ses liens. Même les mains libres, elle ne pourrait faire de miracles mais elle se sentirait mieux et ne serait plus totalement à la merci de ses bourreaux. Avec une vigueur nouvelle, elle commença à ronger la corde tout en réfléchissant activement.

Elle avait été capturée en fin d'après-midi. Ses ravisseurs avaient dû prendre leurs précautions pour l'emmener hors des jardins, mais une fois en voiture, ils étaient hors de danger et pouvaient aller à leur guise.

Julian se trouvait à Dower House, ils n'avaient donc pas pu l'y emmener immédiatement. Ils avaient dû attendre son départ, et il était peu probable qu'ils aient pris le risque de la sortir de leur cabriolet avant la nuit. Elle était certainement restée inconsciente plusieurs heures.

Mais maintenant, on avait dû remarquer sa disparition et l'alerte avait été donnée. Elle savait que Julian remuerait ciel et terre pour la retrouver, et cela lui redonna courage et énergie.

Ses efforts finirent par être récompensés quand l'un des nœuds se relâcha imperceptiblement. Redoublant d'ardeur, elle parvint à le défaire, mais elle dut s'activer encore de longues minutes avant d'avoir enfin les mains libres.

Soudain plus confiante, elle se leva de nouveau, et posa la main sur son ventre. Sa vie n'était pas seule en jeu, se rappela-t-elle. Son mari viendrait à son secours, elle le savait. Il avait dû organiser les recherches, se faisant aider de toutes les personnes valides du domaine et des alentours. Tout ce qu'elle avait à faire, c'était rester en vie et protéger son bébé jusqu'à son arrivée.

Nell ne se trompait pas. De retour de Dower House, Julian avait été accueilli par Diana et Elizabeth qui rentraient tout juste de leur visite aux Chadbourne. Les laissant au salon, il s'était mis en quête de sa femme, dont il pensait qu'elle se reposait dans ses appartements. Ne l'y trouvant pas, il l'avait cherchée partout dans le château avant de lancer toute la maisonnée sur ses traces.

Quand ils revinrent bredouilles après avoir fouillé de fond en comble la maison et ses dépendances, les jardins et même les écuries, il était devenu fou. Il avait ordonné que chacun, homme, femme, enfant en âge de raisonner, se joigne à eux, ne laissant au château que lady Diana, Elizabeth et une poignée de domestiques sous les ordres de Dibble.

Sa belle-mère avait promptement organisé la coordination des différentes patrouilles.

— Toutes les informations doivent être centralisées ici, avait-elle expliqué à Julian. Il faut nous faire parvenir régulièrement un rapport pour que nous sachions en permanence où se trouve chacun, et que nous puissions prévenir les autres de tout changement. Ne craignez rien, nous allons la retrouver, avait-elle ajouté doucement. Je suis sûre qu'elle s'est éloignée plus qu'elle ne le pensait et qu'elle sera très embarrassée de nous avoir causé tant de tracas.

Le comte avait également fait prévenir Charles M. Chadbourne et lord Beckworth de la disparition de sa femme et avait demandé leur aide. En quelques heures, une armée de volontaires des environs avait rejoint les habitants de Wyndham Manor. De peur de s'adresser à l'Homme de l'ombre en personne, Julian n'osait confier à qui que ce soit l'angoisse qui le rongeait, mais n'importe qui, en voyant son visage sombre, aurait deviné qu'il se passait quelque chose de grave.

Les frères Weston, accompagnés de leurs gens furent les premiers à arriver. Charles suggéra à son frère de se joindre au groupe qui allait fouiller les bois du nord. Quant à lui, il les rejoindrait dès qu'il aurait vu leur cousin. Il n'avait pas fait trois pas dans le hall du château qu'il buta sur lui. Lui agrippant le bras, il déclara calmement :

— N'aie crainte, nous allons la retrouver. Elle s'est probablement égarée dans les bois.

— Oui, nous allons la retrouver… gronda Julian et si on lui a fait le moindre mal… Sa disparition a un rapport avec l'homme en noir, ajouta-t-il laconiquement. J'allais à Dower House. Nous devons absolument découvrir comment il a pu disparaître aussi aisément, même s'il faut démolir cette maudite bâtisse pierre par pierre !

— Tu penses qu'il l'a enlevée ?

— Oui. Crois-moi sur parole si je te dis que Nell ne se serait pas éloignée volontairement. Je ne peux pas tout t'expliquer pour le moment, mais j'ai des raisons, d'excellentes raisons, de penser qu'il l'a enlevée ! Charles, si tu as un peu d'affection pour moi, ne me pose pas de questions. Sache seulement que la vie de ma femme est en danger et que le seul moyen de la retrouver, c'est de retrouver la piste de l'homme en noir.

— Très bien, fit Charles. Allons-y !

— S'il y a des nouvelles, *quelles qu'elles soient*, nous sommes à Dower House ! lança le comte à Dibble qui venait d'apparaître dans le hall. Tu es armé ? demanda-t-il à son cousin sur le perron.

— Toujours.

Une fois sur place, ils concentrèrent leurs efforts sur les vieux murs des communs, à l'endroit où César avait perdu la trace de l'homme en noir, et Julian s'attaqua au mur du fond avec une détermination farouche, déterminé à le démolir pierre par pierre si nécessaire.

Nell retint son souffle quand elle aperçut une faible lueur vaciller au fond des ténèbres. L'Homme de l'ombre arrivait ! Elle entendait ses pas et, telle une colombe hypnotisée par un serpent, ne pouvait détacher les yeux de la lumière qui se rapprochait peu à peu. Elle se recroquevilla contre le mur, comme si elle pouvait s'y fondre et y disparaître.

Les pas s'arrêtèrent devant la grille de la cellule que la clarté inonda soudain. Nell ferma les yeux un instant, éblouie, puis distingua la silhouette de l'homme qui tenait bien haut la lanterne et son pouls s'emballa.

— Voyons, voyons, qui est là ? Grand Dieu, madame la comtesse ! Vous serez certainement ravie d'apprendre que votre époux a mobilisé la terre entière pour vous retrouver. Mais il est peu probable qu'il y parvienne… suffisamment tôt, du moins.

— À votre place, je n'en serais pas si sûre, rétorqua Nell en se redressant lentement. Il connaît l'existence de cet endroit, et sait ce que vous y faites. Il le *trouvera*… et vous avec !

— S'il le trouve, il n'en ressortira pas vivant, lâcha Sophie Weston en sortant de l'ombre. Ce qui ne serait pas plus mal. Mon fils fera un magnifique comte de Wyndham.

— Vous oubliez Charles, il me semble. Même si vous nous tuez tous, mon mari, mon enfant et moi, c'est Charles qui héritera du titre.

— Ne vous inquiétez pas, je ne l'ai pas oublié, ricana Raoul. Mon frère bien-aimé aura, je le crains, un tragique accident, dont il ne réchappera pas cette fois-ci.

Cela rappela quelque chose à la jeune femme. Que lui avait donc dit Julian ? Que Charles avait une chance de tous les diables…

— Son bateau… C'est vous qui l'aviez saboté ?

— Oh que oui ! reconnut Raoul en suspendant la lanterne à un crochet. Il a la peau dure, mais j'en viendrai à bout tôt ou tard. Pas trop tôt, évidemment. Je ne tiens pas à éveiller les soupçons.

— Votre propre frère ! s'écria Nell. Comment pouvez-vous faire une chose pareille ?

— Son demi-frère, rectifia d'un ton sec Mme Weston. Et à votre place, c'est de mon sort que je m'inquiéterais, plutôt que de perdre le peu de temps qui me reste à m'apitoyer sur un bon à rien comme Charles.

Nell lui jeta un coup d'œil et constata, non sans satisfaction, que sa mâchoire s'ornait d'un magnifique hématome violacé qui lui mangeait la moitié du visage.

— Vous vous croyez très maligne parce que vous avez réussi à m'attaquer par surprise, fulmina Sophie, mais vous n'avez pas été assez maligne pour échapper à mon fils !

— Au moins ne me suis-je pas conduite en lâche en vous frappant par-derrière !

— Mon fils n'a rien d'un lâche ! cracha Sophie, rouge de colère.

— Je regrette, mais je ne suis pas de votre avis, répliqua Nell avec aplomb, cherchant à la pousser à bout. Un homme qui s'attaque à plus faible que lui n'est qu'un lâche. Un couard répugnant, qui se cache dans l'ombre et ne se montre courageux que devant des victimes désarmées et impuissantes.

Elle craignit d'être allée trop loin. Folle de rage, Mme Weston avait agrippé les barreaux de la cellule comme si elle voulait les arracher à mains nues.

— Attendez un peu, siffla-t-elle. Vous serez moins fière quand il vous tiendra sous son couteau !

Ravalant le flot de terreur qui menaçait de la submerger, Nell fanfaronna :

— Vous voulez parier ? Mais peut-être ne resterez-vous pas pour le dernier acte. Peut-être êtes-vous trop délicate pour cela.

— Je crains, en effet, que ce ne soit le cas, intervint Raoul d'un ton tranquille. Pauvre maman, ajouta-t-il en regardant sa mère avec affection, elle a l'estomac fragile.

— Vous... vous savez depuis le début ce qu'il fait ici ? balbutia Nell, confondue d'horreur.

— Bien sûr ! Une bonne mère sait toujours ce que fait son fils, riposta fièrement Sophie. Je n'approuve pas ce... ce passe-temps, mais cela lui fait tellement plaisir. Ces femmes sont des moins-que-rien, des filles stupides issues des bas-fonds. Elles sont aussi bien mortes. Comme vous le serez bientôt vous aussi, ajouta-t-elle, haineuse.

— Il faut d'abord qu'elle réponde à quelques questions, objecta Raoul. Que s'est-il passé entre nous l'autre nuit ? Vous m'avez vu, et je vous ai vue. Comment est-ce possible ? J'ai senti qu'on me regardait et quand j'ai tourné la tête, j'ai vu votre visage. C'est de la magie ? Vous êtes sorcière ?

— Je ne sais pas ce qui s'est passé, admit la jeune femme après un moment d'hésitation. Ni comment c'est possible. Tout ce que je sais, c'est que depuis que vous m'avez jetée de la falaise, il y a une espèce de... lien entre nous... Les actes que vous commettez ici, je les vois.

Il parut à la fois mal à l'aise et en colère.

— Quelle que soit l'origine de ce... lien, grommela-t-il, nous allons y mettre fin ce soir.

Il inséra une clef dans la serrure, la fit tourner, et ouvrit la grille. Nell, tellement effrayée qu'elle avait du mal à respirer, recula comme il pénétrait dans la cellule. Elle ne lui faciliterait pas la tâche. Il n'était pas question qu'il s'en sorte indemne. Elle allait se défendre bec et ongles, le griffer, le mordre, lui flanquer des coups de pied. Elle lutterait pour sa vie !

Le temps passait, et Charles et lui n'avaient rien trouvé. Ils avaient renoncé à sonder soigneusement les murs comme Julian l'avait fait jusqu'ici, et les attaquaient maintenant à la masse. Des jours durant, il avait perdu un temps précieux à examiner le moindre recoin, la plus petite jointure qui aurait pu dissimuler l'entrée d'un passage secret. Il n'était plus temps de finasser…

Julian bouillait de fureur, d'angoisse, de peur. Il abattait encore et encore, de toutes ses forces, le marteau contre le mur de la resserre de l'ancienne cuisine. Ce mur formait un angle curieux avec celui du couloir, et c'était cela qui avait attiré son attention. Nell se trouvait là, quelque part sous ces pièces, captive à coup sûr, torturée peut-être. Il aurait voulu hurler sa rage et sa peur, tenir entre ses mains l'Homme de l'ombre. Il fallait qu'il la retrouve ! Il lui avait juré qu'il la protégerait, que lui vivant, il ne lui arriverait rien !

Il avait eu beau l'espérer de toutes forces, il fut stupéfait lorsque la lourde masse traversa le mur et qu'il se retrouva face, non à une autre pièce, mais à une sorte de trou noir. Le cœur battant à tout rompre, il jeta le maillet et appela son cousin à la rescousse.

— Bon sang, je n'en crois pas mes yeux ! s'exclama Charles. Il y a bien un passage secret.

— Tu n'y croyais pas ? demanda Julian tandis qu'il entreprenait d'arracher les briques pour agrandir l'ouverture.

— Pas vraiment, admit le jeune homme. Mais tu paraissais tellement sûr de toi, et comme cela correspondait au récit de César, j'avais fini par en admettre la possibilité.

— En bien, aide-moi à agrandir la « possibilité », qu'on puisse descendre !

Une fois la brèche ouverte, il ne leur fallut pas deux minutes pour trouver le mécanisme qui commandait la porte. Elle s'ouvrit lentement, révélant l'étroit escalier que Nell avait vu en rêve.

Charles allait allumer une bougie lorsque Julian l'arrêta.

— Il ne faut pas l'avertir de notre arrivée.

— Comment sais-tu qu'il est en bas ?

— Il y est, et il a l'intention d'assassiner ma femme. Arme ton pistolet, intima le comte en sortant le sien de sa ceinture. C'est un monstre que nous allons affronter, un pervers et un assassin sanguinaire. N'hésite pas une seconde face à lui car lui n'hésitera pas à te tuer sans sommation.

— Tu ne m'as pas tout dit si je comprends bien

— Non, reconnut Julian. Ne m'en veux pas c'était un secret qui ne m'appartenait pas. Crois moi simplement si je te dis que cet homme est le meurtrier de John et de je ne sais combien d'innocentes jeunes femmes. C'est vraiment un monstre

— C'est lui qui a tué John, tu en es sûr ?

La main de Charles se crispa sur la crosse de son pistolet comme Julian acquiesçait en silence.

— Allons-y, dit-il sèchement. Cela fait longtemp que j'attends de rencontrer cette ordure.

Nell combattit avec vaillance, mais elle n'étai pas de taille face à Raoul et à sa mère. Elle avai cependant décidé de ne pas leur faciliter la tâche et elle y réussit, à coups de pied, d'ongles et d dents. Raoul parvint finalement à la traîner hor de la cellule, et la jeta sur le sol de pierre san ménagement.

En dépit de la douleur, la jeune femme eut l satisfaction de constater l'étendue des dommage qu'elle avait causés. Le beau visage de Raoul était maintenant barré d'une longue estafilade, son oreille droite saignait abondamment là où elle l'avait mordue, et elle lui avait fendu la lèvre d'un coup de tête. Quant à Mme Weston, elle avait une arcade ouverte, et un œil au beurre noir viendrait rapidement compléter l'ecchymose de sa mâchoire, qui ne cessait de s'agrandir. Ils allaient avoir du mal à expliquer d'où provenaient ces bleus et écorchures diverses quand ils retourneraient en société, songea Nell tandis qu'elle essayait de se relever.

— Espèce de sale garce ! hurla Raoul en passant le doigt sur sa joue ensanglantée. Tu vas me le payer, et cher, je te le garantis ! Maman, elle vous a blessée ? s'inquiéta-t-il en se tournant vers Sophie.

— Elle m'a... frappée si fort, haleta-t-elle. Je n'arrive... plus à respirer.

Nell, qui était parvenue à se lever, ne quittait pas des yeux le couple démoniaque. Elle n'était pas sortie indemne du combat, elle non plus. Ses poignets endoloris par les cordes étaient à vif, elle devait être couverte de bleus, sa robe était déchirée, et sa jambe malade la faisait affreusement souffrir. Son menton saignait, et elle avait toutes les chances d'avoir l'œil aussi noir que celui de Mme Weston, si elle vivait suffisamment longtemps du moins.

Le dos au mur, elle s'efforçait de réfléchir à la prochaine étape. Son regard tomba sur la fosse où elle avait si souvent vu l'Homme de l'ombre jeter les cadavres de ses victimes. Elle ne le détourna que pour se trouver face à la pierre tachée de sang où il torturait les malheureuses. Ses cauchemars ne mentaient pas, et elle se souvenait des visages de toutes ces pauvres filles. Plutôt mourir sur-le-champ que de se laisser ligoter comme elles sur cette table, décida-t-elle.

Elle chercha désespérément une arme ou quelque chose qui puisse en tenir lieu. Il n'y avait rien, sauf peut-être… La lanterne accrochée au mur, juste au-dessus d'un tas de vieux vêtements et de débris, était à sa portée. Elle évalua la distance qui la séparait de l'escalier…

— Inutile, tu n'y arriveras jamais, ma belle ! Mais tu peux toujours essayer si ça t'amuse, lança Raoul avec un sourire ignoble. Un peu de résistance ne serait pas pour me déplaire.

— Tue-la et qu'on en finisse, je t'en prie, intervint sa mère. Tu ne peux pas t'absenter trop longtemps sans qu'on le remarque.

— Il faudra fournir une explication, objecta le jeune homme en désignant son visage ensanglanté. Je ne peux pas rejoindre les autres avec une figure pareille.

— C'est votre faute, espèce de peste ! glapit Sophie Weston en se tournant vers Nell. Si vous n'aviez pas épousé mon neveu, tout ceci ne serait jamais arrivé. Vous avez failli ruiner tous nos projets !

— Je ne vois pas en quoi je suis fautive, protesta la jeune femme. C'est vous qui m'avez emmenée ici !

— Vous vous êtes mise en travers de notre chemin. Tout était tellement simple avant votre arrivée ! J'avais toujours espéré que Raoul deviendrait comte de Wyndham, mais il y avait tant d'obstacles sur sa route que cela paraissait impossible. Et puis voilà que la femme de Julian meurt sans lui donner d'enfant, et puis John, et ensuite mon mari et le père de Julian… La mort de Daniel a été providentielle, un hasard heureux, et puisque

Julian n'avait pas d'héritier, il ne restait plus que Charles entre mon fils et le titre de comte.

— Et personne n'aurait été surpris qu'il trouve la mort dans un naufrage ou un accident de chasse, ou qu'un mari jaloux vienne lui régler son compte, renchérit Raoul. Nous avions prévu que Julian mourrait deux ou trois ans après lui, afin de ne pas éveiller les soupçons.

— Il aurait eu un accident, bien entendu, et mon fils serait devenu comte, se rengorgea Mme Weston. Il aurait hérité de Wyndham Manor. Et puis vous êtes arrivée. Vous avez failli tout gâcher, avec le marmot que vous portez.

— Je m'étonne que vous n'ayez pas cherché à me tuer plus tôt, remarqua Nell.

— J'en avais bien l'intention, admit Raoul avec désinvolture. Pourquoi croyez-vous que je venais si souvent vous rendre visite ? Mais il fallait organiser un accident, et vous n'étiez jamais seule. Quand vous sortiez de Wyndham Manor, vous étiez toujours fourrée avec un de mes cousins, ou avec lady Diana ou Mlle Forest. Vous ne me laissiez jamais la possibilité d'arranger les choses à ma façon. J'aurais volontiers attendu la bonne occasion, mais après ce qui s'est passé hier soir, j'étais obligé d'agir. Enfin, cela ne fait pas une grande différence, ajouta-t-il d'un air presque rêveur. Je n'avais pas l'intention de vous laisser aller au bout de votre grossesse, il ne vous restait plus longtemps à vivre de toute façon.

Ils avaient épuisé tous les sujets de conversation, semblait-il, et Nell surveillait avec encore plus d'attention les mouvements de la mère et du fils. Ils s'étaient séparés et se dirigeaient lentement vers elle pour la prendre en tenaille. Elle risqua un regard du côté de la lanterne. Il ne lui restait plus beaucoup de temps. Quand ils seraient sur elle, son sort serait scellé, elle le savait.

En dépit de son ventre et de sa jambe abîmée, elle bondit vers le crochet avec une rapidité et une agilité dont elle ne se serait pas crue capable. Son mouvement soudain les prit de court et ils se figèrent une fraction de seconde. Nell n'en demandait pas plus.

Arrachant la lanterne de son support, elle la jeta de toutes ses forces sur Mme Weston, qui se trouvait plus près d'elle. Touchée en pleine poitrine, celle-ci tomba à la renverse, tandis que ses vêtements prenaient feu.

Oubliant sa prisonnière, Raoul se précipita vers sa mère qui se roulait sur le sol en criant. Les flammes se communiquèrent au tas de chiffons et de débris tout proche et une épaisse fumée envahit le cachot.

Nell en profita pour s'élancer vers la sortie.

— Non, tu ne m'échapperas pas ! hurla Raoul en la rattrapant par les cheveux.

La jeune femme se débattit comme un beau diable, bourrant de coups de poing et de pied la poitrine et les tibias de son agresseur en hurlant à pleins poumons.

Du haut de l'escalier, Julian entendit la voix de sa femme. Il dévala les marches en rugissant, Charles sur les talons.

Les deux cousins se pétrifièrent en reconnaissant l'homme qui retenait Nell par les cheveux.

Une fois passé un moment de surprise et d'horreur, Julian tourna son attention vers la seule personne qui l'intéressait : sa femme.

— Lâche-la ! ordonna-t-il en pointant son pistolet sur son cousin. Lâche-la immédiatement !

Pâle comme la mort, Charles s'exclama, incrédule :

— Raoul ? C'est *toi* qui as assassiné John ?

— Je n'avais pas le choix Il voulait me forcer à épouser une fille de ferme ! se justifia son frère. Il n'y avait pas moyen de lui faire entendre raison.

— Lâche-la ! répéta le comte d'une voix mortellement calme.

— Ou bien quoi ? riposta Raoul en tirant la tête de sa prisonnière en arrière. Tu m'abats ? Je doute que tu oses... Imagine que tu me rates ! Tu prendrais le risque de mettre sa vie en danger ?

Nell étouffa un gémissement. Tant qu'il la tenait ainsi, Charles et Julian étaient réduits à l'impuissance. Le risque de la toucher était trop grand s'ils tiraient, ils ne pouvaient pas le courir. C'était donc à elle de faire pencher la balance. Elle croisa étroitement les mains et, de toutes ses forces, projeta le coude dans l'abdomen de Raoul qui, surpris, se courba sous le choc. Il desserra légèrement sa prise, mais cela suffit à la jeune femme, qui se dégagea et se précipita vers son mari.

Le pistolet de Julian ne bougea pas d'un pouce tandis qu'il serra Nell contre son flanc.

— Les cartes ont changé de main, on dirait ? ironisa-t-il en mettant Raoul en joue.

— Tu ne me tueras pas, fanfaronna ce dernier tout en glissant centimètre par centimètre la main sous sa veste. Je suis ton cousin. Le comte de Wyndham ne voudrait pas être l'objet d'un tel scandale. Si ?

Mme Weston, qui était parvenue à étouffer les flammes, se releva en titubant, s'accrochant à la table de pierre. Elle souffrait de quelques brûlures, mais ses vêtements l'avaient protégée du pire. À ses pieds, des flammèches rougeoyaient encore parmi les débris.

— Il a raison, glapit-elle. Comment expliquerez-vous sa mort ? Vous voulez que tout le pays sache ce qu'il fait ici ?

— Et que fait donc mon frère dans ces cachots ? demanda Charles avec un calme inquiétant.

— Demande-lui de te le raconter, rétorqua Raoul en désignant Nell. Elle sait tout, apparemment.

— J'ai fait des cauchemars dans lesquels j'ai vu Raoul – je ne savais pas encore que c'était lui – assassiner votre frère John près de chez moi, dans le Devon, expliqua Nell. Je l'ai vu ensuite torturer et tuer des jeunes femmes ici… sur cette table.

— Prouvez-le ! la défia Raoul. Je suis sûr que le comte de Wyndham sera ravi que l'on apprenne que sa femme a des visions infernales comme les sorcières du temps jadis. Cela alimentera les gazettes et les conversations de salon pendant des mois !

— Tu crois vraiment que je te laisserais t'échapper pour protéger mon nom et ma réputation ? questionna Julian, son pistolet dirigé droit sur la poitrine de Raoul.

— Pour protéger ta réputation, peut-être pas. Mais pour protéger celle de ton épouse bien-aimée, certainement.

Il avait marqué un point, dut admettre Julian amèrement. Les cauchemars de Nell constituaient les seuls témoignages des crimes de son cousin… et il était incapable d'abattre un homme de sang-froid, fût-ce cette ordure. Pour protéger celle qu'il aimait, il était prêt à tout, y compris à laisser vivre une créature aussi vile que Raoul, mais il n'était tout de même pas disposé à le laisser libre de tuer à nouveau.

Le dilemme lui paraissait insoluble pour le moment. Il sentait Nell trembler comme une feuille contre lui, et tout ce qu'il désirait, c'était l'emmener loin de cet endroit horrible et de la monstrueuse présence de Raoul et de sa mère. Il ignorait encore quel rôle elle avait joué exactement dans cette affaire, mais elle était visiblement aussi coupable que son fils – en ce qui concernait l'enlèvement de Nell, du moins. Quant au reste… L'idée qu'elle ait pu être au courant depuis le début des crimes de Raoul et qu'elle ait fermé les yeux lui donnait la nausée.

— Alors, que décides-tu ? insista Raoul. Soit tu me tires une balle dans le cœur, soit tu me rends ma liberté.

— Laissez-nous partir ! plaida Sophie Weston. Nous émigrerons loin… très loin. Vous n'entendrez plus jamais parler de nous.

Raoul sortit brusquement la main de sous sa veste. D'un même mouvement, Julian poussa Nell derrière lui et fit feu.

Trois détonations retentirent simultanément. La balle de Raoul alla se ficher dans le mur derrière son cousin, mais celles de Charles et de Julian atteignirent leur cible… et le plus jeune des Weston s'abattit près de la fosse. Incrédule, il contempla les deux taches de sang qui s'agrandissaient sur son élégant gilet brodé.

— Tu as tiré sur moi ! articula-t-il en fixant Charles d'un air de reproche. Moi ! Tu as tué ton propre frère.

— Oui… comme tu as tué le nôtre, rétorqua son aîné sombrement.

Se ruant sur son beau-fils toutes griffes dehors, Mme Weston hurla :

— Mon fils ! Vous avez blessé mon fils ! Je vais vous tuer !

Elle saisit à deux mains le pistolet de Charles pour le retourner contre lui. C'était une femme vigoureuse et la colère décuplait ses forces. Un corps à corps s'ensuivit, Charles et sa belle-mère luttant à mort.

Écartant sa femme, le comte bondit pour venir à la rescousse de son cousin. C'est alors qu'une détonation retentit entre les lutteurs aussi étroitement enlacés que deux amants. L'espace d'interminables secondes, ils vacillèrent dans les bras l'un de l'autre, puis Sophie Weston s'affala sur le sol. Ses paupières papillonnèrent, puis son regard devint fixe. Pour l'éternité.

— Je ne voulais pas... balbutia Charles, blanc comme un linge, en contemplant, horrifié, le cadavre de sa belle-mère. C'était... un accident.

— Personne n'en doutera, le rassura Julian. Nell et moi témoignerons de ce qui s'est passé. Je suis désolé, ajouta-t-il, la main sur l'épaule de son cousin. Pour tout.

— *Julian !* cria soudain Nell. Regarde ! Il n'est plus là !

Le comte fit volte-face et regarda dans la direction que sa femme lui indiquait. Profitant de la diversion causée par sa mère, Raoul avait disparu.

En se maudissant intérieurement, Julian se précipita vers l'endroit où son cousin était tombé quelques minutes plus tôt. Avec deux balles dans le corps, même si ses blessures n'étaient pas fatales, il avait cru Raoul hors de combat. À tort, apparemment. Le comte suivit la traînée sanglante qui s'élargissait jusqu'à la fosse béante. Les bords dégoulinaient de sang frais.

Plutôt que d'affronter ses juges, Raoul s'était jeté dans la fosse où il avait précipité tant de malheureuses. Il gisait à présent au milieu des restes de ses victimes, devina Julian. Et c'était là la fin qui convenait à un tel monstre. À deux monstres, songea-t-il en jetant un coup d'œil au corps sans vie de Sophie Weston.

Il rejoignit sa femme, lui entoura les épaules du bras et, suivi de Charles, l'entraîna vers l'escalier, loin de toutes ces horreurs.

Une fois dehors, Nell aspira l'air frais à pleins poumons en contemplant le ciel étoilé. Elle était couverte de bleus et d'écorchures, son corps entier était douloureux, mais elle était saine et sauve, et bien vivante. Elle posa la main sur son ventre, et sourit en sentant sous ses doigts un vigoureux coup de pied. Le Dr Coleman le lui confirmerait, mais elle le savait déjà, son bébé était en parfaite santé.

Elle posa la tête sur l'épaule de Julian, qui resserra son étreinte, et s'autorisa un soupir de satisfaction. Ils avaient gagné. Les monstres avaient été terrassés. Jamais plus elle n'aurait à endurer un autre de ces horribles cauchemars. Elle pouvait enfin goûter au bonheur sans tache que la vie lui avait offert et envisager l'avenir avec confiance.

Levant la tête, elle regarda son mari, le cœur gonflé d'amour. Dans le regard qu'il abaissa sur elle, elle lut un amour aussi profond que le sien.

— Je n'ai pas tenu ma promesse, mon cœur, murmura-t-il en la serrant contre lui. Je t'avais juré que je veillerais sur toi, qu'il ne t'arriverait jamais aucun mal, et j'ai manqué à ma parole.

— Bien sûr que non, assura-t-elle avec un sourire vacillant, les yeux embrumés de larmes. Tu t'es juste fait un peu attendre, c'est tout. Nous sommes vivants, nous sommes ensemble, nous aurons bientôt un enfant, et nous avons la vie devant nous. C'est tout ce qui compte.

— Je t'aime, Nell, souffla-t-il. Tu es mon univers, ma lune, mon soleil et mes étoiles. Je t'aimerai jusqu'à mon dernier souffle… et au-delà.

— Moi aussi, mon amour, je t'aimerai jusqu'à mon dernier souffle… et au-delà.

— C'est bien beau tout cela, s'impatienta Charles, mais cela vous ennuierait beaucoup que nous retournions au château ? Il va y avoir des tas d'explications pénibles à fournir, et j'aimerais autant en finir le plus rapidement possible !

Découvrez les prochaines nouveautés de nos différentes collections J'ai lu pour elle

AVENTURES & PASSIONS

Le 3 mars :

***Ces demoiselles de Bath — Un instant de pure magie* ☙ Mary Balogh (n°9185)**

Fin XIXe, Angleterre. Susanna Osbourne, humble institutrice, profite d'un été à la campagne, où elle fait la connaissance de Peter Edgeworth, un riche aristocrate. Bien qu'ils viennent de deux mondes différents, et même si tout les oppose, les deux jeunes gens vont nouer une idylle que va rompre la disparition soudaine de Susanna.
Dans un décor évocateur des romans de Jane Austen, teinté de romantisme, Mary Balogh offre une suite à la série de « Ces demoiselles de Bath.»

***La ronde des saisons 3 — Un diable en hiver* ☙ Lisa Kleypas (n°9186)**

Un diable en hiver est le troisième tome de la série « La ronde des saisons ». Qui aurait cru qu'après ses amies, Annabelle et Lillian ce serait au tour de la timide Evangeline Jenner de trouver un mari ? Et quel mari ! Non content d'être un débauché notoire, un aristocrate plein de morgue, Sebastian, lord St. Vincent, vient de trahir son meilleur ami en tentant d'enlever sa riche fiancée...
Pour échapper aux griffes de sa famille, la douce Evie décide de signer un pacte avec le diable. En échange de sa protection, Sebastian aura sa fortune, mais rien de plus, ni son corps ni son cœur.

***Les enquêtes de Lavinia et Tobias — L'intrigante de Londres* ☙ Amanda Quick (n°6293)**

Affublée de gros bas de laine, de chaussures éculées et d'un vieux manteau, Lavinia est méconnaissable. Un seau d'eau, une serpillère et un balai compléteront son déguisement. À quelles extrémités peut conduire la profession de détective privé !
Quelques pièces ont suffi pour qu'on lui remette les clés de la galerie secrète. Voilà enfin l'occasion d'examiner de près le travail de Huggett, ce sculpteur si antipathique, et de savoir s'il est l'auteur de la macabre poupée vaudou qu'a reçue la cliente de Lavinia, ce qui expliquerait bien des choses...

2 rendez-vous mensuels aux alentours du 1er et du 15 de chaque mois.

Le 17 mars :

Un amant de rêve ☙ **Virginia Henley (n°4848)**

Mariée à un homme qu'elle méprise, Esmeralda fuit sans cesse le domicile conjugal. Ce soir-là, dans Baker Street, un fiacre s'arrête à sa hauteur. La portière s'ouvre. Esmeralda, qui reconnaît l'homme, est stupéfaite.
Cinq ans sans la moindre nouvelle, cinq ans à rêver de lui chaque nuit… Pourtant, sans hésiter, elle s'engouffre à l'intérieur. Le comte de Kildare jubile. À présent, il tient sa vengeance !

INÉDIT

Les Highlanders du nouveau monde — Sur le fil de l'épée ☙ **Pamela Clare (n°9200)**

1755. Anglais et Français s'affrontent pour la conquête des Amériques. Exilé au Nouveau Monde, Ian MacKinnon hait le roi George et ses armées, mais il est enrôlé de force et contraint de prendre la tête d'une compagnie d'Indiens. Lui qui n'ambitionnait que d'être fermier devient soldat. Un jour, contrevenant aux ordres, il sauve une esclave blanche que des Abénaqui s'apprêtaient à scalper. Elle dit s'appeler Annie Burns et, bien qu'elle soit écossaise, elle prend Ian pour un barbare, car son clan a massacré ses proches. Pourtant, aux confins de cette terre sauvage, elle va peu à peu accepter sa protection et plus encore…

Quand l'amour vous plonge dans un monde de sensualité

Le 21 avril :

Les magiciennes des âmes perdues ☙ **Megan Hart (n° 9230)**

Dans un monde fantaisiste, lors d'une soirée qui tourne au drame, trois amis, Cillian fils de roi, Edward et Alaric, tuent une prostituée. Des années plus tard, toujours rongés par la culpabilité, ils n'ont qu'un seul souhait: retrouver leur sérénité. L'ordre de Solace leur envoie des émissaires, des demoiselles de compagnie dont la mission est de les sauver de leurs démons et de les aider à retrouver la paix.

L'ami de madame ☙ **Evangeline Collins (n° 9231)**

Mariée à contrecœur pour sauver l'honneur de sa famille, délaissée par son époux dans une maison du fin fond de l'Écosse, Bella vit une existence morne et ennuyeuse. Jusqu'au jour où une amie lui propose une idée fort originale: pourquoi n'accueillerait-elle pas, pour quelques semaines, un homme en guise de compagnon ?

2 romans tous les 2 mois
aux alentours du 15 de chaque mois.

9151

Composition
CHESTEROC LTD

Achevé d'imprimer en France
par CPI BRODARD & TAUPIN
le 3 janvier 2010. 56125

Dépôt légal janvier 2010.
EAN 9782290019108

ÉDITIONS J'AI LU
87, quai Panhard-et-Levassor, 75013 Paris

Diffusion France et étranger : Flammarion